RENAUD DE LABORDERIE

LE LIVRE D'OR DE LA FORMULE 1

1997

Préface de
JACQUES VILLENEUVE

Fiches techniques de
Bernadette LAURENS

SOLAR

Si vous souhaitez recevoir notre catalogue
et être tenu au courant de nos publications,
envoyez-nous vos nom et adresse, en citant ce livre
et en précisant les domaines qui vous intéressent.

Éditions SOLAR
12, avenue d'Italie
75013 PARIS

SOMMAIRE

Jacques Villeneuve, premier Québécois champion du monde de Formule 1.

PRENEZ-MOI COMME JE SUIS...

par

Jacques Villeneuve

D'une année sur l'autre, je suis passé d'une phase de découverte de la Formule 1 à une autre, plus poussée et plus complexe.

En toute franchise, ma saison n'a pas été plus difficile qu'en 1996. Elle a surtout été différente. Je crois avoir acquis de l'assurance et avoir gagné le droit de m'exprimer généreusement dans mon équipe Williams-Renault, à laquelle je rends hommage pour sa combativité et sa qualité.

Bien sûr, la profession de pilote est ingrate. Cette vérité, j'en suis pénétré depuis toujours, avant même d'avoir commencé à courir. Je me croyais néanmoins blindé contre toutes les formes d'adversité.

C'est évident : il faut une grande résistance psychologique pour s'accomplir en Formule 1. En 1997, j'ai principalement appris qu'il ne suffisait pas d'être très fort au volant de sa voiture pour surmonter tous les obstacles.

C'est aussi en dehors de son cockpit qu'on a besoin de force morale.

L'univers de la Formule 1 est un milieu grisant et redoutable où tout est immédiatement amplifié dans des proportions démesurées. C'est ce que l'on appelle l'effet boomerang. J'ai retenu certaines leçons.

Il paraît qu'on me considère, souvent, comme un révolté. Plus encore que les Québécois qui, tous autant qu'ils sont, ont l'épiderme très sensible. Cette caricature donne un portrait incomplet de ma personnalité.

Québécois, je le suis dans toutes les fibres de mon corps et de par mon origine. Mais comme j'ai été élevé dans la région méditerranéenne, j'ai aussi une culture francophile qui m'a beaucoup apporté. Entre mes racines québécoises et mon épanouissement francophile, je ne renie rien. Au contraire, je me sens bien dans ma peau de garçon passionné de vitesse.

Au début du championnat, on s'attendait à un duel entre Michael Schumacher et moi-même. Il a effectivement eu lieu. Mais, curieusement, je n'ai pas affronté Michael en direct avant Suzuka. C'est d'ailleurs là-bas qu'il a commencé à m'attaquer verbalement.

En 1996, comme il ne luttait pas pour le titre mondial, Michael avait conservé le silence. Il savait que la bataille suprême se jouait entre Damon Hill et moi, au sein de Williams-Renault.

En me retournant sur mes plus fortes sensations de 1997, j'en discerne plusieurs. En négatif, ce sera toujours Montréal. J'ai commis une erreur. Bon. Même si, après coup, un ennui à une roue m'aurait certainement handicapé tôt ou tard dans la course. Dans le même ordre d'idées, il y a aussi le GP du Japon. Pour un faisceau de raisons étalées au grand jour.

En positif, deux GP m'ont particulièrement réjoui. Le premier, c'est la Hongrie : quand j'ai entrevu l'ouverture étroite qui s'offrait à moi, je n'ai pas hésité un millième de seconde pour dépasser Damon. J'avais ma chance à saisir.

Le deuxième, c'est l'Autriche. Ce jour-là, je conduisais une voiture parfaite. Pour un pilote, courir sur une machine aussi idéalement réglée et homogène revient à éprouver une rarissime impression de plénitude. J'aurais aimé que ce dimanche autrichien ne finisse jamais...

Mais puisqu'il a été remplacé dans ma mémoire par un dimanche espagnol, je crois avoir franchi dans ma carrière un seuil qui ne s'effacera jamais.

Ce titre mondial, j'ai dû attaquer à fond pour le conquérir. En courant comme j'aime. En refusant de subir les événements. Bref, en étant ce que je suis.

Samedi 25 octobre 1997, *Los Alburejos* : Jacques Villeneuve à la Fête Renault,
avec Damon Hill, Heinz-Harald Frentzen, Jean Alesi, Gerhard Berger, Alain Prost, Nigel Mansell. Une belle brochette.

Dimanche 26 octobre 1997, motor-home Renault, Jerez : c'est fait, Villeneuve est le quatrième pilote Renault champion du monde.

VILLENEUVE, GÉNÉRATION JACQUES

Ce vendredi 17 octobre 1997, neuf jours avant Jerez, Jacques Villeneuve regagne l'*Hôtel Plaza Athénée*, à Paris, en fin de journée, entre deux manifestations de communication. Il est fatigué. Sur un accès de boulimie, il engloutit une assiette de pâtisseries. On lui apporte une enveloppe express. De Villars-sur-Ollon, en Suisse, Barbara Pollock lui a expédié une paire de lunettes (auxquelles il tenait beaucoup) qu'il croyait malencontreusement égarées.

En retournant le paquet, il éclate de rire. Deux jeunes postières suisses lui ont écrit un message d'encouragement. « Tu vois, j'ai quand même des amis qui pensent à moi », indique-t-il à son ami et manager Craig Pollock. Il se sent subitement rassuré. Il repousse les pâtisseries. Cet indice, anodin mais lourdement symbolique, lui rend un moral que l'on redoute miné par plusieurs péripéties corrosives.

Après quarante-huit heures parisiennes discrètes, partagées (largement) avec son ami le chanteur Stéphane Eicher, Villeneuve se confie totalement à son kinésithérapeute autrichien, Erwin Göllner, dans le calme d'un été monégasque finissant. Il ne se prépare pas seulement physiquement. Il se reconstitue un moral d'acier en vue du GP d'Europe à Jerez. Il court dans les rues de la Principauté, il fait du vélo, il écoute des disques, il s'amuse avec ses jeux électroniques. Ce futur champion du monde est (aussi) un adolescent.

PROST-PEUGEOT : SOLITUDE FRANÇAISE

Lors de la réception Renault, Alain Prost a eu l'occasion de se revoir, sur grand écran, au volant de ses monoplaces Renault entre 1981 et 1983 puis, sur une Williams-Renault, lors de sa triomphale année 1993.

Il n'a masqué ni son émotion ni sa reconnaissance envers Renault : « C'est à Renault que je dois d'avoir débuté dans le sport automobile. » D'ailleurs, il avait signé chez Williams-Renault, en 1992, pour, selon ses propos d'alors, « gagner avec Renault un titre mondial qui serait un retour aux sources ».

Le 13 février 1997, au soir de la publication de son entente avec Peugeot, Prost confia : « Acheter Ligier, c'est accomplir, quelque part, un rêve de jeunesse. »

Renault ayant quitté les GP, Alain Prost et Peugeot se retrouvent seuls en piste pour relever le défi d'une forte présence française en Formule 1.

Les statistiques sont impitoyables : en quatre ans de Formule 1, Peugeot n'est pas parvenu à battre Renault, riche de six consécrations des constructeurs. Maintenant, une autre époque s'ouvre : il revient à Prost et à Peugeot d'assumer la succession de Renault, sur les podiums et sur les palmarès.

La poste de Villars s/Ollon vous souhaites un grand courage et nous vous tenons les pouces pour le 26.10.97.

Meilleures Salutations

La poste

Karine. Catherine.

Merci, les Suissesses !

Le dimanche 7 septembre, à Monza, Villeneuve est convoqué, impérativement, par les commissaires internationaux du GP d'Italie. Pour ne pas avoir ralenti au warm-up lors de la sortie de piste de Michael Schumacher, le Québécois est suspendu avec sursis pour un GP et mis à l'épreuve pour... neuf autres GP (dont quatre sur 1998). A 12 h 20, Craig Pollock apprend la mauvaise nouvelle – qui restera strictement secrète jusqu'à un communiqué publié à 13 h 30 – à Christian Contzen et Bernard Dudot, dans un motor-home Renault bourdonnant de l'agitation du déjeuner.

Villeneuve, quant à lui, est retourné vers son stand de piste pour les derniers réglages de sa machine. Il a besoin de travailler à fond pour tenter d'oublier cette sanction, susceptible de brouiller sa motivation. Il va courir avec une terrible menace au-dessus de son casque.

Contraste : alors que Villeneuve s'impose avec éclat à Spielberg puis au Nürburgring, Schumacher, de son côté, traverse un « septembre noir » en n'ayant marqué que deux points (Italie, Autriche).

Néanmoins, après Suzuka, Villeneuve se retrouve au point zéro, en ce sens que Frank Williams renonce à interjeter appel auprès de la FIA, à propos de la disqualification du GP du Japon. Le lendemain de ce repli stratégique, le Québécois se montre formel : « Le risque était trop grand. Dans une situation normalisée, je vais pouvoir attaquer à fond, jusqu'au

Sur une initiative de la station de radio CKMF, relayée par *Le Journal de Montréal,*
ils sont plus de 600 Québécois à être passés au… blond !

bout. » Tout calcul est superflu : Schumacher mène avec 78 points contre 77 à Villeneuve.

En face, dans le clan Ferrari, le printemps renaît en octobre. Après le succès de Schumacher à Suzuka, la Scuderia a repris des couleurs. Détail : dès le début de la saison, Ferrari avait identifié la monoplace n° 5 comme celle de Schumacher. Pour éviter toute tromperie sur le nom des Schumacher. C'était à l'autre, au cadet, Ralf, de faire porter l'initiale de son prénom sur sa Jordan-Peugeot. Le risque de confusion entre les deux Schumacher était réduit à néant.

Le mardi 7 janvier, à Maranello, en dévoilant la F 310 B, Luca Di Montezemolo, le président de Ferrari, avait précisé : « Notre objectif, cette année, est de remporter quatre GP. Le titre mondial, ce sera pour 1998. » Schumacher avait ajouté : « Mon souhait personnel, c'est de me montrer compétitif jusqu'au bout. » La

nuance, importante, n'a pas résisté aux événements. L'occasion faisant le larron, Schumacher et Ferrari sont entraînés, par anticipation et réussite, dans un défi mondial qu'il leur est interdit de ne pas relever. La déclaration d'intentions du 7 janvier est balayée comme un fétu de paille dans les rêves fous qui hantent Maranello. Avec une formidable pointe de fièvre après le redressement de Schumacher à Suzuka.

Ainsi, avant l'affrontement de Jerez, une inébranlable confiance s'est capitalisée chez Ferrari sur Schumacher. Et par cet effet amplificateur passionnel qui caractérise Ferrari, surtout en provenance de l'extérieur, les atouts de Villeneuve semblent fragilisés. Les apparences sont trompeuses.

Tout s'est dénoué, ce 26 octobre, dans une manœuvre incroyablement insolite (voire incongrue) du double champion du monde. Depuis Melbourne, Villeneuve et

Schumacher s'étaient opposés sur environ 5 000 km. Un peu moins, sans doute, pour le Québécois, victime d'une méchante percussion d'Irvine dès les premiers cent mètres d'Australie. Villeneuve a traîné cette frustration, sur fond de rancœur envers Irvine, pendant huit mois. Bref, à Jerez, il leur fallait se départager sur 305,532 km. Une broutille à très haut coefficient de risques en tout genre.

Dans cette guerre des nerfs, Schumacher a craqué le premier devant 12 999 000 téléspectateurs italiens, 6 963 000 français, 15 480 000 allemands et plus de 3 000 000 de québécois, autant d'audiences records entre autres. Le retentissement sur la planète de ce GP d'Europe restera un phénomène historique.

En se condamnant tout seul, Schumacher a, par ricochet, facilité la découverte humaine de Jacques Villeneuve (26 ans depuis le 9 avril 1997), champion du monde dès sa deuxième saison de Formule 1 et riche de onze victoires (en 32 GP), de treize pole positions et d'un total de 159 points. Les statistiques ne sont qu'une trajectoire vers l'essentiel : Jacques Villeneuve a bousculé la légende des Villeneuve. Vainqueur des 500 Miles d'Indianapolis en 1995 et champion de Formule Indy la même année, il était arrivé en Formule 1 comme une providence. Depuis Jerez, il a l'étoffe d'un successeur, à terme plus ou moins rapproché, de Michael Schumacher.

Son anticonformisme d'apparence enveloppe un champion d'exception ? Sa passion de la vitesse n'est pas seulement un sentiment à fleur de peau et une raison d'aller au bout de lui-même. C'est devenu aussi une attitude d'existence. A Jerez, au petit matin de ces nuits blanches qu'affectionnent tant les tout frais champions du monde, au moins pour évacuer le stress d'un championnat difficile, il s'est exclamé : « Tiens, il serait peut-être temps que je songe à des vacances… »

L'adolescent était revenu sur terre.

L'ENVERS DU DÉCOR

HILL CHEZ JORDAN

LES TRIBULATIONS
D'UN CHAMPION DU MONDE

Dans cette petite salle quasiment secrète, en arrière du bar de l'hôtel *La Renaissance*, à Magny-Cours, ce mercredi 25 juin en début d'après-midi, Alain Prost s'entretient avec Damon Hill et Michael Breen, son avocat. Rien d'officiel ne transpire de ce contact Prost-Hill. Ce n'est pas le premier (Prost avait alerté l'Anglais à Melbourne, lors du premier GP 1997), mais il est important.

Le Français expose ses projets, ses moyens, sa stratégie. Hill ne parle guère. Breen, lui, aligne déjà des chiffres. Des millions de dollars. Prost ne s'étonne de rien : il a une parfaite connaissance des tarifs d'un champion du monde. Son unique préoccupation est de sonder la motivation de Damon Hill.

A cette époque-là, Hill n'a pas réalisé d'exploits sur son Arrows-Yamaha. Il ne s'est jamais plaint, mais il a laissé Breen s'exprimer à sa place et faire monter les enchères d'un talent (provisoirement) en sommeil.

L'Anglais Ron Dennis, le team-manager de McLaren-Mercedes, s'est également intéressé à Hill. En son nom propre, sans la caution de ses partenaires de Mercedes. Et pour cause : depuis «l'expérience Nigel Mansell» du début 1995, Jurgen Hubbert et Norbert Haug se méfient du profil d'un champion du monde anglais sur le retour (voir page 93). Qu'importe. Hill sert d'appât pour Dennis et Breen : le premier

Hill et Breen, complémentaires.

peut ainsi sensibiliser en interne Mika Hakkinen et David Coulthard, le second souligne l'intérêt croissant suscité par le champion du monde en titre.

Il est même question, pendant l'été, d'un exil de Damon Hill aux États-Unis, en Formule Indy. Trop, c'est trop. Bernie Ecclestone réagit en vantant à Alain Prost, Eddie Jordan, Tom Walkinshaw, Ron Dennis et Peter Sauber les qualités de Damon Hill. Avec, en arrière-pensée, le souci de préserver les indices d'audience des GP sur ITV, la chaîne anglaise qui retransmet la Formule 1 en exclusivité.

Tom Walkinshaw accueille l'intervention d'Ecclestone avec réalisme : «Je sais ce que je donne à Damon.» Environ 7 millions de dollars (42 millions de francs). Pourtant, à ce prix-là, ça ne marche pas fort entre Walkinshaw et Hill. Quand Peter Sauber se manifeste, Hill répond prestement. En se rendant, le jeudi 31 juillet, à Hinwill, près de Zurich, dans

les ateliers Sauber, l'opération tourne à la confusion : l'Anglais veut 16 millions de dollars (96 millions de francs) sur deux ans. Le Suisse attend une réponse immédiate. Ils se défient du regard, se serrent la main en silence et se séparent d'un commun accord. Sur-le-champ.

Avec son feu d'artifice sur l'Hungaroring, Hill relance les pourparlers tous azimuts. Walkinshaw, le plus proche de l'Anglais, n'est pas le mieux placé. Dennis vient à la relance, non sans arrière-pensée. Prost aussi. Et surtout Eddie Jordan. Depuis plusieurs semaines, ce dernier a agi auprès de Damon Hill par messager interposé : son compatriote irlandais David Marren, un éminent dirigeant de Benson & Hedges, qui a l'avantage d'habiter à Killiney, dans la banlieue de Dublin, à quelques rues de la résidence des Hill, à Blackrock.

Marren a noué avec Hill des négociations privilégiées et ultra-privées, loin des paddocks et, surtout, des médias. Ainsi, Eddie Jordan n'a pas besoin de se montrer avec Hill car David Marren est un excellent poisson-pilote, en tant que sponsor principal de Jordan. La complicité irlandaise tourne à son régime maximal.

Premier accroc : le vendredi 22 août, à Spa, Hill explique, dans un communiqué vengeur, que les offres de McLaren sont notoirement insuffisantes : 2 millions de dollars de base (12 millions de francs) et un complément «à la course» (1 million de dollars, 6 millions de francs), en cas de victoire. Riposte immédiate de Ron Dennis : la confirmation de Mika Hakkinen et de David Coulthard.

HILL : CADEAU POUR MUGEN ET HONDA

Le vendredi 22 août, Damon Hill se rend, discrètement, à l'*Hôtel de l'Amigo*, à Malmédy, près de Spa, pour un rendez-vous confidentiel en soirée avec Yoshiharu Ebihara, l'agent de Shinji Nakano et le représentant personnel Mugen auprès de Prost GP.

Le champion du monde a besoin de certitudes sur la validité de l'engagement de Mugen en Formule 1, avec le soutien (avoué) de Honda.

Ebihara l'apaise sur tous les points techniques qu'il demande. En conclusion, Ebihara donne même à Damon Hill le numéro personnel de Hirotoshi Honda, le président de Mugen, à Tokyo.

En se comportant ainsi, Ebihara concrétise un désir émis, quarante-huit heures auparavant, par Eddie Jordan. Devant l'offensive de Prost, la plus menaçante à ses yeux, l'Irlandais a pris peur : il a donc sollicité, impérativement, Ebihara pour nouer l'initiative d'un tête-à-tête avec Damon Hill. Mission accomplie.

« Pour que Damon accepte de venir chez Jordan-Mugen-Honda, il avait besoin d'être rassuré. Depuis l'époque des Piquet, Mansell, Senna et Prost, c'est le premier champion du monde qui s'alignera en course sous une bannière Honda », précise Ebihara. Mais ce V10 Mugen-Honda qui propulsera les Jordan a aussi son prix...

Jordan avec Hirotoshi Honda, ça baigne.

De son côté, Prost ne reste pas inactif. Damon Hill fait une brève escale à Paris, sur la route de Monza, pour le GP d'Italie, en cette première semaine de septembre. L'entrevue est assez positive pour que Prost confie à Julian Jakobi et Philippe Ouakrat le soin de rédiger un protocole Hill-Prost GP. Avec 4 millions de dollars (24 millions de francs) versés par l'écurie et un échafaudage de contrats personnels

Eddie Jordan et Damon Hill : affaire conclue.

très valorisants, pour la seule année 1998. Et un prolongement « au rendement » pour 1999 (l'année du 39e anniversaire de l'Anglais) avec les mêmes garanties complémentaires.

Curieusement, Hill devient de plus en plus gourmand. En plus du rang de premier pilote, ayant un mulet à sa disposition exclusive, il multiplie les demandes d'informations. Il souhaite même prendre connaissance des courbes de puissance du V10 Peugeot. Tout doit être réglé pour le mardi 16 septembre. Non moins curieusement, ce jour-là, Breen est injoignable. Sa secrétaire répond : « M. Breen est très occupé par son anniversaire de mariage. » *(sic)* Alain Prost, en alerte, flaire un coup fourré.

Ce même mardi, Walkinshaw a adressé une ultime offre à Damon Hill : 10-12 millions de dollars (60-72 millions de francs), avec ultimatum pour 14 heures. Silence total du duo Breen-Hill. Mais Walkinshaw a pris ses précautions du côté de Mika Salo, le Finlandais de Tyrrell. L'option Arrows-Salo expirant le mercredi 17 sep-

tembre à 14 heures, Walkinshaw l'exploite en sa faveur, pour 3 millions de dollars (18 millions de francs).

Le mercredi 17 septembre, un Piaggio à neuf places atterrit à Graz (Autriche), à 17 h 35, avec, notamment, John Barnard, le directeur technique d'Arrows, et Mika Salo (ex-Tyrrell). Tous deux ont tenu leur premier briefing technique en plein ciel, entre la Grande-Bretagne et l'Autriche. L'ingénieur Vincent Gaillardot avoue : « Cette fois, Damon est bien parti. »

Alain Prost ne se laisse pas manœuvrer. Il trahit sa rancœur en quelques lignes cinglantes. Il se montre sévère pour Hill : « Je me suis aperçu que la motivation de Damon n'était pas celle que je croyais. » Il a la conscience tranquille : fin 1992, il avait même plaidé la cause de Damon Hill auprès de Frank Williams. « Je ne pouvais pas brader l'esprit d'équipe de mon écurie », ajoute-t-il.

Quarante-huit heures plus tard, sous l'auvent du motor-home Prost GP à Spielberg, Me Jean-Charles Roguet, l'ami et l'avocat de Prost, révèle : « Nous allons attaquer Damon Hill et Michael Breen pour négociations de mauvaise foi.» Ce motif est très répandu dans la jurisprudence anglaise.

Il ne reste plus à Eddie Jordan et Damon Hill qu'à convoler en justes noces dans le paddock de Spielberg, sous l'auvent Jordan, le vendredi matin 19 septembre, dans une nuée de photographes. Ce duo irlandais-anglais est épanoui. Leur union est l'aboutissement d'un long processus secret, très bien verrouillé.

A quelques mètres de la cohue qui submerge Eddie Jordan et Damon Hill, un homme se tient tranquille, une drôle de lueur dans le regard. C'est David Marren, l'entremetteur avisé de Jordan et Hill. Il connaît la vérité : le mardi 9 septembre, il a amené Jordan et Hill au siège de Benson & Hedges, au cœur du Surrey, pour la finalisation de pourparlers serrés et caractérisés, eux aussi, par les conditions en hausse perpétuelle du champion du monde. Au-dessus de 10 millions de dollars (60 millions de francs).

ALESI CHEZ SAUBER

COUP DE FOUDRE

En ce radieux lundi de Lombardie, le 8 septembre, Jean Alesi arrive dans la zone d'aviation d'affaires de Linate, l'un des deux aéroports de Milan. Il a le cœur léger. Contrairement à ses habitudes, il n'a pas regagné ses pénates le dimanche soir.

Alesi monte dans un petit jet d'Aeroleasing, avec un plan de vol en direction de Kloten, l'aéroport de Zurich. Peu après 10 heures, il atterrit en Suisse et, moins d'une heure plus tard, il est assis dans le bureau de Peter Sauber, au cœur de PP Sauber AG, à Hinwill, typique bourgade de la Suisse alémanique.

Ce voyage éclair est l'aboutissement d'un contact éclair entre Alesi et l'unique écurie helvétique de la Formule 1. Pour Alesi, c'est surtout une bouffée d'air pur.

Depuis plusieurs semaines, le Français étouffe, humainement parlant, dans son environnement Benetton qu'il sent se déliter. Au soir de son podium de Barcelone – son premier en 1997 –, Flavio Briatore a pourtant clamé à tous les vents du paddock : «Jean, s'il le veut, je le garde pour cinq ans!» Mais avec ses neuf saisons en Formule 1 (depuis 1989), Alesi a perdu toute naïveté tout en préservant son authenticité. A l'époque, Briatore se savait en situation instable chez Benetton et Alesi n'en ignorait rien.

Alors, Alesi s'est mis, tout seul, en quête de se bâtir un avenir. Avec, comme meilleur conseiller, son ami Alain Prost qui, faute de lui proposer un volant sur une Prost-Peugeot, ne lui ménage ni ses impressions ni ses informations et encore moins ses avis. Très complices, trop liés d'une solide amitié, anciens équipiers (chez Ferrari, en 1991), Prost (42 ans) et Alesi (33 ans) n'ont jamais sérieusement envisagé de collaborer ensemble. «Il m'est très délicat de parler normalement de Jean», a coupé, un jour, Prost avec une certaine élégance, qui n'a pas empêché toutes les spéculations possibles de vagabonder dans le paddock.

Jean Alesi au pas de charge.

Son frère José ne survenant que très épisodiquement sur les circuits et son agent Mario Miyakawa ne se consacrant qu'aux opérations de commercialisation, Alesi s'est donc investi en solitaire dans la recherche d'un volant pour 1998.

D'une voix douce, il a commencé par préciser ses intentions vis-à-vis de Benetton : «J'attends de voir ce que deviendra l'écurie pour me prononcer sur une saison de plus.» Cousue de fil blanc, cette déclaration est une démission à peine masquée. Son option de renouvellement de contrat avec Benetton étant passée par pertes et profits, Alesi n'entretenait aucune illusion.

En avançant le nom de Jean Alesi à Hirotoshi Honda le 17 mai (voir page 46), Eddie Jordan est devenu, en vérité, l'otage du Français. En même temps, Jordan a besoin de faire savoir à son interlocuteur japonais qu'il discute intensément avec celui qui fut consacré champion intercontinental de Formule 3000 en 1989, sur une Jordan-Mugen.

Alors, en roublard-né, l'Irlandais s'expose, ici ou là, avec Alesi selon une mise en scène de communication par trop théâtrale pour être vraie. De prime abord, dans sa candeur, Alesi croyait réellement intéresser Jordan qui a joué, en maestro, sur la corde sensible de leur aventure en 1989.

Aujourd'hui, Jordan est en retard de huit ans sur Alesi, car c'est bien ce même Alesi qui adresse un ultimatum à l'Irlandais en lui fixant, comme condition préalable à toute poursuite des négociations, l'obligation de lui rédiger un pré-contrat assorti de clauses techniques et financières précises. En l'occurrence, Alesi ne recule devant rien. C'est un trapéziste sans filet qui joue gros sur une ultime acrobatie. Il n'a, à ce moment-là, aucune autre offre réellement conforme à son standing. Il a même, furtivement, songé à revenir chez Ferrari. Il en a prestement été dissuadé.

Par un après-midi d'août, allure trapue, Tom Walkinshaw marche, le regard en éveil, sur les quais du port d'Hyères. Il

Alesi et Fisichella : le relais chez Benetton.

cherche le yacht de Jean Alesi. Leur entretien est franc et direct. Mais stérile. Alesi se rend compte qu'il ne recevra pas les garanties techniques qu'il souhaite.

Le championnat s'avance. A la veille de ce GP d'Italie, Christian Contzen extirpe de ses dossiers une statistique établie à l'usage interne de Renault-Sport : à ce jour, en douze courses, ils ne sont que deux, Michael Schumacher et Jean Alesi, à ne compter qu'un minimum de deux abandons. « On comprend mieux pourquoi Jean est troisième du championnat », assure le directeur général de Renault-Sport. Pourtant, ce certificat de fiabilité ne paraît pas avoir retenu l'attention de beaucoup de team-managers.

Dans l'ambiance de Monza, Alesi ne s'amuse plus de voir son nom bradé comme « possible » dans certaines écuries qui l'utilisent sans s'être manifestées auprès de lui. Sa fierté est vulnérabilisée. Il aborde ces journées italiennes dans des conditions psychologiques difficiles. Au plus profond d'une déprime dissimulée, sa pole position, sa deuxième place et un contact avec Max Welti le réconfortent.

Aussi, ce lundi 8 septembre restera comme une date cruciale dans sa carrière.

« Avec Peter Sauber, nous avons parlé comme ça, de tout et de rien, à cœur ouvert. Après le déjeuner, j'ai visité toutes les installations. Nous avons repris notre discussion. J'étais emballé. J'avais même envie de signer tout de suite, sans même avoir évoqué les questions financières », se souvient Alesi, un petit sourire sur les lèvres et la fossette du menton redevenue joyeuse.

Au fil de ces heures à Hinwill, Alesi a retrouvé l'optimisme, sa vraie nature. Deux proches de Peter Sauber participaient à la plupart des entretiens, Max Welti, son directeur sportif, et Fritz Kaizer, un Suisse allemand peu familier des circuits, actionnaire et directeur commercial de PP Sauber AG. Et aussi conseiller personnel de Gerhard Berger depuis toujours.

En fait, alors que Sauber n'avait même pas encore commencé, par Welti interposé, ses manœuvres d'approche sur Alesi, Kaizer, agissant sur ordre confidentiel, avait sondé Berger sur l'état d'esprit du Français. Il n'avait récupéré, en retour, que d'excellentes appréciations. C'est donc Kaizer qui a garanti à Sauber, en préambule à un tête-à-tête, la disponibilité et les dispositions morales de Jean Alesi.

En milieu d'après-midi, Alesi prend congé, rassuré sur ses lendemains en Formule 1 et riche de toutes les informations qui lui semblaient indispensables. La validité du contrat tripartite Petronas-Ferrari-Sauber est un gage de constance de l'équipe. En outre, la perspective de renouer, via le V10, avec des ingénieurs Ferrari enchante Alesi.

En bouclant sa neuvième année de Formule 1, Alesi débarque donc dans sa quatrième écurie, après Tyrrell (1989-1990), Ferrari (1991 à 1995) et Benetton-Renault (1996-1997). « Chacune avait son style et ses particularités. J'avais envie de rejoindre une équipe qui me voulait et m'accordait sa confiance sur mon comportement, mon expérience et mes performances », expliquera Alesi, plus tard. Au passage, il a conservé sa cote personnelle à la bourse des pilotes en recevant une garantie annuelle de 40 millions de francs.

L'instant de la séparation arrive. Les deux parties conviennent d'un délai de réflexion de trois jours. « Nos paroles d'homme suffisaient. Ils s'engageaient à ne pas regarder ailleurs (sic) pendant cette période et, de mon côté, j'agissais de même. Nous étions entre gens de bonne foi », commente Alesi.

Tout s'enchaîne normalement. L'accord de principe, sur deux saisons (1998, 1999), est confirmé le vendredi matin 12 septembre. De son bateau, ancré à Juan-les-Pins, Alesi a téléphoné à Sauber, dans son bureau d'Hinwill. Après quelques propos de convenance, Alesi indique : « Pour moi, ça marche. Je laisse les avocats s'occuper de tout ce qu'il faut. D'ailleurs, ils sont déjà prévenus. » Minime silence. « Moi aussi », rétorque Sauber.

A plusieurs centaines de kilomètres de distance, un Suisse, placide entre les placides, et un Français, bouillonnant d'enthousiasme et de fierté, se réjouissent de pourparlers aussi rondement menés. Chacun de son côté, ils esquissent un même sourire.

LE RETOUR DE BMW

LE DÉTAIL QUI CHANGE TOUT

Voici déjà quelque temps que Didier Maitret, le président de BMW-France, l'avait clairement énoncé : «En face de la présence de Mercedes en Formule 1, il est clair que BMW ne restera pas sans réaction. Ce n'est qu'une affaire de réflexion et d'étude de marché.» Ce propos date du premier trimestre 1995.

Pour avoir été champion du monde 1983 (avec Nelson Piquet sur une Brabham-BMW), la Bayersche Motoren-Werke ne se résignait pas à un rôle de spectateur passif.

Dans les allées du Palexpo de Genève, au Salon de l'automobile, en mars 1997, l'hypothèse d'un retour de BMW en Formule 1 se dessinait avec insistance. Les initiés lançaient une date d'annonce : le Salon de Francfort, le 9 septembre.

Puisqu'il n'existait plus, le suspense s'évanouissait avant l'heure. Il fallait attendre le jour exact, le lundi 8 septembre. Et, d'ici là, mener les tractations nécessaires sur un terrain préparé depuis le week-end du GP de Grande-Bretagne 1996. A Silverstone, Bernd Pischetsrieder, le président de BMW, avait rendu une visite de courtoisie intéressée à Frank Williams, alors sous le coup d'une rupture programmée avec Renault pour fin 1997.

Il n'était néanmoins pas question pour les Munichois de précipiter le cours de la première approximation d'un budget conséquent dans le cadre d'une stratégie à long terme. Quand l'opportunité d'un V10 Mécachrome-Renault se présente à Williams, le 29 janvier 1997, il bondit dessus. En en revendiquant l'exclusivité pour deux ans (1998, 1999), avec un tarif basique de 100 millions de francs. Méfiant, Williams a fait préciser, par une clause spéciale du contrat, qu'une fourniture du même Mécachrome-Renault à une deuxième écurie entraînerait une révision du tarif fixé le 29 janvier. A la baisse, cela va sans dire.

Tout s'accélère pendant l'été. L'Allemand Karl-Heinz Kalbfell devient un familier des ateliers de Williams Grand Prix Engineering Ltd, à Grove-Wantage. Il est mandaté pour multiplier les concertations, souvent accompagné de l'ingénieur Paul Rosche, le directeur technique du projet, avec Williams et Patrick Head. L'accord Williams-BMW prend, chaque fois, un surcroît de consistance. Il extrapole aussi la Formule 1 en s'aventurant vers les GP, une participation commune aux 24 Heures du Mans et – pourquoi pas ? – une voiture sportive de grande diffusion.

L'installation d'une unité BWM Motorsports Ltd, à proximité de Grove-Wantage, se précise. Fin août, Kalbfell transmet à Williams et Head un vœu – quasiment un ordre –, émanant du directoire de BMW : l'identification de l'écurie en BMW-Williams, soit en formulation inversée par rapport à l'usage. Les deux Anglais sont obligés d'acquiescer. Ils n'ont pas le choix. Ils touchaient au but, et, soudainement, ils devaient payer le prix d'un partenariat qu'ils avaient défini et obtenu comme exclusif.

Ce détail, qui change tout, est un renversement des tendances de la Formule 1. Le directoire de BMW s'était prononcé sur une étude marketing instruite par Kalbfell. Et fondée, notamment, sur une déclaration de Patrick Faure, le 7 décembre 1996 à Monaco. Le président de Renault-Sport s'en est étonné auprès de Bernie Ecclestone : «Il n'est pas normal que les motoristes soient moins considérés que les pilotes dans, par exemple, les cérémonies officielles de la FIA.»

Cette union BMW-Williams, étalée sur cinq ans (avec option de prolongation), est une révolution dans la terminologie du pouvoir sportif. Avant d'entrer en Formule 1 (ce qui est prévu pour 2000), BMW a remporté une victoire de... communication. Bernd Pischetsrieder a bien manœuvré. Il a même tellement bien innové que son exemple ne devrait pas tarder à être suivi. Pour l'heure, en se fondant sur un investissement annuel de 160 millions de dollars (soit 960 millions de francs), le président de BMW est en droit d'émettre certaines exigences. Ne serait-ce, en premier lieu, que pour apaiser son directoire et ses actionnaires.

La prochaine BMW-Williams laboratoire, qui roulera en 1998, annonce une ère nouvelle en Formule 1. La firme munichoise s'est donnée, en contrepartie de ses objectifs, les moyens de sa politique. Des transferts d'ingénieurs vers Munich, autour de Paul Rosche, sont attendus. Willy Rampf (Sauber) a amorcé le mouvement, avant même la fin du championnat 1997. «La Formule 1 sera un des arguments de notre communication d'ensemble», a annoncé Bernd Pischetsrieder. En ajoutant : «Nous n'attendrons pas 60 GP pour vaincre.» Peu importe que (sous Sauber puis McLaren) l'allusion à Mercedes soit anonyme, elle fait mouche.

DUDOT CHEZ PROST GP

DESTINS CROISÉS

Le samedi 27 septembre 1997, veille du GP du Luxembourg, Alain Prost a convié à dîner au *Blaue Ecke*, à Adenau, l'ancien ministre Jacques Toubon, passionné de Formule 1, et son ami Jean-Michel Schoeler, deux hommes qui ont activement participé, dix-huit mois plus tôt, à l'élaboration de l'écurie Prost-Peugeot. Prost le sait : chaque fois qu'il en a eu besoin, il a trouvé en eux de précieux relais d'intervention dans tous les milieux, industriels ou politiques.

Ce soir-là, Prost émerge d'une longue réunion des constructeurs. Même s'il est las, il n'en montre rien. Ce n'est pas dans sa nature de chef d'entreprise de trahir des faiblesses.

Jacques Toubon entre Jean-Michel Schoeler et Alain Prost.

L'opération Dudot-Prost flottait en filigrane dans l'alliance Prost-Peugeot. Elle exigeait, seulement, un peu de patience, denrée rare en Formule 1.

Prost abritait, depuis toujours, une tenace envie de travailler avec Dudot. Il ne s'en était jamais caché en cénacle restreint.

Le jeudi 20 juin 1996, sur la péniche *Le Release* à Boulogne-Billancourt, Bernard Dudot avait cautionné par sa présence l'annonce par Patrick Faure du retrait de Renault de la Formule 1. Sa gravité correspondait à celle de l'événement.

D'évidence, Dudot était intimement touché. Deux décennies plus tôt, il avait participé, avec François Castaing, à l'élaboration du moteur turbo de Renault. Il avait difficilement vécu le premier retrait de Renault, le 22 septembre 1986. Heureusement, il avait animé une « cellule de veille » qui avait débouché le 7 juin 1988 sur le retour en Formule 1 avec un moteur atmosphérique. Mais les circonstances ambiantes de 1996 étaient totalement différentes de celles de 1986. De ça, Dudot en était intimement convaincu.

Pour avoir été le « fil rouge » de la présence en Formule 1 de Renault comme motoriste, Bernard Dudot n'en conservait pas moins, enfouies en lui, des ambitions

Soudain, Prost évoque l'arrivée de Bernard Dudot dans un très proche avenir. Cette confidentialité n'en est plus vraiment une depuis plusieurs mois. Mais il convient de respecter un calendrier d'annonce et de préavis pour que Bernard Dudot, officiellement engagé comme directeur technique de Prost Gauloises Blondes à la date du 1er novembre, puisse s'installer, dès le lundi 3 novembre au matin, dans le bureau qui lui a été réservé à Magny-Cours.

L'imminence de l'information pousse Prost à s'épancher sur un sujet classé SECRET DÉFENSE dans ses bureaux parisiens de la rue François-Ier, mais largement éventé dans les paddocks.

Un homme précédé par son destin. Chaque fois, depuis l'été 1996, que son nom transparaissait dans l'organigramme (pas encore constitué) de la future écurie d'Alain Prost, Bernard Dudot sursautait. Cette hâte à le diriger vers Alain Prost lui semblait incongrue et, par honnêteté intellectuelle, il appréhendait d'être mis en porte à faux vis-à-vis de son commando de Renault-Sport.

Lors de leur rencontre, en 1977, à l'époque de la Formule Renault puis de la Formule 3, ni Alain Prost (22 ans à l'époque) ni Bernard Dudot (38 ans) n'auraient imaginé le schéma de leur collaboration. « Nous n'étions pas des devins », s'amusèrent-ils, par la suite, chacun de son côté. Néanmoins, l'arrivée de Dudot chez Prost GP est l'événement le plus important de 1997 dans « la Formule 1 à la Française », à égalité avec l'annonce Alain Prost-Jacques Calvet du 14 février au siège d'Automobiles Peugeot.

Dudot tourne le dos à Renault et à Louis Schweitzer sous l'œil de Robin et His.

personnelles. Et Prost s'employa à les réveiller.

Au lieu d'aborder Dudot de front, en lui imposant des échéances précises, un calendrier rigoureux ou une stricte définition de mission, Prost dialogua avec lui en douceur, en avançant des arguments techniques et humains, en procédant par petites touches insistantes. En soulignant, un jour, l'intérêt d'un challenge à relever. En lui vantant, un autre jour, l'opportunité à lui offerte d'un espace d'expression technique élargi à la dimension de son profil d'ingénieur généraliste. En lui rappelant qu'il évoluerait dans une collectivité acquise à sa cause et libérée des intrigues qui, parfois, paralysent les meilleurs ingénieurs. Etc.

Redoutablement charmeur, Alain Prost progressa régulièrement. Simultanément, Dudot s'adaptait de mieux en mieux au moule fonctionnel dans lequel Prost l'invitait à se glisser. En prêtant une attention soutenue aux propos, constamment renouvelés et enrichis, de Prost et en exposant sa propre conception de son rôle, Dudot se condamnait – de son plein gré – à une adhésion programmée à Prost GP.

Bien avant la mi-championnat du monde 1997, le contrat entre Bernard Dudot et Prost GP était rédigé. Et chiffré. Une fois qu'il l'eut signé, Dudot se sentit captif de ses ambitions présentes pour Williams-Renault et Benetton-Renault, et de son intérêt à terme pour Prost GP. Ce ne fut pas une période aisée pour lui. «Je reste un homme Renault», répéta-t-il pendant l'été 1997, pour protester de son attachement à la cause Renault. Nul, d'ailleurs, n'osait contester la loyauté et l'intensité.

Jusqu'au bout, aucune lézarde relationnelle ne troubla Dudot et ses hommes de Renault-Sport. «On se fait très mal à l'idée de voir Bernard nous quitter», chuchotaient, en coulisse, des ingénieurs de Viry-Châtillon. Pour eux, la séparation entre Dudot et Renault-Sport, après une

telle complicité active et glorieuse, marque la fin d'une époque.

Le lundi 29 septembre, ils assistaient tous, les collaborateurs de Renault-Sport, à cette réception traditionnelle qui anime Viry-Châtillon les lendemains de victoire. Quand Dudot demanda la parole et annonça son départ, le champagne n'avait plus le même goût.

LE DÉPART DE BERGER

AU REVOIR, AMI GERHARD

Le jour de sa première victoire, le 12 octobre 1986 à Mexico, Gerhard Berger, jeune Autrichien de 27 ans, était triplement heureux. D'abord, il savourait son premier podium de vainqueur de GP, entre Ayrton Senna et Alain Prost. Ensuite, il apportait à Benetton-BMW son premier succès en GP. Et surtout, le plus important à ses yeux, il justifiait la confiance d'Enzo Ferrari qui n'avait pas attendu la fin de la saison pour l'enrôler aux côtés de Michele Alboreto.

Le vendredi 17 octobre 1997, le visage partagé entre la mélancolie et la sérénité, Berger (38 ans) annonce sa retraite, en champion maître de son destin. En même temps, il s'exprime, devant une foule d'amis à Vienne, les souvenirs remontant en foule à la surface de sa mémoire.

La carrière de Berger (210 GP depuis 1984) comprend tellement de séquences exaltantes qu'il est impossible de les répertorier. Lui-même, le premier, a du mal à hiérarchiser ses performances : «Mon podium de Mexico. Et puis ma victoire à Monza, sur une Ferrari, le 11 septembre 1988, un mois après la disparition du Commendatore. Et puis mes belles années chez McLaren avec Ayrton Senna. Et puis mon retour chez Ferrari. Et puis cette dernière victoire à Hockenheim le 27 juillet... » Dans un petit sourire crispé, il s'avoue à bout de souffle.

Gerhard Berger en jeune premier de 1986.

Berger était entré en Formule 1 comme un jeune premier. Il s'en va dans la maturité de l'âge. Avec une philosophie rodée par les vicissitudes de la vitesse. Son terrible accident d'Imola, le 23 avril 1989, les morts de Roland Ratzenberger et Ayrton Senna, deux de ses intimes, les 30 avril et 1er mai 1994, toujours à Imola, hantent encore sa rétine. A en oublier, presque, ses dix victoires et ses quarante-cinq podiums en quatorze saisons aux confins du danger.

Il aspire désormais à une nouvelle existence entre Ana, sa femme, et Christina, Sarah Maria et Heidi, ses trois filles. «Je ne sais pas ce qui va m'attendre pour mon premier lundi d'après GP, le 27 octobre», s'interrogeait-il, à voix haute, en arrivant à Jerez, pour sa dernière compétition.

Depuis quelques semaines, Berger est entré, sur la demande de Vivianne Senna, dans le Conseil d'administration de la fondation Ayrton Senna. Tant qu'il était en activité, Berger s'était interdit d'accepter cette proposition qui lui allait droit au cœur.

Le dimanche 26 octobre 1997, Vivianne Senna, présente à Jerez, a tremblé pour le meilleur ami de son frère...

GRAND PRIX D'AUSTRALIE

1re MANCHE DU CHAMPIONNAT DU MONDE DES CONDUCTEURS 1997

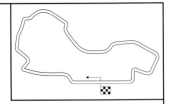

DATE : 9 mars 1997.
CIRCUIT : Albert Park à Melbourne.
DISTANCE : 58 tours de 5,302 km, soit 307,516 km.
MÉTÉO : couvert, frais et venteux mais sec.
ENGAGÉS : 24. QUALIFIÉS : 22. ARRIVÉS : 9. CLASSÉS : 10.
VAINQUEUR : **David Coulthard** (McLaren-Mercedes) en 1 h 30'28''718 à 203,926 km/h (nouveau record).
RECORD DU TOUR : **Heinz-Harald Frentzen** (Williams-Renault) : 1'30''585 à 210,710 km/h.

GRILLE DE DÉPART

VILLENEUVE (Williams-Renault/G) à 213,577 km/h 1'29''369		**Frentzen** (Williams-Renault/G)	1'31''123
M. Schumacher (Ferrari/G)	1'31''472	**Coulthard** (McLaren-Mercedes/G)	1'31''531
Irvine (Ferrari/G)	1'31''881	**Hakkinen** (McLaren-Mercedes/G)	1'31''971
Herbert (Sauber-Petronas/G)	1'32''287	**Alesi** (Benetton-Renault/G)	1'32''593
Panis (Prost-Mugen-Honda/B)	1'32''842	**Berger** (Benetton-Renault/G)	1'32''870
Barrichello (Stewart-Ford/B)	1'33''075	**R. Schumacher**❶ (Jordan-Peugeot/G)	1'33''130
Larini (Sauber-Petronas/G)	1'33''327	**Fisichella** (Jordan-Peugeot/G)	1'33''552
Katayama (Minardi-Hart/B)	1'33''798	**Nakano**❶ (Prost-Mugen-Honda/B)	1'33''989
Trulli❶ (Minardi-Hart/B)	1'34''120	**Salo** (Tyrrell-Ford/G)	1'34''229
Magnussen (Stewart-Ford/B)	1'34''623	**Hill** (TWR Arrows-Yamaha/B)❷	1'34''806
Verstappen (Tyrrell-Ford/G)	1'34''943	**Diniz** (TWR Arrows-Yamaha/B)❸	1'35''972

NON-QUALIFIÉS

Minimum de qualification (107 % de la pole) = 1'35''625

Vicenzo Sospiri (Lola-Ford T97/30-B)	1'40''972
Ricardo Rosset (Lola-Ford T97/30B)	1'42''086

CLASSEMENT

1. **David Coulthard** (McLaren-Mercedes MP4/12)	en 1 h 30'28''718 à 203,926 km/h
2. **Michael Schumacher** (Ferrari F310B)	à 20''046
3. **Mika Hakkinen** (McLaren-Mercedes MP4/12)	à 22''177
4. **Gerhard Berger** (Benetton-Renault B197)	à 22''841
5. **Olivier Panis** (Prost-Mugen-Honda JS45)	à 1'00''308
6. **Nicola Larini** (Sauber-Petronas C16)	à 1''36''040
7. **Shinji Nakano**❶ (Prost-Mugen-Honda JS45)	à 2 tours
8. **Heinz-Harald Frentzen** (Williams-Renault FW19)	à 3 tours (abandon)
9. **Jarno Trulli**❶ (Minardi-Hart M197)	à 3 tours
10. **Pedro Diniz** (TWR Arrows-Yamaha A18)	à 4 tours

ABANDONS

Damon Hill (TWR Arrows-Yamaha A18) : panne d'accélérateur électronique dans le tour de formation / **Johnny Herbert** (Sauber-Petronas C16) : accrochage avec Villeneuve causé par Irvine (0 tour) / **Jacques Villeneuve** (Williams-Renault FW19) : accrochage avec Herbert et Irvine (0 tour) / **Eddie Irvine** (Ferrari F310B) : suite de l'accrochage avec Herbert et Villeneuve (0 tour) / **Ralf Schumacher**❶ (Jordan-Peugeot 197) : arbre de transmission (1 tour), alors 9e / **Jos Verstappen** (Tyrrell-Ford 025) : sortie (2 tours), alors 13e / **Giancarlo Fisichella** (Jordan-Peugeot 197) : sortie (14 tours), alors 10e / **Ukyo Katayama** (Minardi-Hart M197) : alimentation d'essence (32 tours), alors 11e / **Jean Alesi** (Benetton-Renault B197) : panne d'essence sur problème radio (34 tours), alors 2e / **Jan Magnussen**❶ (Stewart-Ford SF-1) : suspension arrière (36 tours), alors 9e / **Mika Salo** (Tyrrell-Ford 025) : électronique moteur (42 tours), alors 12e / **Rubens Barrichello** (Stewart-Ford SF-1) : moteur (49 tours), alors 8e / **Heinz-Harald Frentzen** (Williams-Renault FW19) : disque de frein avant gauche (55 tours), alors 2e, classé 8e.

EN TÊTE

Frentzen : les 17 premiers tours et du 33e au 39e tour, soit 127 km.
Coulthard : du 18e au 32e tour et les 19 derniers tours, soit 180 km.

A NOTER

❶ Pilote débutant en GP.
❷ Ne prend pas le départ.
❸ Non qualifié selon la règle des 107 % de la pole, mais repêché, vu son temps réalisé en essais libres le samedi matin : 1'33''693.

Coulthard et Mercedes : la renaissance

Le jeudi 6 mars, à cette table du Cercle Interallié, à Paris, Helmut Werner, ex-président (depuis peu) du directoire de Mercedes, est entouré des membres du jury de l'«Homme de l'année», réuni par Jacob Abbou, le directeur du *Journal de l'automobile*, et animé par Jacques Farenc. Au gré de la discussion, détendue et diversifiée, Helmut Werner, justement élu Homme de l'année 1996, lance soudainement : «Je prédis une victoire imminente des McLaren-Mercedes. C'est inscrit dans le programme prévisionnel de Mercedes.» Un certain silence tombe autour de la table. L'Allemand sourit, persiste et signe.

Avant de quitter ses fonctions, Werner a suivi de très près le plan Mercedes-Formule 1. Il n'ignore rien de son calendrier confidentiel (1995 : approche ; 1996 : premières performances notables et exploitation commerciale ; 1997 : premiers succès), de son budget global (700 millions de marks depuis 1994, soit 2,8 milliards de francs), de la mutation de McLaren (rupture avec Philip Morris puis, à son regret, avec Alain Prost), etc. L'Allemand a même entrevu au moins quatre des nouveaux designs des McLaren conçus par Ron Den-

Helmut Werner (à d.), derrière Jacob Abbou.

nis et dévoilés en grande pompe le 13 février à l'*Alexandra Palace* de Londres, devant 4 000 invités.

Transformées en «Flèches d'argent», les monoplaces de David Coulthard et Mika Hakkinen ont endossé la légende Mercedes. La présence de Manfred Von Brauchitsch (92 ans), premier vainqueur Mercedes en 1934, et de Stirling Moss (58 ans), dernier vainqueur Mercedes (vivant) en 1955, arrime étroitement Mercedes à sa gloire d'antan.

Depuis une semaine, deux Boeing 747 cargo ont quitté Heathrow avec, chacun,

200 tonnes de matériel à bord. Les écuries basées en terre anglaise (McLaren, Tyrrell, Stewart, Williams, Arrows, Jordan, Lola, Benetton) expédient chacune trois voitures. Un troisième Boeing affrété Alitalia a décollé de Malapensa (Milan) en embarquant le matériel des équipes «continentales» (Ferrari, Minardi, Sauber, Prost GP). Dans l'ensemble, le contingent accordé à chaque team se situe entre 15 et 20 tonnes.

Sur le long trajet vers l'Australie, quelques-uns s'attardent en chemin. Alain Prost, qui émerge d'un hiver harassant, s'est reposé trois jours à Bali au *Four Seasons*. Rattrapé par le désœuvrement, il avoue s'être ennuyé. Bruno Michel, le directeur de Prost GP, a transité le lundi par Tokyo. Il aurait pu, avec un soupçon de chance, croiser Tom Walkinshaw dans le bureau d'Hirotoshi Honda, le président de Mugen-Honda, déjà fort courtisé. Damon Hill a fait une escale touristique à Bangkok.

Essayeur attitré de Ferrari, Nicola Larini, engagé par Peter Sauber comme partenaire de Johnny Herbert, réapparaît dans un paddock de Formule 1, un peu moins de trois ans après le GP de Saint-

Nicola Larini : le retour de l'espoir.

Marin, le 1er mai 1994. Sa feuille de route lui prévoit, à l'aller comme au retour, une halte de quarante-huit heures en Malaisie, à Kuala Lumpur, comme «invité spécial» de Petronas, le financier du V10 Ferrari 1996 des Sauber.

Pour neutraliser les effets physiologiques du décalage horaire, Michael Schumacher effectue le voyage en deux étapes. Il passe trois jours à Port Douglas, sur la Grande Barrière de corail, avec son frère Ralf. Lui qui aspirait au calme déchante. Une semaine auparavant, Schumacher a eu le malheur d'émettre, dans des médias italiens, quelques critiques sur le circuit de Melbourne. «J'aurais mieux fait de me taire», gémit-il. Trop tard. Ses propos ont déclenché une affaire d'État.

Ron Walker, le président du GP, a réagi au quart de tour en simplifiant : «Schumacher parle ainsi parce qu'il a peur de Jacques Villeneuve.» Bernie Ecclestone a caressé les Australiens dans le sens du poil : «Après tout, si Michael ne se sent pas bien à Melbourne, qu'il ne vienne pas.» Les missiles volent bas. Schumacher se détend en compagnie de Michael Doohan, champion du monde moto, en refusant toute coopération avec les photographes locaux. Initialement, Ron Walker avait prévu d'envoyer un jet pour transporter Michael Schumacher à une réunion médiatique, à Melbourne, destinée à valoriser son événement. Ce programme est annulé.

Mais le même Schumacher ne peut se soustraire à une conférence organisée par Shell Australie, le jeudi 8 mars, au cœur de Melbourne. Le double champion du monde est entouré de Bernie Ecclestone, Jean Todt, Willi Weber, Claudio Berro et Eddie Irvine. Impavide et provocant, Ron Walker s'est installé au premier rang, sur une idée d'Ecclestone. L'essentiel est d'immortaliser, ponctuellement, une poignée de main Schumacher-Walker. «Pour être honnête, notre conversation a été intéressante. L'excitation du moment répond à celle que suscite le GP», explique l'Allemand. Avant la photo, Ecclestone avait organisé, diplomatiquement, un tête-à-tête Schumacher-Walker. Les apparences sont sauves.

*
* *

D'une année sur l'autre, ce cadre de l'Albert-Park ayant perdu son aura de mystère, l'intérêt se focalise, dans le paddock, sur les deux «inédits» dans leurs rôles de patrons d'écurie : Alain Prost et Jackie Stewart. Le premier, tout en bleu, a la dimension d'un propriétaire. Le second, en pantalon écossais, doit composer avec son fils Paul, officiellement team-manager. En cette veille des premiers essais 1997, Prost et Stewart devisent paisiblement. Ils se souhaitent réciproquement bonne chance. «Moi, je suis là pour apprendre», rigole Stewart. «Et moi, qu'est-ce que tu crois?» répond Prost.

A 16h 20, ce jeudi, Christian Contzen vient personnellement saluer Prost, au milieu des siens. Devant la chaleureuse façade de ces retrouvailles, certains ingénieurs anglais, qui passaient justement par là, se demandent à voix haute comment Renault et Prost ont pu manquer un projet de grande envergure sur le long terme. «C'est une vraie énigme», leur dit-on.

Pour l'heure, Sauber a besoin de justifier devant ses pairs de la FOCA pourquoi ses monoplaces n'ont pas subi l'examen des crash-tests. Le Suisse évoque certains retards dans la livraison des moteurs. La signature unanime de tous les team-managers servira à Johnny Herbert et à Nicola Larini de ticket d'admission à ce premier GP 1997. D'autres questions posées sur les Lola de Ricardo Rosset et de Vincenzo Sospiri demeurent, elles, sans réponse, dans l'indifférence générale. «Aucune importance, les Lola ne dureront pas», a diagnostiqué, crûment, un team-manager anglais.

De tous les pilotes néophytes, l'Allemand Ralf Schumacher (21 ans), le Danois

Vingt-quatre pilotes pour la grande aventure 1997. Au premier rang, de gauche à droite : Mika Salo, Jos Verstappen, Pedro Diniz, Damon Hill, Nicola Larini, Johnny Herbert, Gerhard Berger, Jean Alesi. Au milieu : Michael Schumacher, Jarno Trulli, Ukyo Katayama, Jacques Villeneuve, Heinz-Harald Frentzen, Shinji Nakano, Olivier Panis. En haut : Eddie Irvine, Rubens Barrichello, Jan Magnussen, David Coulthard, Mika Hakkinen, Ralf Schumacher, Giancarlo Fisichella, Ricardo Rosset, Vincenzo Sospiri.

Jan Magnussen (23 ans), le Japonais Shinji Nakano (25 ans), les Italiens Vincenzo Sospiri (30 ans) et Jarno Trulli (23 ans), ce dernier est le plus soulagé. Ce jeune Italien accomplit son service militaire à Cecchignola, près de Rome. Giancarlo Minardi et Renato Capucci ont multiplié les démarches ces dernières semaines pour que leur nouvelle recrue obtienne une permission spéciale pour Melbourne. « Un remplacement de pilote dès la première course, ça n'aurait pas été très sérieux », soupire Minardi, intarissable, par ailleurs, sur les qualités de Trulli.

Silhouette filiforme, traits flegmatiques, Damon Hill s'aventure dans le paddock en soulevant une curiosité ambiguë. Cent trente-six jours après son sacre mondial de Suzuka, le 13 octobre 1996, Hill arbore le numéro 1 en se sachant, d'avance, condamné à ne pas défendre son titre. Il s'est abondamment expliqué sur l'étrangeté de sa destinée, la première du genre pour un champion du monde britannique. Maintenant, il lui faut assumer sa transition de Williams-Renault à Arrows-Yamaha. « C'est mon heure de vérité, je le sais, n'en rajoutez pas », confie Hill.

Dans cette entité Arrows, dont Hill est le roi, les tracas ne manquent pas. L'ingénieur Frank Dernie remarque : « Nous avons attaqué tardivement l'élaboration de la monoplace 1997, surtout au plan du moteur. Notre boîte de vitesses n'est pas encore au point. » Tom Walkinshaw, le patron, corrige le tir : « Les moyens humains existent : ils étaient 180, cet hiver, à se consacrer à la voiture. » Transfuge de Renault-Sport, à la demande de Damon Hill, l'ingénieur français Vincent Gaillardot s'émerveille : « La force des Anglais, c'est leur aptitude, au sein d'une écurie, à

Damon Hill, Jackie Oliver, Vincent Gaillardot : soucis.

Pour Damon Hill sonne, déjà, l'heure de vérité.

mener des échanges techniques complémentaires en abolissant les spécificités. En quatre mois à Leafield, j'en ai énormément appris. »

L'autre Français de l'équipe, le masseur-kinésithérapeute Dominique Sappia, est ravi : « Tom m'a promu panneauteur pour dimanche, spécialement à l'intention de Damon. Pour l'instant, on doit éviter le couperet de l'élimination prématurée, à 107 % du meilleur temps. Chaque qualification sera une victoire en soi. » Bon prophète, Sappia pétrit consciencieusement les muscles de Hill et de Pedro Diniz, en même temps qu'il réconforte leur moral. L'Anglais et le Brésilien surnagent dans l'océan de scepticisme qui les entoure.

Aux tout premiers essais de ce championnat 1997, sur un revêtement très poussiéreux, Hill est treizième, 1'35"073, juste derrière Panis, 1'34"927. L'Anglais est très loin de son successeur chez Williams-Renault, Heinz-Harald Frentzen, 1'32"910, lui-même devancé, au commandement, par Michael Schumacher, 1'32"496. Cette prise de contact avec la réalité est enregistrée par Hill avec un soulagement feint. Autour de lui et de Walkinshaw, nul ne se berce d'illusions. Gaillardot se plonge dans le moteur, sans un mot.

Installé au *Hyatt's Hotel* depuis une petite semaine, en compagnie de Craig Pollock, Jacques Villeneuve est rassuré : « En 1996, je partais ici dans l'inconnu du circuit et de la Formule 1. Cette année, je me sens mieux. » Toujours aussi décontracté, le Québécois s'est revu, en grandeur nature, sur les multiples affiches de promotion du GP qui fleurissent un peu partout en ville. D'une année sur l'autre, il n'a pas modifié son look. Il se défoule : « En 1996, j'étais sous une pression négative. Aujourd'hui, cette pression est positive. Je suis néanmoins pris au sérieux plus à l'extérieur de l'équipe qu'à l'intérieur. Mes réglages ne plaisent pas à tout le monde. » Son franc-parler détonne sur le conformisme ambiant. Il résume ses ambitions en une formule lapidaire : «Je dois gagner là où j'ai déjà gagné en 1996 et aussi où je n'ai pas gagné.» Autrement dit : partout.

Pour son plein retour en Formule 1, Prost renoue ses habitudes relationnelles avec Jean Alesi. Rayonnant après quelques jours aux îles Fidji, avec Kumiko, Alesi s'est promené, le sourire aux lèvres. «La Benetton-Renault F 197 est formidable, tu t'en rendras compte», promet Alesi à Prost, au cours d'un dîner décontracté.

Pendant ce temps, Judy Briggs, la «cheville» ouvrière de l'organisation, se déplace difficilement, le pied gauche plâtré, après une mauvaise chute dans un des très raides escaliers du circuit. Les écologistes australiens, qui n'ont pas désarmé, organisent des «marches vertes» dans les artères qui convergent sur Albert-Park. Pire : une grève brutale des transports urbains prend le GP en otage. L'affluence prévue en pâtira : les 400 000 spectateurs (sur trois jours) de 1996 ne seront que 289 000 en 1997.

*
* *

Après les essais officiels, quand Jacques Villeneuve regagne sa chambre, la 3305, au *Hyatt's*, il éclate d'un long rire, devant Craig Pollock, amusé. Il a signé une monumentale pole position, en deux temps, 1'30''505 à 13 h 05, puis 1'29''369 à 13 h 23. En creusant, surtout, un trou profond avec Heinz-Harald Frentzen, 1'31''123. Historiquement, c'est l'écart le plus important depuis le GP de Belgique 1992 à Spa, où Mansell, 1'50''545, avait précédé Senna, 1'52''743. Judy Briggs, son amie et sa plus fidèle admiratrice en même temps, s'est avancée : «Pour son premier GP ici en 1996, Jacques avait signé la pole et fini deuxième. Cette année, il fera mieux.»

L'impatience générale qui guettait cette première grille 1997 se tempère. Dans chaque camp, on récapitule. «Nous sommes là, avec Jacques et Heinz-Harald,

Jean Alesi-Flavio Briatore : complicité souriante.

Jacques Villeneuve rayonnant de confiance.

Albert de Monaco entre Diniz et Tom Walkinshaw.

manière d'interdire les pneus de qualification », observe Jacques Laffite, nouveau consultant de TF1. « Peut-être, mais ça nous complique l'existence », surenchérissent Panis, Barrichello, Hill, Diniz (Bridgestone), Alesi, Berger, Hakkinen, Irvine (Goodyear). « Tant pis, nous devrons nous y résigner. Et puis au fond, nous sommes tous logés à la même enseigne », conclut Alesi.

En cette première veillée d'armes, le clan Stewart au grand complet (Helen, Jackie, Paul, Mark) accueille ses amis pour un barbecue flottant sur le *Taste of Australia*, à quai sur la Yarra River. Très heureux de présenter sa jeune épouse, Sylvana, Rubens Barrichello est intarissable. A côté, l'ingénieur Alan Jenkins s'informe sur la structure de l'écurie d'Alain Prost : « Comme il réussit dans tout ce qu'il entreprend, Alain va donner du fil à retordre à tout le monde. » Des Chinois discrets, les émissaires de la Hong Kong and Shanghai Banking Corporation, principaux sponsors de Stewart GP, écoutent attentivement les explications de Jackie Stewart. « Ils comptent sur nous pour accroître leur notoriété et leurs bénéfices », se réjouit Stewart, en bon Écossais.

où nous étions attendus », estime Frank Williams, qui appréhendait surtout les Benetton-Renault. « Il y a encore du travail à réaliser », lâche Michael Schumacher, 1'31"472, qui espérait visiblement mieux. David Coulthard, 1'31"531, se plaint de vibrations insolites. Les Ferrari et les McLaren-Mercedes sont étrangement entrelacées sur deux lignes. Alesi, 1'32"593, et Panis, 1'32"842, sont frustrés.

Quant à Damon Hill, 1'34"806, il revient de l'enfer : il n'a arraché sa qualification qu'après un pathétique tour de la dernière chance, à 13 h 53. Jusque-là, avec 1'36"221, il était balayé d'office. « Sur la fin, ça me faisait mal de voir Damon éliminé. Je me suis souvenu qu'un an plus tôt nous nous battions farouchement pour la pole », a confié Villeneuve, avec une certaine compassion pour son aîné. Pedro Diniz ne doit de prendre le départ qu'à une intervention personnelle de Tom Walkinshaw auprès des commissaires : il a prouvé, chiffres à l'appui, que le Brésilien, compétitif en essais libres, avait été très handicapé, aux essais officiels, par une boîte de vitesses rétive.

En fait, tous les pilotes (et leurs team-managers) se sont initiés, avec plus ou moins de bonheur, aux subtilités de la nouvelle réglementation des pneus. Concurrence entre Goodyear (1 800 pneus) et Bridgestone (2 000 pneus) ou pas, les écuries doivent choisir les gommes (tendres, mixtes ou dures) dès le samedi. « C'est une

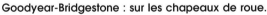

Goodyear-Bridgestone : sur les chapeaux de roue.

FORD-STEWART : UNE HISTOIRE SANS FIN

Le samedi 1er mars, le jour d'Angleterre-France de rugby à Twickenham, Ford Motorsport Europe a réservé plusieurs heures de grande audience sur les écrans de la BBC pour présenter un film historico-publicitaire intitulé *Racing Stewart*.

Dans la mesure où Angleterre-France était l'événement majeur du Tournoi des Cinq Nations, *Racing Stewart* pouvait sensibiliser le public anglais. Ce court métrage, passé au moins une vingtaine de fois dans la journée, toujours dans un environnement sportif, retrace la prestigieuse carrière de Jackie Stewart (trois titres mondiaux, 1969, 1971, 1973), son attachement inconditionnel à Ford et l'arrivée en Formule 1 d'une écurie Ford-Stewart GP.

C'est Martin Whitaker, le directeur de Ford Motorsport Europe, rugbyman émérite (aux Harlequins de Londres), qui a eu l'idée d'informer l'opinion anglaise dans son ensemble, sur l'entrée officielle de Ford-Stewart GP dans le championnat du monde. Un exemple de communication réussie.

Jackie Stewart, le fer de lance de Ford.

Alain Prost dans une nouvelle phase de carrière.

Le dimanche, Philippe Gurdjian, le promoteur-organisateur du GP de France, rencontre Ron Walker en présence de Jeff Kennett, le Premier ministre de l'État de Victoria. Les deux Australiens sont mécontents. Un plan de secours de 600 bus privés n'a pas pallié les effets négatifs de la grève des transports urbains. Jeff Kennett se console en visitant les stands en compagnie du prince Albert de Monaco. Pendant ce temps, Walker et Gurdjian se concertent sur les risques (financiers) d'un GP. « Et pourtant, nous continuons ! » éclatent-ils de rire, ensemble.

Comme chaque matin depuis son arrivée à Melbourne, Eddie Irvine s'est entraîné à vélo avec Paul Kimmage, un Australien que l'on vit en son temps dans le Tour de France. « Il m'a imposé de très durs sprints de 4 km. C'est excitant », reconnaît l'Irlandais, débordant de vitalité. Kimmage attend son ami Irvine sur le podium, comme en 1996.

*
* *

A peine a-t-il franchi le seuil du paddock, ce dimanche matin, après un vol harassant Paris-Melbourne, que Corrado Provera, le directeur de la communication de Peugeot, est harcelé par Eddie Jordan. Pendant que le Français allume méticuleusement son premier havane du jour, Jordan le questionne : « Alors, combien de chances ai-je de garder le moteur Peugeot en 1998 ? » Provera s'en tire avec des généralités apaisantes. En ce GP du bout du monde, Jordan vit déjà en anticipation sur lui-même.

Avant même le départ de son soixante-huitième GP depuis 1992, Damon Hill est foudroyé. Son tour de chauffe vire à la catastrophe. Inutile de préparer les panneaux de position : trahie par son accélérateur électronique, l'Arrows-Yamaha n° 1 se gare dans l'herbe des bas-côtés. Walkinshaw, Sappia, Gaillardot et tous les autres sont livides. Hill s'attarde un peu au bout des stands. Il tient à assister au départ. A 16 h 50, Dernie découvrira l'origine de la panne : une irrémédiable fuite dans le système hydraulique. Hill, qui s'en doutait, a quitté les lieux pour se réfugier, au calme, dans sa chambre du *Hyatt's*.

Autre coup de théâtre au départ : Villeneuve, surpris par une envolée fulgurante de Frentzen, est serré de près par Irvine, jailli comme un diable de la troisième ligne. L'Irlandais ne contrôle plus sa Ferrari. Résultat : Irvine percute Villeneuve qui heurte lui-même Herbert. La course est décapitée d'entrée.

Frentzen s'en donne à cœur joie, en caracolant bientôt avec 10" d'avance sur Coulthard, Schumacher, Hakkinen, Alesi, Berger, Panis, Larini et consorts. L'autre Schumacher, Ralf, renonce sur ennui de boîte de vitesses. Il est furieux. A son premier ravitaillement, Frentzen cède le com-

D'entrée, double échec pour Villeneuve et Herbert.

Pour l'Anglais et le Québécois, c'est déjà fini.

mandement à Coulthard qui, après un bref intermède du même Frentzen, ne le lâchera pas avant le drapeau à damier.

Parti prudemment, Alesi accomplit une splendide remontée, au point de figurer en deuxième position, bien après la mi-course, entre Frentzen et Coulthard. Depuis deux tours déjà, ses techniciens Benetton lui ordonnent de stopper pour se ravitailler en essence. La radio de bord de la Benetton-Renault n° 7 grésille. Très concentré, Alesi ne voit ni n'entend rien. A 14h 58, au trente-cinquième tour, le Français tombe en panne d'essence. « Le pire châtiment possible pour un pilote », avouera-t-il par la suite. Lui qui entrevoyait le podium se contentera de violentes remontrances, en tête à tête, de Flavio Briatore et des visages fermés de son environnement Benetton.

Désormais, avec l'abandon de Frentzen pour cause d'excès de sollicitation de ses freins, Coulthard tient solidement en main sa deuxième victoire (après le GP du Portugal 1995). Il se contente de surveiller Schumacher, qui n'insiste pas outre mesure, et Hakkinen, serré de près par Berger. Un peu plus loin, Panis assure sa quatrième place devant Larini. «C'est le jour des outsiders», soupire Contzen désappointé par la fâcheuse tournure des événements. Pour la première fois depuis 1992, aucun pilote Renault ne figurera sur le podium du premier GP de la saison. Contrairement à une règle établie, Contzen ne réveillera pas, téléphoniquement, Patrick Faure à Paris. «Mon président connaîtra toujours assez tôt ce résultat», dit-il, sombrement. A côté, Villeneuve martèle : «Irvine est un kamikaze.»

Pendant les ultimes tours, Ron Dennis, le team-manager de McLaren-Mercedes, est paralysé d'inquiétude. Voici 1 218 jours et 49 GP qu'il attend de revoir un de ses pilotes franchir la ligne d'arrivée en tête. Dennis était frustré : la victoire de Senna à Adélaïde, le 7 novembre 1993, finissait par devenir un événement préhistorique dans la mémoire collective McLaren. Quand Coulthard débouche sur la ligne droite, avec Schumacher et Hakkinen, Dennis y croit enfin. Et, avec lui, l'encadrement Mercedes, Norbert Haug en tête, chavire dans une allégresse noyée de champagne.

Du côté de Mercedes, l'attente d'un succès dure depuis encore plus longtemps. Haug, soucieux du moindre détail, rappelle le doublé Fangio-Taruffi du 11 septembre 1955 à Monza. Tout à sa joie, Coulthard rigole : «Cette année-là, je n'existais pas encore!» Réaliste, Michael Bock, animateur du marketing Mercedes, se borne à indiquer : «Au prochain directoire de Mercedes, le jeudi 13 mars, tout le monde aura le sourire.»

Sportivement, Alain Prost s'est rendu, d'un pas léger, chez ceux avec lesquels, en

Coulthard ramène Mercedes au palmarès.

1996, il avait collaboré. Dennis accueille son ancien champion du monde avec condescendance. Steve Nichols et Mario Ilien sont, par contre, très chaleureux. Dans son stand, Panis se désole à voix haute : «Cette année, je ne peux pas me contenter de marquer 2 points dès ma première course. Sans la bêtise d'Irvine au départ, j'aurais pu calquer ma cadence sur celle d'Hakkinen et, alors, tout aurait été différent.»

Le dimanche soir, Dennis a convié les siens au casino Crown pour une fête improvisée en l'honneur de Coulthard, héros

Coulthard-Ron Dennis : joie totale.

aux traits intacts. Sur la demande de David, Andrea Murray, sa compagne, est allée spécialement réconforter Villeneuve. Au gré de quelques bières, Coulthard annonce qu'il s'offre trois jours au soleil de Bali avec Andrea. Alain Prost fait une brève apparition.

Le lendemain, Mika Hakkinen s'envole pour Adélaïde, avec Didier Cotton. Il est invité par les médecins du Royal Hospital qui l'avaient soigné plusieurs semaines, après son terrible accident du 11 novembre 1995. «Je leur dois bien ça, ils m'ont sauvé la vie», explique le Finlandais.

Le mercredi 12 mars, en fin de matinée, Bruno Michel, l'ingénieur Loïc Bigois et Olivier Panis sont reçus, porte de Versailles, sur le stand IBM/Dassault Systèmes par Étienne Droit (Dassault Systèmes) et Éric Leveugle (IBM), pour sceller un accord technologique entre Prost GP et le logiciel Catia.

Panis est captivé par les perspectives de ce logiciel. Il amuse ensuite son entourage en demandant : «Est-ce qu'un ordinateur pourrait m'aider à retrouver mes valises égarées quelque part entre Melbourne et Paris?»

GRAND PRIX DU BRÉSIL

2ᵉ MANCHE DU CHAMPIONNAT DU MONDE DES CONDUCTEURS 1997

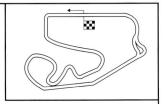

DATE : 30 mars 1997.
CIRCUIT : Carlos Pace à Interlagos (São Paulo).
DISTANCE : 72 tours de 4,292 km, soit 309,024 km.
MÉTÉO : couvert, mais chaud et sec.
ENGAGÉS : 22. QUALIFIÉS : 22. ARRIVÉS : 17. CLASSÉS : 18.
VAINQUEUR : **Jacques Villeneuve** (Williams-Renault) en 1 h 36'06''990 à 192,905 km/h (nouveau record).
RECORD DU TOUR : **Jacques Villeneuve** (Williams-Renault) en 1'18''397 à 197,089 km/h.

GRILLE DE DÉPART

M. Schumacher (Ferrari/G)	1'16''594	**VILLENEUVE** (Williams-Renault/G) à 203,294 km/h	1'16''004
Hakkinen (McLaren-Mercedes/G)	1'16''692	**Berger** (Benetton-Renault/G)	1'16''644
Alesi (Benetton-Renault/G)	1'16''757	**Panis** (Prost-Mugen-Honda/B)	1'16''756
Frentzen (Williams-Renault/G)❶	1'16''971	**Fisichella** (Jordan-Peugeot/G)❶	1'16''912
R. Schumacher (Jordan-Peugeot/G)	1'17''175	**Hill** (TWR Arrows-Yamaha/B)❶	1'17''090
Coulthard (McLaren-Mercedes/G)	1'17''262	**Barrichello** (Stewart-Ford/B)❶	1'17''259
Irvine (Ferrari/G)❶	1'17''527	**Herbert** (Sauber-Petronas/G)❶	1'17''409
Diniz (TWR Arrows-Yamaha/B)	1'18''095	**Nakano** (Prost-Mugen-Honda/B)	1'17''999
Katayama (Minardi-Hart/B)❸	1'18''557	**Trulli** (Minardi-Hart/B)	1'18''336
Magnussen (Stewart-Ford/B)❷	1'18''773	**Larini** (Sauber-Petronas/G)	1'18''644
Salo (Tyrrell-Ford/G)	1'19''274	**Verstappen** (Tyrrell-Ford/G)	1'18''885
FORFAIT de l'écurie Lola (Sospiri et Rosset)			

CLASSEMENT

1. **Jacques Villeneuve** (Williams-Renault FW19) .... en 1 h 36'06''990 à 192,905 km/h
2. **Gerhard Berger** (Benetton-Renault B197) .... à 4''190
3. **Olivier Panis** (Prost-Mugen-Honda JS45) .... à 15''870
4. **Mika Hakkinen** (McLaren-Mercedes MP4/12) .... à 33''033
5. **Michael Schumacher** (Ferrari F310B) .... à 33''731
6. **Jean Alesi** (Benetton-Renault B197) .... à 34''020
7. **Johnny Herbert** (Sauber-Petronas C16)❶ .... à 50''912
8. **Giancarlo Fisichella** (Jordan-Peugeot 197)❶ .... à 1'00''639
9. **Heinz-Harald Frentzen** (Williams-Renault FW19)❶ .... à 1'15''402
10. **David Coulthard** (McLaren-Mercedes MP4/12) .... à 1 tour
11. **Nicola Larini** (Sauber-Petronas C16) .... à 1 tour
12. **Jarno Trulli** (Minardi-Hart M197) .... à 1 tour
13. **Mika Salo** (Tyrrell-Ford 025) .... à 1 tour
14. **Shinji Nakano** (Prost-Mugen-Honda JS45) .... à 1 tour
15. **Jos Verstappen** (Tyrrell-Ford 025) .... à 2 tours
16. **Eddie Irvine** (Ferrari F310B)❶ .... à 2 tours
17. **Damon Hill** (TWR Arrows-Yamaha A18)❶ .... à 4 tours (abandon)
18. **Ukyo Katayama** (Minardi-Hart M197) .... à 5 tours

ABANDONS

Pedro Diniz (TWR Arrows-Yamaha A18) : tête-à-queue sur un problème mécanique indéfini (15 tours), alors 15ᵉ / **Rubens Barrichello** (Stewart-Ford SF-1)❶ : rotule de suspension arrière (16 tours), alors 13ᵉ / **Ralf Schumacher** (Jordan-Peugeot 197) : problèmes électriques (52 tours), alors 12ᵉ / **Damon Hill** (TWR Arrows-Yamaha A18)❶ : pression d'huile (68 tours), alors 11ᵉ, classé 17ᵉ.

EN TÊTE

Villeneuve : les 45 premiers tours et les 24 derniers tours, soit 296 km.
Berger : du 46ᵉ au 48ᵉ tour, soit 13 km.

A NOTER

Deux départs.
❶ Partis sur le mulet suite à l'accrochage du premier départ.
❷ Ne prend pas le deuxième départ suite à l'accrochage au départ, le mulet étant utilisé par Barrichello.
❸ Parti des stands sur problème d'embrayage.

Villeneuve : super show !

Morose, Jean Alesi – pourtant un jovial-né – l'est profondément depuis Melbourne. Sa panne sèche a ranimé la verve vengeresse des Guignols de l'Info sur Canal +. Il a été la cible des pires médisances : son licenciement pur et simple de Benetton aurait même été programmé, tout comme une amende gigantesque. Ce déballage excessif est faux. Alesi s'en est tiré avec une meurtrissure d'amour-propre. Il a cherché à tout gommer de sa mémoire sur son bateau, en Méditerranée, avec Kumiko. Ici, à São Paulo, sa chambre du huitième étage du *Trans-America Hotel* lui paraît exiguë.

« Dans mes bras, Jean d'Avignon ! » Dans ce hall du *TransAmerica*, où il traîne sa mélancolie, Alesi sursaute et éclate (enfin) de rire. La voix de stentor de Christian Contzen, qui a dominé le brouhaha ambiant, remet Alesi en harmonie avec lui-même.

Pour d'autres frustrés de Melbourne, ce long voyage vers São Paulo est un trajet vers l'espoir, non parfois, sans quelques péripéties. Heinz-Harald Frentzen et Johnny Herbert, passagers du vol Swissair 144 Zurich-São Paulo, le 24 mars, ont éprouvé une certaine frayeur à l'atterrissage : leur appareil n'a stoppé qu'en extrême bout de piste, à moins de 5 m de la surface de dégagement. Après des essais spéciaux au Paul-Ricard, Jacques Villeneuve a fait un crochet par Montréal. Damon Hill, lui,

Villeneuve : le geste du vainqueur.

s'est reposé quelques jours au Mexique. Michael Schumacher et Eddie Irvine ont roulé à Fiorano. Entre la routine des essais de travail et les intermèdes de détente, les acteurs du GP du Brésil ont tourné à leur rythme de croisière.

Du côté de Prost GP, on a revu de près certains détails techniques qui, à Melbourne, ne convenaient pas au patron. Les machines bleues ont quitté l'Europe, à

Malpensa, dans la nuit du 23-24 mars avec les Ferrari, les Sauber, les Minardi et aussi les moteurs Renault et Peugeot, dans d'énormes avions cargos. Les JS 45 conservent à leur apparition au soleil d'Interlagos leur look du GP d'Australie.

Alain Prost a personnellement intensifié des tractations avec Bic qui lui tenaient particulièrement à cœur. Les négociations Prost-Bruno Bich ont débouché sur un partenariat de quatre ans, à valider dès São Paulo. Cette opération vient de loin. Plusieurs amis de Prost, Jean-Michel Schoeler en tête, ont poussé à la roue, notamment, dans un passé encore récent, avec un gros actionnaire de Bic, Édouard Buffard, malheureusement décédé.

Avant de quitter Paris, Prost a confié à l'avocat Philippe Ouakrat le soin de rédiger le contrat en liaison avec ses confrères de Bic. Pour 1997, l'apport de Bic se situe à hauteur de 22 millions de francs, avec un barème progressif jusqu'en 2000 (inclus). Dans son bureau de Clichy, Bruno Bich, le président de Bic (qui consacre un budget de 350 millions de francs à la publicité), s'impatiente. Il tient à ce que tout soit réglé avant les essais d'Interlagos pour accompagner son entrée en Formule 1 d'une campagne publicitaire locale très forte. Le jeudi 27 mars, Prost relit lui-même minutieusement dans son minuscule bureau de stand de piste (« A mes mensurations », ironise-t-il) le communiqué que Chris Williams ne diffusera, sur

Panis et Prost : des mimiques prometteuses.

place, qu'après le feu vert en provenance de Paris.

A la *Churrascaria Fogo de Chao*, ce même soir, Prost, en chemisette jaune, est le maître de cérémonie d'un dîner offert par la SEITA. Le principal amusement est de le voir tremper ses lèvres dans un verre de caipirinha. En même temps que Prost parle de la Formule 1 à bâtons rompus, le partenariat avec Bic est rendu public. Cette annonce n'est pas incongrue en raison des liens commerciaux entre Bruno Bich et la SEITA.

En cette tiède nuit brésilienne du 27-28 mars, une trentaine d'affiches Bic-Prost GP sont posées par une dizaine de professionnels en des endroits névralgiques de São Paulo. Les emplacements, soigneusement répertoriés et réservés conditionnellement depuis une dizaine de jours, se situent dans un rayon d'une dizaine de kilomètres autour d'Interlagos, sur les voies menant au circuit, et aussi dans quelques grandes artères paulistes. «Il faut frapper fort d'entrée», avait recommandé Prost.

Dans la salle de musculation du *Trans-America*, où Schumacher côtoie fréquemment Olivier Panis, deux hommes à la chevelure poivre et sel pédalent de bon cœur sur des vélos d'entraînement en fin de journée, selon un programme immuable répété trois jours de suite. Flavio Briatore et Eddie Jordan discourent, transpirant à grosses gouttes sur leurs problèmes respectifs de motorisation et de pilotes. Jordan s'interroge à voix haute (encore) sur son avenir avec Peugeot. Briatore ne manque pas, au passage, de lui rappeler ses accords contractuels (à titre personnel) avec Giancarlo Fisichella. Du coup, Jordan fait la sourde oreille, ce qui n'amuse pas Briatore.

Le souffle court, Jordan se garde bien de dire à son «ami Flavio» que Geraldo Rodriguez, l'ex-manager de Rubens Barrichello, lui a proposé les services du jeune espoir brésilien Ricardo Zonta (21 ans depuis le 23 mars), engagé en Formule 3000 chez Super Nova. Une phrase de Geraldo a séduit Jordan : «Avec Ricardo, on peut envisager le même plan de carrière qu'avec Rubens.» Pour mémoire, à ses débuts en 1993, Barrichello avait attiré une pléiade de sponsors brésiliens chez Jordan.

*
* *

Le vendredi matin 28 mars, à 9 heures, s'engouffrant dans une berline Mercedes 500 E noire, Michael Schumacher ne se met pas en pole position sur la route (généralement) encombrée d'Interlagos. Quand il pénètre sur le site du GP, il arrive bien après Damon Hill qui a partagé, à 8 heures, son petit déjeuner avec (tiens, tiens!) Eddie Jordan. Pour la plupart, tous les autres pilotes, Villeneuve et Panis en tête, sont à pied d'œuvre depuis près d'une heure. Quitte à piétiner sur place, mieux valait éviter les embouteillages traditionnels d'Interlagos.

Aux essais de contact avec un revêtement immuablement bosselé, Frentzen, 1'17"506, et Villeneuve, 1'17"829, caracolent sans peine devant la meute. Insolite : Michael Schumacher, 1'18"488, n'est même pas le premier des V10 Ferrari, car Herbert le devance sur sa Sauber-Petronas en 1'18"261. Le clan italien de Sauber (quatre ingénieurs détachés par Maranello à Inwill) n'ose pas se réjouir. Herbert, qui n'a aucune raison d'être réservé, lâche abruptement : «C'est peut-être le pilote qui creuse la différence entre les moteurs Ferrari. Les bosses, en plus, ne me font pas peur.»

Briatore intervient : «D'ici à ce que Ferrari reprenne son moteur...» Sauber calme le jeu : «Tout est relatif. L'important n'est pas de précéder les Ferrari, c'est de prouver que nous faisons bon usage d'un moteur puissant.» Herbert écoute son team-manager avec un petit sourire. Sauber a noté le tir groupé des moteurs Renault : Frentzen et Villeneuve d'abord, Jean Alesi ensuite avec 1'18"000 et Berger, un peu plus loin, en 1'18"437. Sauber, très adroitement, détourne l'attention sur Frentzen, son ancien coureur.

Ce dernier, assez malmené depuis Melbourne, s'extasie sur sa pole position «officieuse». Villeneuve, qui s'est surtout attaché à équilibrer sa monoplace, reste silencieux. Patrick Head répartit les mérites des uns et des autres : «Ces temps doivent

50 % aux Goodyear et 50 % aux châssis et aux moteurs. Il faudra s'en souvenir dimanche. » Pour tous, à commencer par Panis, 1'19"408, les essais du samedi se présentent comme une épreuve de vérité.

En réalité, la JS 45, vraisemblablement (trop) habituée à la piste uniformément plate de Magny-Cours, assimile mal les aspérités chroniques d'Interlagos. Prost s'y attendait. « Néanmoins pas à ce point-là », précise-t-il. Après une longue concertation avec ses techniciens, Panis s'éclipse prestement avec sa jeune femme, Anne. « J'avais débuté ici en 1994. Un seul pilote m'avait souhaité la bienvenue. C'était Ayrton Senna », évoque-t-il avec délicatesse. Cette confidence, répercutée dans les médias brésiliens, touche énormément Vivianne Senna et sa famille.

De sombres nuages roulent dans le ciel, le samedi, lors des essais officiels. Il importe donc d'être au plus vite en action, avant une éventuelle averse. A 13 h 12, Michael Schumacher établit la première pole provisoire, 1'16"688. Quatre minutes plus tard, Villeneuve éclipse l'Allemand : 1'16"342. Ce n'est qu'une entrée en matière. 13 h 23 : Villeneuve stabilise la pole position à son avantage, 1'16"004. Il peut maintenant laisser ses adversaires se battre entre eux. Manifestement, il ne se sent plus concerné.

La grille s'organise sans tarder. 13 h 30 : Schumacher, 1'16"594, rapproche sa Ferrari de la Williams-Renault de pointe du Québécois. 13 h 43 : Berger, 1'16"644, se rapproche à son tour. Hakkinen le suit en 1'16"692. A 13 h 45, Panis surgit en troisième ligne, 1'16"756, juste devant Alesi, 1'16"757. Cet écart franco-français, en troisième ligne, est ridiculement faible. Selon Jean Campiche, l'expert de TAG-Heuer, le millième de seconde entre Panis et Alesi équivaut, au maximum, à 8,5 cm. « C'est suffisant, parfois, pour gagner », s'amusent les deux Français. Derrière, Fisichella, 1'16"912, qui n'a pas échappé à une violente sortie de piste, et Frentzen,

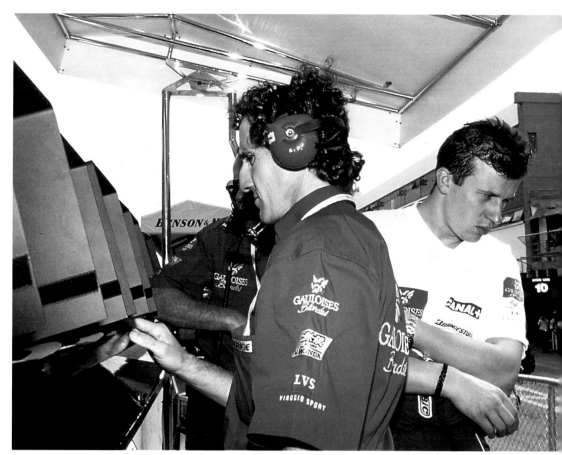

Prost et Panis : entente studieuse.

1'16"971, se cantonnent en quatrième ligne.

D'un jour sur l'autre, l'Allemand intrigue son entourage Williams, qui ne pratique pas l'indulgence comme une vertu cardinale. Un rappel historique : c'est la première fois depuis 11 GP (Monaco 1996) qu'on découvre aussi loin le deuxième coureur de l'équipe. « Nos ingénieurs ne connaîtront pas le chemin sur la grille », grince Head, mécontent. Frentzen, assoiffé de réhabilitation depuis Melbourne, devra encore patienter. Le même jour paraît en Allemagne un sondage sur la consistance d'un duel Michael Schumacher-Frentzen pour le titre mondial : 82 % des Allemands en repoussent la vraisemblance.

Plus déçu encore, voici David Coulthard, 1'17"262. Vingt et un jours après l'Australie, il revient à la réalité. « J'ai vécu trois semaines inouïes sur la lancée de ma victoire », a-t-il dit euphorique, trois jours plus tôt, en fêtant son 26e anniversaire

dans son stand. Un gâteau, une bougie, une goutte de champagne pour lui et une coupe pour ses techniciens. Son ingénieur Steve Nichols se souvient : « Ce que j'ai partagé à Melbourne, avec Mercedes, c'est un enthousiasme analogue à celui de Ferrari en 1990, à l'époque où Alain Prost gagnait. »

Au gré d'un dîner, le samedi, avec son copain Coulthard, Villeneuve s'est réjoui : « J'ai une très bonne voiture pour la course. » L'Écossais l'a envié, en silence. Néanmoins, avec huit machines dans la même seconde, le départ promet d'être chaud. Et effectivement, il l'est, au-delà de toute prévision.

Parti sur l'extérieur, Villeneuve garde sa trajectoire sans pouvoir se rabattre sur l'intérieur car la Ferrari de Schumacher, qui a réussi une envolée fulgurante, le lui interdit. Au premier virage, sur la gauche, le Québécois fonce dans le… gazon. C'est le cauchemar de Melbourne qui recommence. Heureusement pour lui, la course

Le chaos du premier départ : un kaléidoscope de couleurs.

est stoppée car, derrière, Hill et Fisichella se sont accrochés et, surtout, la Stewart-Ford de Barrichello, l'enfant de São Paulo, est restée immobilisée, accélérateur coincé.

Au deuxième départ, Villeneuve, dûment averti, ne laisse aucune ouverture à Schumacher, qui précède Hakkinen, Berger, Alesi, Panis, etc. Tous n'y voient que du bleu car, dix tours plus loin, le Québécois s'est donné 10''311 d'avance sur l'Allemand, au demeurant harcelé par un Berger très combatif. Par la suite, au fil des ravitaillements, Villeneuve est flanqué de Panis, à un écart variant entre 1''337 et 7''040. Après son seul arrêt de ravitaillement, la Prost-Mugen-Honda n° 14 grimpe allégrement à l'assaut du duo Villeneuve-Berger, en dépassant irrésistiblement Schumacher puis Alesi. A 25 tours du drapeau à damier, Panis a déjà les deux pieds sur son premier podium 1997. A

charge pour lui de résister à un retour, toujours possible, d'Hakkinen.

Pendant les vingt derniers tours, les positions sont figées, en ce sens que Panis préserve son podium et qu'Alesi, très opiniâtre, a arraché une précieuse sixième place et un petit point. Cet «exploit de l'ombre» réconforte Alesi, vis-à-vis de lui-même et des siens. Après la course, Briatore parle furtivement à l'oreille d'Alesi : «Jean, en t'arrêtant de temps en temps, tu peux finir !»

Sur le podium, Villeneuve, Berger et Panis constituent un tiercé de classe et de panache. Nelson Piquet, triple champion du monde brésilien (1981, 1983, 1987), apprécie en maître : «Jacques a contrôlé les opérations mieux que ne l'avait jamais fait son père Gilles.» Berger lance avec provocation : «Je vais peut-être un jour recommencer à gagner.» Panis, épanoui, révèle : «Notre stratégie d'un seul arrêt,

imaginée par Alain Prost, était imparable. Surtout avec une bonne voiture.»

Il reste au Français à affronter, maintenant, le retour dans un stand enfiévré. Les mécaniciens de Prost GP ont rangé le matériel en hâte, car leur stand est envahi par des amis accourus de partout. Un commando japonais, Hiroshi Yasukawa et Hirohide Hamashima (Bridgestone), et Tandji Sakai (Mugen-Honda), entoure Prost, réclamé par les uns et les autres. Mario Ilien, l'ingénieur motoriste de Mercedes, rend à Prost la visite de courtoisie et de félicitations de Melbourne. Steve Nichols le suit.

Dans la petite allée des stands, Anne attend Olivier avec impatience. Submergé par les médias, Prost se tient sur une imperceptible réserve. Face à ce déferlement d'éloges, il refuse de se substituer à Panis. La silhouette de ce dernier se glisse dans la cohue. L'apercevant, Prost, quadruple

Panis va offrir à Prost GP son premier podium.

champion du monde, va vers Panis et, en un enchaînement normal, lève le bras de son pilote, bouleversé d'émotion par ce geste symbolique.

Depuis sa montée à la tribune de Peugeot, aux côtés de Jacques Calvet, le 14 février 1997, c'est la séquence la plus forte de la deuxième carrière d'Alain Prost. Maintenant plus volubile, Prost explique : «Panis est l'un des pilotes les plus opiniâtres que je connaisse. Et avec lui, ça ne fait que commencer.» Ce premier podium Prost-Panis n'est qu'une rampe de départ.

Le lendemain, après avoir décommandé un hôtel sur l'île de Commandantuba, Frentzen se présente à 13 h 20 au guichet Swissair à l'aéroport de Garvelos, pour un retour inopiné en Europe. Pendant ce temps, Villeneuve s'est envolé avec Salo, un autre de ses copains, vers une île perdue, au large du Brésil. Les Panis, eux, s'éclipsent, comme un couple de vacanciers.

BRIDGESTONE : UN PODIUM HISTORIQUE

De Melbourne à São Paulo, la guerre des pneus a gagné en âpreté. Il ne s'agit pas de comptabiliser le total des pneus disponibles pour chaque GP (ici, 2 300 pour Goodyear et 1 600 pour Bridgestone), ni de comparer la répartition des écuries en présence : sept Goodyear (Williams, Ferrari, Benetton, McLaren, Jordan, Tyrrell, Sauber) contre quatre Bridgestone (Arrows, Prost GP, Minardi, Stewart).

L'affrontement, plus subtil, se joue sur les ravitaillements. Réputés plus solides (mais moins performants en pointe), les Bridgestone se sont contentés d'un seul arrêt contre deux aux Goodyear. En gros, Panis n'a perdu que 32''46 au stand contre 58'' à Villeneuve et 62'' à Berger, ses complices Goodyear du podium.

En perdant son monopole de fourniture (depuis 1986), Goodyear s'est imposé une politique de recherche qui, entre 1986 et 1996, ne lui était pas indispensable. Bridgestone, qui découvre la plupart des tracés, doit encore privilégier la recherche, en partant de données pragmatiques. A cet égard, le premier podium de Bridgestone, avec Panis, est significatif.

Panis, irradié de bonheur.

GRAND PRIX D'ARGENTINE
3ᵉ MANCHE DU CHAMPIONNAT DU MONDE DES CONDUCTEURS 1997

DATE : 13 avril 1997.
CIRCUIT : Buenos Aires.
DISTANCE : 72 tours de 4,259 km, soit 306,502 km.
MÉTÉO : beau et très chaud.
ENGAGÉS : 22. QUALIFIÉS : 22. ARRIVÉS : 9. CLASSÉS : 10.
VAINQUEUR : **Jacques Villeneuve** (Williams-Renault) en 1 h 52'01''715 à 164,155 km/h (nouveau record).
RECORD DU TOUR : **Gerhard Berger** (Benetton-Renault) : 1'27''981 à 174,269 km/h.

GRILLE DE DÉPART

Frentzen (Williams-Renault/G)	1'25''271	**VILLENEUVE** (Williams-Renault/G) à 181,507 km/h	1'24''473
M. Schumacher (Ferrari/G)	1'25''773	**Panis** (Prost-Mugen-Honda/B)	1'25''491
R. Schumacher (Jordan-Peugeot/G)	1'26''218	**Barrichello** (Stewart-Ford/B)	1'25''942
Herbert (Sauber-Petronas/G)	1'26''564	**Irvine** (Ferrari/G)	1'26''327
Coulthard (McLaren-Mercedes/G)	1'26''799	**Fisichella** (Jordan-Peugeot/G)	1'26''619
Berger (Benetton-Renault/G)	1'27''259	**Alesi** (Benetton-Renault/G)	1'27''076
Larini (Sauber-Petronas/G)	1'27''690	**Hill** (TWR Arrows-Yamaha/B)	1'27''281
Verstappen (Tyrrell-Ford/G)	1'28''094	**Magnussen** (Stewart-Ford/B)	1'28''035
Trulli (Minardi-Hart/B)	1'28''160	**Hakkinen** (McLaren-Mercedes/G)	1'28''135
Nakano (Prost-Mugen-Honda/B)	1'28''366	**Salo** (Tyrrell-Ford/G)	1'28''224
Diniz (TWR Arrows-Yamaha/B)	1'29''969	**Katayama** (Minardi-Hart/B)	1'28''413

CLASSEMENT

1. **Jacques Villeneuve** (Williams-Renault FW19) ... en 1 h 52'01''715 à 164,155 km/h
2. **Eddie Irvine** (Ferrari F310B) ... à 0''979
3. **Ralf Schumacher** (Jordan-Peugeot 197) ... à 12''089
4. **Johnny Herbert** (Sauber-Petronas C16) ... à 29''919
5. **Mika Hakkinen** (McLaren-Mercedes MP4/12) ... à 30''351
6. **Gerhard Berger** (Benetton-Renault B197) ... à 31''393
7. **Jean Alesi** (Benetton-Renault B197) ... à 46''359
8. **Mika Salo** (Tyrrell-Ford 025) ... à 1 tour
9. **Jarno Trulli** (Minardi-Hart M197) ... à 1 tour
10. **Jan Magnussen** (Stewart-Ford SF-1) ... à 6 tours (abandon)

ABANDONS

David Coulthard (McLaren-Mercedes MP4/12) : accrochage au départ / **Michael Schumacher** (Ferrari F310B) : accrochage au départ / **Heinz-Harald Frentzen** (Williams-Renault FW19) : embrayage (5 tours), alors 2ᵉ / **Olivier Panis** (Prost-Mugen-Honda JS45) : baisse de pression hydraulique entraînant l'arrêt moteur sur fuite à un radiateur (16 tours), alors 2ᵉ / **Rubens Barrichello** (Stewart-Ford SF-1) : problèmes hydrauliques (24 tours), alors 15ᵉ / **Giancarlo Fisichella** (Jordan-Peugeot 197) : tête-à-queue sur accrochage avec R. Schumacher (24 tours), alors 2ᵉ / **Damon Hill** (TWR Arrows-Yamaha A18) : pression d'air moteur (33 tours), alors 8ᵉ / **Ukyo Katayama** (Minardi-Hart M197) : tête-à-queue (37 tours), alors 13ᵉ / **Jos Verstappen** (Tyrrell-Ford 025) : moteur (43 tours), alors 7ᵉ / **Shinji Nakano** (Prost-Mugen-Honda JS45) : moteur cassé (49 tours), alors 11ᵉ / **Pedro Diniz** (TWR Arrows-Yamaha A18) : boîte de vitesses (50 tours), alors 11ᵉ / **Nicola Larini** (Sauber-Petronas C16) : tête-à-queue (53 tours), alors 11ᵉ / **Jan Magnussen** (Stewart-Ford SF-1) : pression d'huile (66 tours), alors 8ᵉ, classé 10ᵉ.

EN TÊTE

Villeneuve : les 38 premiers tours et les 28 derniers tours, soit 281 km.
Irvine : du 39ᵉ au 44ᵉ tour, soit 26 km.

A NOTER

3 premiers tours dans le sillage de la voiture de sécurité suite à un accrochage au premier virage entre M. Schumacher et Panis, Barrichello, ainsi que Coulthard et R. Schumacher.

Villeneuve, avec ses tripes

Ce minuscule avion à hélice, qui atterrit le mercredi 9 avril, peu après 15 heures, sur le tout aussi minuscule terrain de l'aéroport de Balcarce, transporte trois éminents passagers, Jackie et Paul Stewart, et Ruben « Toto » Fangio, le frère du défunt Juan Manuel Fangio. Pour le triple champion du monde écossais, ce voyage éclair à Balcarce est un pèlerinage du cœur. Jackie Stewart avait assisté à l'enterrement de Juan Manuel Fangio, décédé le 17 juillet 1995. Aujourd'hui, il rend un hommage personnel à l'inoubliable Fangio.

Cravaté, en veste de tweed, Stewart ne cache pas son émotion. Avec Paul, il se recueille d'abord sur la tombe du champion argentin. Il visite ensuite la fondation Juan-Manuel-Fangio en compagnie de son directeur Luis Carlos Barragan, auquel il remet une lithographie de son Elf-Tyrrell-Ford, victorieuse au Nürburgring en 1971. « Pour moi, Fangio n'était pas seulement un pilote d'exception. Il était *mon* héros. J'ai un souvenir intime très fort de notre première rencontre. C'était à Monaco en 1964. J'avais remporté le GP de Monaco de Formule 3 sur une Cooper-Austin, onze mois avant mes débuts en Formule 1. J'étais un tout jeune coureur de 25 ans. Une image reste gravée sur ma rétine : Juan Manuel avait fendu la foule pour me féliciter avec chaleur. Il m'avait prédit un destin de champion du monde.

Villeneuve : souffrance cachée.

Toute ma vie je me suis rappelé ce premier contact avec Fangio. Par la suite, nous l'avons souvent évoqué ensemble. Et puis, Paul, encore enfant (à 8 ans), avait reçu une photo dédicacée de Juan Manuel et il ne s'en est jamais séparé. » Stewart a parlé d'une seule traite, pour évacuer son trop-plein d'émotion.

Au gré de ces moments à Balcarce, dans une ambiance imprégnée de la légende de Fangio, Jackie Stewart (58 ans) balance entre deux époques, le passé et le présent. « De mon temps, soupire-t-il, il y avait beaucoup plus de camaraderie entre les pilotes, mais bien moins de sécurité en course. Nos rangs s'éclaircissaient fréquemment. C'était effrayant. » Revenu en 1997, dans son rôle de team-manager, il se montre réaliste : « Phénomène universel,

la Formule 1 exige des budgets à sa démesure. Le seul poste des frais (incompressibles) de déplacement d'une écurie atteint, en précision, 15 millions de dollars pour l'ensemble d'une saison. Il faut avoir les reins solides. La Formule 1 est entrée dans une ère industrielle tout en s'en remettant encore, par nature, à des artisans. »

Figure emblématique du projet Stewart-Ford, l'Écossais sait qu'il joue gros. Il a besoin, quelque part, de se confier : « Ce retour dans les paddocks est un bain de jouvence… à de très hauts investissements. Ford nous épaule solidement, mais nous devons assurer le financement de l'équipe. J'ai découvert en Rubens Barrichello un garçon qui, chez Jordan, était encore confusément traumatisé par l'accident d'Ayrton Senna, le 1er mai 1994. Il lui fallait rompre avec son passé. Rubens possède une capacité d'analyse d'une maturité insoupçonnée. Quant à Jan Magnussen, c'est un vrai talent à peaufiner. » Stewart promène sur ses pilotes un regard d'expert et de complice.

Le plus discrètement possible, Stewart consulte son chronomètre Rolex Daytona. Il demande à prendre congé sans attendre. Carlos Menem, le président de la république d'Argentine, l'a convié à une partie de golf sur le parcours de Bella Vista, dans les environs de Buenos Aires.

Quelques jours plus tôt, le vendredi 4 avril, en début d'après-midi, Frank

Williams et Patrick Head reçoivent Heinz-Harald Frentzen dans un vaste bureau à Grove-Wantage, au siège de Williams GP Engineering Ltd. L'ambiance est fraîche. «Nous attendons une course décente à Buenos Aires», ont attaqué les Anglais. L'Allemand est gêné. Il a déjà passé plusieurs heures sur un banc d'essai pour s'adapter à sa machine. Son programme n'est pas terminé.

Ce genre de situation est inédit pour Frentzen; jamais, en 48 GP chez Sauber depuis 1994, il n'avait été ainsi traité. «Pour Heinz-Harald, la transition Sauber-Williams sera rude», avait, judicieusement, estimé Max Welti, le bras droit de Peter Sauber. Cette fois, Frentzen est seul en lice, astreint à une obligation de résultats. Il s'efforce consciencieusement de se familiariser avec la FW 19, dans des simulations de course. Il ose se défouler : il avoue ne pas être à l'aise sur cette FW 19, monotype à deux pédales (frein à gauche, accélérateur à droite), et il voudrait une troisième pédale (comme Damon Hill en 1996), en comptant à terme sur un servofrein.

Frentzen n'est pas le seul Allemand à avoir regagné l'Europe depuis Interlagos. Le dimanche soir 30 mars, Michael Schumacher avait rallié Genève d'une seule traite, dans son luxueux Challenger personnel. Le lundi matin, il avait embrassé Corinna, son épouse, et leur fille Gina-Maria à Vufflens-le-Château, avant de filer, après une brève récupération, au Mugello pour des essais privés soudain impératifs. Deux footballeurs argentins, Gabriel Batistuta et Manuel Rui Costa, stars de la Fiorentina, lui avaient rendu visite. Moins de quarante-huit heures plus tard, le trio Schumacher-Batistuta-Costa s'étalait largement dans la plupart des rubriques sportives des médias argentins.

Le mercredi 9 avril, Jacques Villeneuve fête discrètement son 26e anniversaire, en tête à tête avec Craig Pollock, dans leur «Verde Suite» de l'hôtel *Hyatt's*. Avec un

MICHAEL SCHUMACHER : SEÑOR TANGO

Le jeudi matin, sur la route du circuit, Michael Schumacher est attendu à une conférence de presse dans une gigantesque bâtisse rectangulaire, *Señor Tango*, un des temples les plus réputés du tango à Buenos Aires.

Après s'être abondamment exprimé devant les représentants de plus de 200 médias sud-américains, Schumacher croit en avoir terminé. En se levant, il se laisse, innocemment, conduire vers un podium, très éclairé, en pleine salle. L'Allemand ne se doute de rien.

Et là, soudain, il est en présence de Mariella Barbas, une star argentine du tango, qui lui ouvre ses bras. En une seconde, Michael et Mariella esquissent quelques figures de tango. Tous les photographes se déchaînent pour un document qui, en son genre, battra des records de parution dans le monde entier.

Quant à Schumacher, pince-sans-rire, il s'amusera ensuite : «Je ne me croyais pas aussi doué pour le tango.»

Inattendu, Michael Schumacher...

an de plus, Villeneuve garde la dent acérée. Il ne lâche pas sa proie : «Eddie Irvine se comporte dangereusement au départ des GP. On l'a constaté à Melbourne et à São Paulo. Il finira par blesser quelqu'un.» L'intéressé se dit absous par les commissaires internationaux.

D'ailleurs, Irvine a trouvé un dérivatif : il s'initie au polo, à l'Indios Polo Club, auprès de deux champions argentins, les frères Bautista et Gonzalo Heguy. L'Ir-

landais accepte de monter sur les chevaux des frères Heguy. Il y perd sa sérénité, et met prestement pied à terre. «Je préfère ma voiture», dit-il, imperturbable.

Olivier Panis, qui s'est reposé au Club Med de Rios de las Pedras, a débarqué à Buenos Aires précédé par sa réputation montante. C'est Alain Prost qui a donné le ton dans les médias argentins : «Olivier est désormais bien engagé sur la pente ascendante des meilleurs pilotes. Pour information, je crois ici en sa victoire.»

Légèrement bronzé, Panis est serré de près, amicalement parlant, par ses deux préparateurs physiques, François Gressot et Patrick Chamagne. Tous les trois se retrouvent à dîner au *Bice*, un restaurant en vogue de la capitale argentine, avec Alain Prost et Cesare Fiorio. Intéressé, Prost sonde Chamagne sur Panis : «C'est clair : Olivier est en phase de découverte de tous ses moyens. Il est encore loin de son potentiel maximal.»

Chamagne fonde son jugement sur son expérience des tennismen de haut niveau. Prost est captivé. Et conforté, en plus, dans sa propre opinion sur Panis.

Luciano Benetton et Flavio Briatore dînent, pour leur part, au musée Renault avec Jean Alesi et Gerhard Berger. Le mardi 8 avril au soir, dans le salon VIP d'Air France à Roissy 2, Briatore s'est épanché sur Alesi : «Nous nous sommes rapprochés. C'est un garçon touchant de vérité.» Avant de généraliser : «Nous avons les moyens et le devoir de marquer des points à chaque GP. Je l'ai dit à Jean et à Gerhard.» C'est ce que leur confirme Luciano Benetton, en *pater familias* à la chevelure argentée, avec des mots rassurants.

Ce management bienveillant convient aussi bien à Berger (198 GP depuis 1984) qu'à Alesi (120 GP depuis 1989) et, en plus, éteint les rumeurs incendiaires d'une proche cession de Benetton à des tiers.

*
* *

Dès les premiers essais, Villeneuve est éblouissant; en 1'25"755, il éclipse de plus de 4" la pole position 1996 de Damon Hill, 1'30"346. «Ce n'est qu'un début, j'ai commis une erreur dans mon meilleur tour», assure-t-il laconiquement. Il ne nourrit pas une affection débordante pour ce circuit : «Une piste de karting à haute vitesse.» C'est sa manière de relativiser sa performance. Certitude : d'emblée la Williams-Renault n° 3 paraît intouchable. Villeneuve le souhaite mais ne le dit pas.

L'affrontement entre Goodyear et Bridgestone – qui se mesurent à coups de montagnes de pneus : 2 540 pour l'Américain, 2 000 pour le Japonais – est assez serré. Deux coureurs Bridgestone, Barrichello, 1'26"693, et Panis, 1'26"983, menacent étroitement le Québécois, fleuron de Goodyear. «C'est intéressant», analyse flegmatiquement Prost, qui se méfie, en connaisseur, d'une réaction de Goodyear. Le quadruple champion du monde dîne, ce vendredi soir, de fort bonne humeur avec Bernie Ecclestone, Flavio Briatore et Jean Todt. De son côté, Jackie Stewart arpente le paddock en ne posant qu'une seule question : «Saviez-vous que Ford est le plus gros client de Bridgestone-Firestone?»

Solide, le regard avide de tout saisir, un nouveau venu, en chemisette sport, apparaît le samedi matin dans le stand des Bleus. C'est Bruno Bich, le président de Bic (depuis 1993), tout récent sponsor de Prost GP, venu à l'occasion d'un périple sud-américain se rendre compte par lui-même de la réalité de la Formule 1. «J'ai suivi le GP du Brésil en France devant ma télévision. Maintenant, je sais que mes week-ends seront gâchés», s'exclame-t-il, de bonne humeur. Il dévore Prost des yeux : «J'avais très envie de faire sa connaissance, depuis son quatrième titre mondial. J'avais dans l'oreille une phrase de prédilection des Américains, selon laquelle on ne gagne jamais deux fois par hasard. Alors, quatre fois…»

Frentzen soucieux et Villeneuve casqué.

Un autre Français, Thierry Hesse, commissaire général du Mondial de l'automobile, est installé chez Williams-Renault, avec Jean-François Caubet et un de ses amis argentins, Marco Sauer. Ce GP d'Argentine sert à Hesse de contact avec les Argentins de l'Association de Ferias Automotores : le Français est pressenti pour organiser un Salon de l'automobile en 1998 à Buenos Aires. «Tant qu'on n'a rien signé, on ne peut rien dire, explique Hesse. Moi aussi, j'attends mon drapeau à damier.»

Lors des essais officiels, Villeneuve défie Villeneuve. 13 h 10 : Michael Schumacher réussit 1'26"011. 13 h 12 : Villeneuve est en pole avec 1'25"23. Panis se rapproche de lui à la deuxième place, à 13 h 21, en 1'25"491. Ce qui émoustille Villeneuve qui, à 13 h 25, tourne en 1'24"727. Panis n'est dépassé que par Frentzen, à 13 h 29, en 1'25"417. En apothéose, à 13 h 45, Villeneuve se bat lui-même : 1'24"473.

Le Québécois ne lâche que quelques mots de pure convenance : «Seul le premier virage me préoccupe. Le reste, je m'en charge.» Pollock et lui rentrent rapidement à l'hôtel Hyatt's. Motif : Villeneuve souffre d'embarras intestinaux tenaces. Erwin Göllner, le soigneur de Williams-Renault, est convoqué d'urgence.

Rubens Barrichello a infiltré sa Stewart-Ford, 1'25"942, entre les machines des deux Schumacher, Michael (Ferrari) en 1'25"773 et Ralf (Jordan-Peugeot) en 1'26"218. A son retour chez les siens, le Brésilien, radieux, se dirige tout droit vers Jackie Stewart. Lequel dégrafe sa Rolex en or massif de son poignet et la tend, sans l'ombre d'une hésitation, à Barrichello. Tous deux partent d'un rire de connivence. Stewart avait, effectivement, promis cette montre à Barrichello s'il s'intercalait dans les six premiers de la grille.

Avec Panis et Barrichello, bien placés, les Bridgestone troublent l'ordonnance

Michael Schumacher éliminé, Barrichello en sursis.

des Goodyear. Dans les deux camps des manufacturiers, on se perd en conjectures sur le nombre des ravitaillements du lendemain. L'intox bat son plein.

Le dimanche matin, les lèvres serrées, plus pâle que d'habitude, Villeneuve boucle le warm-up en tête devant Frentzen. Sa démarche le trahit. Tout autant que celle, tourmentée, de Pollock. La vérité éclate : Villeneuve est dans un état physique désastreux. Il s'attarde plus volontiers aux toilettes que dans ses concer-

tations avec ses ingénieurs. Au point de ne se glisser qu'à 12 h 40, une vingtaine de minutes à peine avant le départ, dans son cockpit. Dans le clan Williams-Renault, hermétique par nature, les visages sont fermés. Partout ailleurs, on parie sans vergogne sur le nombre de tours que tentera de couvrir Villeneuve.

Aux feux, Villeneuve s'enfuit irrésistiblement, avec Frentzen en serre-file. Derrière, c'est le chaos. Michael Schumacher pousse Panis à l'arrière avec force et, sur

sa lancée, heurte Barrichello, en plein virage, qui pivote en tête-à-queue. Ralf Schumacher agit pareillement avec David Coulthard. Conséquence immédiate : le *safety car* entre en piste, sans que, pour autant, la course soit interrompue.

A 13 h 15, Michael Schumacher pousse vivement la porte de la casemate Ferrari, où l'attend Corinna. Il est prêt à tout plaquer sur-le-champ. Il jette machinalement un regard noir sur un écran de télévision, pour découvrir Ralf au sixième rang. De-

Damon Hill aux prises avec Ralf Schumacher.

vant, Villeneuve caracole avec 1'54" d'avance sur Panis, lui-même suivi par Irvine, Fisichella, Hill et Ralf Schumacher, en plein assaut sur le champion du monde. Quand Ralf Schumacher aura dépassé Hill, l'Anglais sera dans la ligne de mire de Jean Alesi. Un peu plus tard, lorsque le Français de Benetton aura réglé son compte à Hill, c'est le Français de Prost GP qui s'arrête, la rage au cœur, accélérateur électronique hors d'usage, avec, en cet instant funeste, 7" de retard sur Villeneuve. La tête entre les mains, Panis, immobile au bord de la piste, est statufié de tristesse. «Une chance unique s'est envolée», avouera-t-il un peu plus tard.

La température monte chez Jordan-Peugeot, au moins dans le cerveau de Ralf Schumacher, qui s'efforce, impatient, de doubler Fisichella dans une zone hasardeuse. Une seule victime dans la collision : Fisichella. Devant leur moniteur, Eddie Jordan et ses techniciens sont abasourdis. Pour un peu, ils se frotteraient les yeux. La dissension latente Ralf Schumacher-Fisichella éclate au soleil de Buenos Aires.

Les justifications ultérieures des intéressés valent leur pesant de pittoresque. Tous deux ont retiré leur masque d'apparente courtoisie relationnelle. Ralf Schumacher : «Comment communiquer ? Je ne parle pas l'italien et lui ne dit pas un mot d'anglais. En plus, je ne suis pas un fanatique des pâtes ni des pizzas.» Fisichella : «Il refuse tout dialogue, ça ne sert à rien de vouloir s'entendre.» Gianpaolo Matteuci, l'agent de Fisichella, interpelle les journalistes accourus aux nouvelles : «Écrivez que Ralf a jeté Giancarlo dehors comme un malpropre !» Décidément, Jackie Stewart avait raison : la camaraderie entre pilotes n'est plus ce qu'elle était.

Jacques Villeneuve, quant à lui, a poursuivi sa chevauchée fantastique en n'ayant que lui-même, malade, comme adversaire. Le Québécois, de plus en plus mal en point, résiste avec talent et énergie à Irvine, déchaîné depuis le début. Tous deux

Ralf dans les bras de Michael.

couvrent leurs trois derniers tours littéralement scotchés (entre 0"164 et 0"773) dans un duo bleu et rouge. «Je n'allais quand même pas me laisser rejoindre par Irvine», murmurera plus tard Villeneuve, hors micros et caméras.

A 14h 56, sorti en trombe de sa casemate, Michael Schumacher surgit dans le parc fermé pour y féliciter Villeneuve, courtoisement, Irvine, amicalement, et son frère Ralf, très affectueusement. En un réflexe qui exprime un rare soulagement, Villeneuve embrasse Pollock, éberlué mais averti du degré d'épuisement de Villeneuve. Le podium est glacial. Villeneuve et Irvine n'ont rien à se dire. Ralf Schumacher n'ose pas se réjouir de sa troisième place (la première pour lui) car, à quelques mètres de là, l'entité Jordan-Peugeot ressemble à un bateau ivre. Eddie Jordan est d'une insolite discrétion.

Avec deux succès consécutifs de Villeneuve (mais toujours aucun point pour Frentzen), cette campagne sud-américaine s'est révélée triomphale pour Williams-Renault. Néanmoins, Bernard Dudot, le directeur technique de Renault-Sport, relativise : «Les voitures de pointe sont très proches les unes des autres. Les écarts se resserrent – en course, du moins. C'est un paramètre dangereux pour nous.» Ce que

Panis confirme : «J'ai suivi les Williams sans peine. Cette panne, que rien ne laissait pressentir, est une sale blague. En plus, juste au moment où Villeneuve s'arrêtait pour ravitailler.» Prost partage cette opinion. Désolé, Alesi erre dans le paddock comme un homme désabusé. Pour cause de boîte de vitesses rétive, il a cédé sur la fin le passage à son partenaire Berger. «Dans l'affaire, je perds 1 point», souffle l'Avignonnais.

Ce GP d'Argentine étant enregistré comme le 600ᵉ de l'histoire de la Formule 1, Villeneuve rejoint les cinq prestigieux vainqueurs des premiers «centenaires» : Stirling Moss (1961, Allemagne), Jackie Stewart (1971, Monaco), Ronnie Peterson (1978, Afrique du Sud), Niki Lauda (1984, Autriche), Nelson Piquet (1990, Australie). Le Québécois néglige cette référence. Vers 17 heures, exténué, il s'affale, après une bonne douche, sur son lit à l'hôtel *Hyatt's* et reçoit des soins de Göllner. A côté, Pollock boucle les valises. A l'aéroport de Buenos Aires, Villeneuve s'envole pour Nice, *via* Londres, et Pollock se dirige sur Dublin. «Jacques a gagné cette course sur lui-même», répète Pollock, admiratif.

En cette soirée de liesse, les Anglais de Williams improvisent, à l'hôtel *Intercontinental*, un orchestre hétéroclite à faire pâlir de jalousie Eddie Jordan. Eddie Irvine, lui, s'est noyé dans la nuit de Buenos Aires pour y tester toutes les sortes de bières possibles. Il s'effondre, au petit matin, dans sa chambre de l'hôtel *Alvear*.

A 10h 55, le lundi matin 14 avril, Pat Behar, l'attaché de presse de la FIA, est à la réception de l'hôtel *Alvear*. Sonia Irvine, la sœur d'Eddie, le prie de conduire son frère à l'aéroport de toute urgence : «Eddie est attendu à Barcelone mardi pour des essais privés.» Un zombie irlandais est ainsi transporté, jusqu'au comptoir d'enregistrement Iberia, dans une Opel Corsa verte. «Il ne m'a pas dit un mot de tout le trajet», se souvient Pat Behar.

GRAND PRIX DE SAINT-MARIN

4ᵉ MANCHE DU CHAMPIONNAT DU MONDE DES CONDUCTEURS 1997

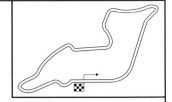

DATE : 27 avril 1997.

CIRCUIT : Enzo-e-Dino Ferrari à Imola.

DISTANCE : 62 tours de 4,930 km, soit 305,660 km.

MÉTÉO : piste encore humide en début de course et quelques gouttes de pluie en fin de course.

ENGAGÉS : 22. QUALIFIÉS : 22. ARRIVÉS : 11. CLASSÉS : 11.

VAINQUEUR : **Heinz-Harald Frentzen** (Williams-Renault) en 1 h 31'00''673 à 201,509 km/h (nouveau record).

RECORD DU TOUR : **Heinz-Harald Frentzen** (Williams-Renault) : 1'25''531 à 207,503 km/h.

GRILLE DE DÉPART

VILLENEUVE (Williams-Renault/G)	à 213,053 km/h 1'23''303	**Frentzen** (Williams-Renault/G)	1'23''646
M. Schumacher (Ferrari/G)	1'23''955	**Panis** (Prost-Mugen-Honda/B)	1'24''075
R. Schumacher (Jordan-Peugeot/G)	1'24''081	**Fisichella** (Jordan-Peugeot/G)	1'24''596
Herbert (Sauber-Petronas/G)	1'24''723	**Hakkinen** (McLaren-Mercedes/G)	1'24''812
Irvine (Ferrari/G)	1'24''861	**Coulthard** (McLaren-Mercedes/G)	1'25''077
Berger (Benetton-Renault/G)	1'25''371	**Larini** (Sauber-Petronas/G)	1'25''544
Barrichello (Stewart-Ford/B)	1'25''579	**Alesi** (Benetton-Renault/G)	1'25''729
Hill (TWR Arrows-Yamaha/B)❶	1'25''743	**Magnussen** (Stewart-Ford/B)	1'26''192
Diniz (TWR Arrows-Yamaha/B)	1'26''253	**Nakano** (Prost-Mugen-Honda/B)	1'26''712
Salo (Tyrrell-Ford/G)	1'26''852	**Trulli** (Minardi-Hart/B)❷	1'26''960
Verstappen (Tyrrell-Ford/G)	1'27''428	**Katayama** (Minardi-Hart/B)	1'28''727

CLASSEMENT

1. **Heinz-Harald Frentzen** (Williams-Renault FW19) ..... en 1 h 31'00''673 à 201,509 km/h
2. **Michael Schumacher** (Ferrari F310B) ..... à 1''237
3. **Eddie Irvine** (Ferrari F310B) ..... à 1'18''343
4. **Giancarlo Fisichella** (Jordan-Peugeot 197) ..... à 1'23''388
5. **Jean Alesi** (Benetton-Renault B197) ..... à 1 tour
6. **Mika Hakkinen** (McLaren-Mercedes MP4/12) ..... à 1 tour
7. **Nicola Larini** (Sauber-Petronas C16) ..... à 1 tour
8. **Olivier Panis** (Prost-Mugen-Honda JS45) ..... à 1 tour
9. **Mika Salo** (Tyrrell-Ford 025) ..... à 2 tours
10. **Jos Verstappen** (Tyrrell-Ford 025) ..... à 2 tours
11. **Ukyo Katayama** (Minardi-Hart M197) ..... à 3 tours

ABANDONS

Jarno Trulli (Minardi-Hart M197) : pompe hydraulique de boîte dans le tour de formation / **Jan Magnussen** (Stewart-Ford SF-1) : tête-à-queue et sortie (2 tours), alors 15ᵉ / **Gerhard Berger** (Benetton-Renault B197) : tête-à-queue et sortie sur problème de tenue de route (4 tours), alors 18ᵉ / **Damon Hill** (TWR Arrows-Yamaha A18) : accrochage avec Nakano (11 tours), alors 18ᵉ / **Shinji Nakano** (Prost-Mugen-Honda JS45) : accroché par Hill (11 tours), alors 17ᵉ / **Ralf Schumacher** (Jordan-Peugeot 197) : bris d'un demi-arbre de roue (17 tours), alors 4ᵉ / **Johnny Herbert** (Sauber-Petronas C16) : problème électrique (18 tours), alors 4ᵉ / **Rubens Barrichello** (Stewart-Ford SF-1) : pression d'huile (32 tours), alors 9ᵉ / **David Coulthard** (McLaren-Mercedes MP4/12) : moteur cassé sur fuite d'eau (38 tours), alors 4ᵉ / **Jacques Villeneuve** (Williams-Renault FW19) : commande de boîte de vitesses (40 tours), alors 3ᵉ / **Pedro Diniz** (TWR Arrows-Yamaha A18) : boîte de vitesses (53 tours), alors 11ᵉ.

EN TÊTE

Villeneuve : les 25 premiers tours, soit 123 km.

Frentzen : du 26ᵉ au 43ᵉ tour, ainsi que les 18 derniers tours, soit 177 km.

M. Schumacher : le 44ᵉ tour, soit 5 km.

A NOTER

Sanctionnés d'une course de suspension avec sursis et mise à l'épreuve durant deux courses (aux essais qualificatifs : **Villeneuve** et **Frentzen** pour non-respect des drapeaux jaunes lors d'une sortie de Nakano) et mise à l'épreuve durant une course (en course : **Hill** pour non-respect du règlement sportif lors du dépassement de Nakano, et **Diniz** pour non-respect des drapeaux bleus lorsque Villeneuve lui prend un tour).

❶ Parti des stands avec le mulet suite à une fuite d'huile dans le tour de formation.

❷ Ne prend pas le départ.

Frentzen : au bon moment

Comme d'habitude, Jean Todt a rejoint son bureau de la Gestion Sportive Ferrari, à Maranello, au volant d'une berline Lancia Kappa grise. En cette avant-veille du GP de San Marino, une fièvre éternellement réveillée autour de Ferrari a saisi l'Italie. A Maranello, tous les jours, les visiteurs passent, dans le hall d'entrée, devant la Ferrari F 310 1996 de Michael Schumacher. Celle qui arborait le n° 1 et qui nourrit les rêves de splendeur des tifosi.

Trois mois avant son quatrième anniversaire à la tête de Ferrari, Jean Todt fait le point, ce mercredi 23 avril, dans une salle de réunions proche de son bureau. Un portrait d'Enzo Ferrari, au mur, domine tout. Assis à la verticale de ce tableau, Todt incarne la continuité de Ferrari, quitte à lancer des propos iconoclastes qui auraient irrité le Commendatore. «Dès 1993, commence-t-il, mon objectif était de tout rapatrier à Maranello. Notre cellule anglaise de Shalford, autour de John Barnard, avait une existence limitée dans le temps. Barnard ne venait presque jamais en Italie et certains de ses collaborateurs de Shalford n'avaient jamais vu d'engins de course.»

Pour Todt, c'était inimaginable, inacceptable même, dans l'absolu. Son intégrisme vis-à-vis de Ferrari demeure lucide : «La restructuration de Ferrari est une opération de très longue haleine qui

Hommage anonyme à Senna.

SENNA TOUJOURS VIVANT

Pendant que les juges italiens mènent un interminable procès pour établir la vérité (?) sur l'accident tragique d'Ayrton Senna, une statue du même Ayrton Senna est inaugurée à quelques mètres du funeste virage de Tamburello, où le champion brésilien rencontra la mort le 1er mai 1994.

Le vendredi 25 avril, l'ombre prestigieuse d'Ayrton Senna planait au-dessus de l'immense sculpture en bronze exécutée par un jeune artiste italien, Stefano Pierotti. Une cérémonie intime, présidée par l'ambassadeur du Brésil en Italie, Paulo Pirès do Rio, Celso Lemos, le directeur de la fondation Senna, Frank Williams et Bernie Ecclestone, ne dura que le temps, pour chacun, de se souvenir de Senna.

Depuis, cette statue de Senna est devenue un objet de culte pour les admirateurs inconsolables du triple champion du monde brésilien. Quant au procès-spectacle...

m'absorbe au moins 15 heures par jour. Chez Peugeot, naguère, j'étais parti d'une feuille blanche. Ici, je suis parti du plus extraordinaire palmarès de la Formule 1, ce qui crée des devoirs.» Cet aveu en forme de constat laisse deviner des pesanteurs tenaces. Homme public, Todt déteste afficher ses sentiments personnels. Quand on lui dit qu'il fascine les Italiens par sa méthode, sa puissance de travail et sa disponibilité permanente, il répond par un soupir dubitatif. Lui s'étonne, épidermiquement, des commentaires qui fleurissent, ici et là, sur ce qu'il entreprend : «A la moindre décision, en apparence claire, on soupçonne Ferrari de calculs machiavéliques et d'arrière-pensées. Ce n'est vraiment pas simple.»

Il éprouve le besoin de s'expliquer. «Je ne m'attendais pas à trouver un tel travail», souffle-t-il, en se situant sur la frontière qui sépare ses trois premières années à Maranello et le futur. «Pour l'instant, l'écart aux essais avec les Williams-Renault est trop important. Si l'on ne part pas au pire en deuxième ligne, la victoire est interdite. Il faut attendre quelques mois pour relever les changements apportés par Ross Brawn et Rory Byrne.» A entendre Todt, en quittant l'ère Barnard («John n'aurait jamais accepté un directeur technique»), Ferrari aborde une nouvelle période.

L'axe Luca Di Montezemolo-Jean Todt-Michael Schumacher est l'épine

Michael Schumacher avec les siens : en quête d'un exploit.

dorsale de Ferrari. Di Montezemolo ? « Nous nous parlons au moins vingt fois par jour, en dehors des réunions de travail. Il me traite comme un ami. » Schumacher ? « Je l'ai consolé de mon mieux à Buenos Aires. Ce n'était qu'un juste retour des choses, tellement il avait su me réconforter en d'autres circonstances. » Cette allusion aux sombres dimanches de l'été 1996 est aussi furtive que limpide. Todt a entrouvert son jardin secret. Eddie Irvine ? « Sous des dehors nonchalants, c'est un type résolu. On ne peut pas le juger avec des critères habituels. A Buenos Aires, je lui avais demandé de nous rapporter 2 points. Avec son podium, il nous en a donné le double. »

La soirée s'avance, autour d'une table détendue au *Cavallino*. « Ferrari vit dans un isolement de géographie et de culture qui interdit certains choix », a rappelé Todt, entre deux plats, en insistant encore sur la singularité de Ferrari en Formule 1, en tant qu'unique constructeur de l'ensemble de la voiture, châssis et moteur. Il se lève. Aux alentours, la fraîcheur de la nuit enveloppe Maranello. Dans l'instant qui suit, il s'installe au volant de sa Lancia Kappa. Vingt minutes après, il est dans sa résidence, en pleine campagne. Pour son quatrième GP de San Marino dans le stand Ferrari, il rêve d'un succès (enfin).

Avant de quitter le *Cavallino*, il a bien veillé à ce que, le lendemain jeudi, le petit salon soit disponible. Todt reçoit Bernie Ecclestone à déjeuner. A Fiorano, tous deux emprunteront un hélicoptère qui les déposera dans la zone d'urgence d'Imola.

*

*   *

Avec l'arrivée des GP en Europe, les paddocks retrouvent leur physionomie habituelle. Le motor-home Prost GP est le seul inédit du lot. Le jeudi matin, vers 9 h 15, Shinji Nakano enfile tranquillement une tenue de jogger. Il avoue : « Je ne connais pas Imola. J'ai juste parcouru quelques tours en voiture. Maintenant, je veux en couvrir au moins une trentaine, en courant, pour m'imprégner du tracé. » Nakano cherche, ici et là, un compagnon d'effort. En vain. Il ne lui reste plus, alors, qu'à s'aventurer sur la piste Dino-&-Enzo-Ferrari dans l'anonymat le plus total, sous le regard intrigué des commissaires et des quelques tifosi venus, avant l'heure, vibrer devant les monoplaces immobiles.

Souriant, reposé, désinvolte, Olivier Panis survient sous l'auvent du motor-home. «J'étais à Monaco. Patrick Champagne m'avait invité quarante-huit heures au tournoi de tennis. J'y ai vu Fabrice Santoro balayer Thomas Muster, le grand copain de Gerhard Berger. D'ailleurs, j'en parlerai à Gerhard», s'amuse-t-il. Sur le trajet Nevers-Forli, le King Air de l'écurie a fait une escale spéciale à Nice pour embarquer Panis. «Ma vie a changé. Je suis mieux traité et mieux considéré», souligne Panis.

Longue silhouette, voici précisément Berger. Panis l'interpelle immédiatement. L'Autrichien esquisse un petit sourire. Quelques minutes après, il indique n'avoir programmé aucune initiative spéciale pour son 200ᵉ GP (depuis 1984). «Je ne veux pas mélanger mes souvenirs personnels avec ce seuil de carrière», précise-t-il. La tragédie de 1994 (accidents mortels de Roland Ratzenberger et d'Ayrton Senna) est toujours vivace en lui.

A son atterrissage à Forli, en provenance de Nice, Jacques Villeneuve s'est trouvé devant une muraille de médias italiens. Le Québécois vient de se répandre en commentaires véhéments sur la nouvelle réglementation des pneumatiques, et les Italiens aimeraient le voir rajouter un peu d'huile sur le feu. Craig Pollock s'interpose : «Jacques n'a rien à dire. Il se concentre sur la course.» Villeneuve approuve. Pollock donnera de strictes consignes à la réception de l'hôtel *Donatello*, à Imola, pour que la chambre de son pilote, la 200, soit hermétiquement protégée.

Dans le camp Jordan, l'ambiance est électrique. Depuis leur impromptu de Buenos Aires, Ralf Schumacher et Giancarlo Fisichella n'ont pas échangé le moindre propos. Revenu à un semblant de raison, l'Allemand a consenti à avouer : «Je me reconnais responsable de l'erreur de Buenos Aires à 70 %.» Mais Fisichella a la rancœur tenace. Sa réplique est cinglante : «J'accepte de me montrer correct avec un collègue de travail. Rien de plus.

Prost-Panis : problèmes à résoudre.

Toute relation amicale avec Ralf est terminée.» Pendant que l'Italien serre beaucoup de mains amies, Ralf se réfugie, chez Ferrari, auprès de son aîné.

Dès les premiers essais du vendredi, tous deux se signalent à l'attention en musardant dans les graviers des bas-côtés de la courbe de Rivazza. Le spectacle est pitoyable. Eddie Jordan se fâche. Il convoque les deux garçons pour un «entretien-vérité» à trois. L'Irlandais impose aisément le silence à deux coureurs qui n'ont rien à se dire. Il monologue sur un ton très ferme en les rappelant l'un et l'autre à une conception élémentaire de leur métier. Les techniciens de Peugeot parlent entre eux, à voix basse. Ils sauvent les apparences.

Cesare Fiorio, le bras droit d'Alain Prost, l'avait prévu : «J'attends un retour des Ferrari. C'est dans la nature de la Scuderia d'approcher Imola en force.» Effectivement, le vendredi, les deux Ferrari monopolisent les deux meilleurs temps, mais pas dans l'ordre attendu : Irvine, 1'25"981, devance Michael Schumacher, 1'25"997. Tous deux utilisent le V10 046-1. Selon Todt, le nouveau V10 046-2 entrera en lice le lendemain pour les essais officiels.

Berger, 1'26"259, et Alesi, 1'26"382, en tant qu'ex-Ferraristes, soulèvent l'enthousiasme. «Peu importe qu'ils soient sur des Benetton-Renault, c'est leur passé Ferrari qui compte ici», souligne Briatore. Villeneuve, 1'26"499, est à l'affût. Mieux que Frentzen, 1'26"600, et surtout Panis, 1'26"779, qui s'est égaré dans les graviers. Avec son piteux bilan (une seule place de neuvième, au Brésil, en trois courses), Frentzen se sent obligé de plaider sa cause : «On ne m'a pas laissé le temps de comprendre la Williams-Renault. Avec 2 000 km d'essais d'hiver, ce n'était pas suffisant. Accordez-moi un certain délai d'adaptation.»

Villeneuve avec deux Schumacher et Frentzen à ses trousses.

Ex-Ferrariste, Patrick Tambay l'est tout autant que Berger et Alesi. A cette nuance près qu'il a, lui, en son temps (le 1er mai 1983) triomphé à Imola et que cette victoire – la dernière d'une Ferrari en ce site – l'a statufié de son vivant. Consultant sur Canal +, Tambay (48 ans) se sent rajeuni devant le courant d'enthousiasme et de fidélité qu'il déclenche chez les Italiens. « Ils sont incroyables. Ils me racontent tous ma course comme si c'était hier », s'émerveille-t-il avec candeur.

Pour échapper à cette ferveur, Tambay dîne, avec son ami Miguel Fernandez et ses collègues de Canal +, dans un petit restaurant, *El Gotto*, à Brizighella. Il s'y croit à l'abri. Peine perdue. Une adolescente italienne, audacieuse, quitte sa table et, sous l'œil de ses parents, ose demander un autographe à Tambay. Lequel s'exécute avec une gentille inconscience. Car, dans la minute qui suit, il lui faut signer une trentaine de menus ! « Ils sont quand même incroyables, ces Italiens », répète-t-il, le soir comme la journée.

D'emblée, lors des essais de qualification, Villeneuve arrache la pole : 1'24''216 à 13 h 15. Il progresse ensuite irrésistiblement : 1'23''586 à 13 h 33, 1'23''320 à 13 h 55 et, apothéose, 1'23''303 à 13 h 56. Le Québécois a rondement mené son affaire, tout en se plaignant de ses freins (qu'il juge trop durs). Derrière lui, le duel Michael Schumacher-Frentzen a été serré : à 13 h 28, l'Allemand de Ferrari (avec le moteur 046-2) s'est stabilisé à 1'23''955, sous les clameurs, mais, peu après, celui de Williams-Renault a réussi 1'23''646, dans un silence pesant.

Un homme furieux. A la fin des essais, Panis jaillit comme un diable de son cockpit. En 1'24''075, il est pourtant quatrième. Il ne décolère pas. Dans son ultime tour, très rapide, il a été gêné par une Ferrari, la n° 5 de Schumacher, qui lui a bouché le passage dans la zone Acqua-Minerali. Panis accuse Schumacher : « Il avait peur de perdre sa troisième place sur la grille. » Il s'enferme avec Prost et Fiorio dans une concertation. Tous

trois revoient les images télévisuelles. Schumacher a, curieusement, adopté un faux rythme devant Panis, pour l'inciter à ralentir.

Un léger contentieux (depuis Buenos Aires) opposait Panis et Schumacher. Il empire. Un certain calme revient. Dans la soirée, à 20 h 15, Schumacher rencontre fortuitement Prost, en plein paddock. Après avoir traité Panis cavalièrement, Schumacher ne peut agir pareillement avec Prost. Le double champion du monde est tenu à une certaine obligation de réserve respectueuse devant un quadruple champion du monde.

Prost s'exprime avec précision et fermeté. Schumacher répond sans provocation. Leur dialogue s'éternise. Schumacher tente de se justifier. Prost, lui, assène méthodiquement ses arguments. Ils se séparent avec une courtoisie de façade en ayant conservé leurs positions de départ. « Olivier méritait d'être défendu », ajoute Prost, en guise de commentaire final et définitif.

Le ciel d'Imola est gris au moment où les machines s'avancent sur la grille. «Il y a risque de pluie», avertit Didier Perrin, le chargé de liaison de Prost GP avec les météorologues. Schumacher n'a pas un regard pour Frentzen ni pour Panis. Il se focalise sur la Williams-Renault de Villeneuve. C'est ainsi qu'au départ, Villeneuve s'enfuit avec Schumacher à ses trousses, devant Frentzen, Ralf Schumacher, Herbert, Panis (handicapé par un réservoir plein pour cause de programmation d'un seul arrêt), Irvine, Fisichella, Coulthard, Hakkinen et Alesi, incroyable quatorzième des essais.

Le Québécois s'efforce de se détacher. Mais Michael Schumacher (revenu au moteur 046-1) ne concède rien au début. Ce n'est qu'au treizième tour que Villeneuve se donne un avantage consistant : 3"355. La bataille est plus indécise qu'on ne le pensait. Mais le trio Villeneuve-Michael Schumacher-Frentzen survole le GP.

Panis, qui a baissé de pied, cède le passage à Irvine et à Fisichella, au moral en hausse depuis l'abandon de Ralf Schumacher. Au fil des tours, Coulthard revient sur le tiercé majeur. Au moment où, précisément, Villeneuve, qui a chaussé des pneus neufs bien avant la mi-course, se bat avec une boîte de vitesses devenue folle. «Les rapports se modifiaient tout seuls», expliquera-t-il par la suite, après son abandon.

Frentzen a pris le relais en tête, avec le duo rouge Michael Schumacher-Irvine dans son sillage. A plus de 30 tours du drapeau à damier, Frentzen mène avec 5" et 9" d'avance sur les deux Ferrari. Une chance inespérée s'offre à lui de se valoriser en intérimaire de victoire pour Williams-Renault. Les derniers tours sont haletants, mais inchangés. L'ordre numérique 4 (Frentzen)-5 (Schumacher)-6 (Irvine) règne à Imola.

Cet hymne allemand qui monte dans l'atmosphère, les tifosi l'auraient (surtout) aimé pour «leur» Schumacher de Ferrari.

Frentzen, en leader très incisif.

Frentzen, qui était dans une phase critique de carrière, se dit soulagé : «Une nouvelle vie commence pour moi.» Michael Schumacher déplore d'avoir été gêné par Larini. Irvine est serein. «Eddie est inclassable», affirme Todt.

Flavio Briatore et Alessandro Benetton ont quitté le circuit en hélicoptère, juste à l'arrivée. En sachant peut-être qu'Alesi s'est battu comme un chien pour finir cinquième. «Où en sommes-nous ? Je n'en sais rien», répond l'Avignonnais à ceux qui s'inquiètent des carences des Benetton-Renault. Panis a terminé dans le même tour qu'Alesi, mais hors de la zone des points. Mi-figue mi-raisin, Prost regrette : «C'est dommage de rater des bonnes occasions. Olivier, ici, pouvait s'insérer entre les Williams et les Ferrari.» Il invite Jean-Marie Messier, Pierre Lescure et Charles Biétry à une réunion confidentielle dans son motor-home. «Je ne m'arrête jamais», assure Prost.

Une Megane Scenic Renault roule vers Forli : Villeneuve rumine déjà des idées de revanche. Anne et Olivier Panis sont en route aussi pour Forli. Le King Air de l'écurie s'arrêtera à Grenoble pour y laisser Anne pendant qu'Olivier ralliera Magny-Cours pour des essais. Dans le motor-home Rothmans, Frentzen bavarde avec une nuée d'amis, une bière à la main. Frank Williams, sur son fauteuil roulant, et Patrick Head passent devant ce motor-home. Frentzen et Head échangent, de loin, un geste amical.

Frentzen-Tanya : instant unique.

GRAND PRIX DE MONACO
5e MANCHE DU CHAMPIONNAT DU MONDE DES CONDUCTEURS 1997

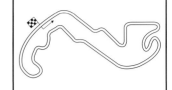

DATE : 11 mai 1997.
CIRCUIT : Monaco.
DISTANCE : 62 tours (78 prévus) de 3,367 km, soit 208,692 km.
MÉTÉO : pluie.
ENGAGÉS : 22. QUALIFIÉS : 22. ARRIVÉS : 10. CLASSÉS : 10.
VAINQUEUR : **Michael Schumacher** (Ferrari) en 2 h 00'05''654 à 104,264 km/h.
MOYENNE RECORD : **Michael Schumacher** (Benetton-Ford) en 1994 à 141,690 km/h.
MEILLEUR TOUR : **Michael Schumacher** (Ferrari) : 1'53''315 à 106,937 km/h.
RECORD DU TOUR : **Michael Schumacher** (Benetton-Ford) en 1994 : 1'21''076 à 147,772 km/h.

GRILLE DE DÉPART

M. Schumacher (Ferrari/G) ❶	1'18''235	**FRENTZEN** (Williams-Renault/G) à 154,924 km/h	1'18''216
Fisichella (Jordan-Peugeot/G)	1'18''665	**Villeneuve** (Williams-Renault/G)	1'18''583
R. Schumacher (Jordan-Peugeot/G)	1'18''943	**Coulthard** (McLaren-Mercedes/G)	1'18''779
Hakkinen (McLaren-Mercedes/G)	1'19''119	**Herbert** (Sauber-Petronas/G)	1'19''105
Barrichello (Stewart-Ford/B)	1'19''295	**Alesi** (Benetton-Renault/G)	1'19''263
Panis (Prost-Mugen-Honda/B)	1'19''626	**Larini** (Sauber-Petronas/G)	1'19''468
Salo (Tyrrell-Ford/G)	1'19''694	**Hill** (TWR Arrows-Yamaha/B)	1'19''674
Diniz (TWR Arrows-Yamaha/B)	1'19''860	**Irvine** (Ferrari/G)	1'19''723
Trulli (Minardi-Hart/B)	1'20''349	**Berger** (Benetton-Renault/G)	1'20''199
Katayama (Minardi-Hart/B)	1'20''606	**Magnussen** (Stewart-Ford/B)	1'20''516
Verstappen (Tyrrell-Ford/G)	1'21''290	**Nakano** (Prost-Mugen-Honda/B)	1'20''961

CLASSEMENT
1. **Michael Schumacher** (Ferrari F310B) — en 2 h 00'05'' à 104,264 km/h
2. **Rubens Barrichello** (Stewart-Ford SF-1) — à 53''306
3. **Eddie Irvine** (Ferrari 310B) — à 1'22''108
4. **Olivier Panis** (Prost-Mugen-Honda JS45) — à 1'44''402
5. **Mika Salo** (Tyrrell-Ford 025) — à 1 tour
6. **Giancarlo Fisichella** (Jordan-Peugeot 197) — à 1 tour
7. **Jan Magnussen** (Stewart-Ford SF-1) — à 1 tour
8. **Jos Verstappen** (Tyrrell-Ford 025) — à 2 tours
9. **Gerhard Berger** (Benetton-Renault B197) — à 2 tours
10. **Ukyo Katayama** (Minardi-Hart M197) — à 2 tours

ABANDONS
Pedro Diniz (TWR Arrows-Yamaha A18) : tête-à-queue (0 tour) / **David Coulthard** (McLaren-Mercedes MP4/12) : tête-à-queue et accrochage avec Hakkinen (1 tour), alors 7e / **Mika Hakkinen** (McLaren-Mercedes MP4/12) : accrochage avec Coulthard (1 tour), alors 10e / **Damon Hill** (TWR Arrows-Yamaha A18) : crevaison ou suspension suite à une touchette avec Irvine (1 tour), alors 13e / **Jarno Trulli** (Minardi-Hart M197) : sortie (7 tours), alors 15e / **Johnny Herbert** (Sauber-Petronas C16) : sortie (9 tours), alors 4e / **Ralf Schumacher** (Jordan-Peugeot 197) : tête-à-queue (10 tours), alors 3e / **Jacques Villeneuve** (Williams-Renault FW19) : triangle de suspension suite touchette (16 tours), alors 12e / **Jean Alesi** (Benetton-Renault B197) : tête-à-queue (16 tours), alors 7e / **Nicola Larini** (Sauber-Petronas C16) : touchette (24 tours), alors 13e / **Shinji Nakano** (Prost-Mugen-Honda JS45) : tête-à-queue et sortie (36 tours), alors 11e / **Heinz-Harald Frentzen** (Williams-Renault FW19) : sortie (39 tours), alors 9e.

EN TÊTE
M. Schumacher : du premier au dernier tour.

A NOTER
❶ Parti avec le mulet préparé pour piste humide.

Schumi, prince régnant III

A eux deux, ils figurent cinq fois au palmarès du GP de Monaco. Aucune autre écurie n'aligne cette année un pareil duo. Alain Prost (vainqueur ici en 1984, 1985, 1986, 1988) et Olivier Panis (lauréat 1996) s'amusent d'un dénominateur commun : Prost a récupéré au *Meridien Beach Plaza* sa chambre de 1988, la 914, et Panis a conservé celle de 1996, la 812. Bien entendu, les deux Français se défendent, pour le principe, de toute superstition mais, en leur for intérieur, ils ne dédaignent pas ce type de clin d'œil du destin. En ce week-end monégasque, tous deux jouent très gros, pour des motifs et à des niveaux différents.

Le mercredi 30 avril, après quatre heures de discussions téléphoniques avec plusieurs interlocuteurs, Prost s'est entendu avec Alcatel. L'approche avait été ébauchée au cours de l'hiver 1996-97, dans les milieux officiels, par des intermédiaires liés au projet Prost-Peugeot. Le contrat définitif a été signé le vendredi 2 mai. L'annonce Prost-Alcatel a été officialisée le mardi 6 mai, en préambule au GP de Monaco. « Pour nous, cette opération est très importante, techniquement et matériellement », assure Prost.

Caroline Mille, directeur de la communication du groupe Alcatel-Alsthom, indique : « Nous sommes engagés avec Prost sur deux ans, avec une troisième année préférentielle. Alcatel a notamment parti-

Hirotoshi Honda-Alain Prost : connivence.

cipé à l'équipement des jeux Olympiques d'Albertville, en 1992. A nos yeux, la Formule 1 est un secteur à défricher. Nous affecterons trois à cinq ingénieurs à la disposition de l'écurie pour chaque GP, en liaison avec notre représentation locale. Il s'agit, avec Prost, de développer une image de la technologie française au plan international, sans clause d'obligation de résultat. » Le samedi 10 mai, Serge Tchuruk, président d'Alcatel-Alsthom, quitte Biarritz au matin, dans un Falcon. Quelques heures plus tard, il est sur le stand Prost.

Au passage, Serge Tchuruk ne réfrène pas un bref sourire quand on lui rappelle ses premiers contacts avec Alain Prost en… 1993, année où il présidait le groupe Total. « De fait, répond Tchuruk, Prost se battait déjà pour une écurie à son nom. Les

meilleures conditions n'étaient alors pas réunies. Aujourd'hui, cette entente avec Prost est un coup de cœur à coloration française. » Le budget global de communication d'Alcatel atteint 200 millions de francs et Prost en retire (déjà) une bonne part.

Avant cette rencontre publique avec Serge Tchuruk, Prost dîne le vendredi soir au *Vista Palace*, à Roquebrune-Cap-Martin, avec Hirotoshi Honda, Yoshiharu Ebihara, l'agent de Nakano, et Bruno Michel. Pour ces trois derniers, le *Vista Palace* évoque un bon présage : en 1996, ils y avaient dîné tous trois, quarante-huit heures avant le succès de Panis. Ils insistent pour s'installer à la même table. A l'instant d'aborder le cas Nakano – c'est-à-dire au fromage –, Prost et Hirotoshi Honda, qui n'ont jusqu'alors échangé que des généralités, sont embarrassés.

Le président de Mugen s'informe directement auprès de Prost de la tendance des médias internationaux à propos de Nakano. Comme ancien pilote, Prost n'aimerait pas se séparer d'un coureur en pleine saison. Comme jeune manager, il songe à l'intérêt de l'écurie. Le malentendu s'épaissit. Aucune perspective ne se dessine. Le courant ne passe pas (ou plus) à fond entre Prost et Hirotoshi Honda.

Pour Hirotoshi Honda, cette étape en Principauté est la première d'une expédition en Europe. Après le GP, il va enchaîner sur trois rendez-vous anglais

Shinji Nakano : la difficile découverte du tracé monégasque.

délibérément resserrés : le 15 mai avec Tom Walkinshaw à Leafield, le 16 mai à Enstone avec Flavio Briatore et le 17 mai avec Eddie Jordan à Silverstone. En attendant, Hirotoshi Honda supporte toujours mal le divorce, à terme, avec Alain Prost. « Il a le sentiment d'avoir perdu la face et, pour lui, c'est très grave. Un Japonais endure mal ce qu'il considère comme une humiliation », a précisé son ami Claude Sage. En plus, après la publication de l'accord Prost-Peugeot, des articles suspects, courageusement anonymes, ont dénoncé Prost dans certains médias japonais comme un manager sans scrupules et, pire, comme un champion « détesté dans son propre pays » (sic). Prost a identifié l'auteur de ces textes.

Quant à Panis, il est arrivé en Principauté, en Audi A6, dès le mardi, avec vingt-quatre heures d'avance sur son plan.

Avec Anne, Olivier a tout retrouvé : l'hôtel, leur chambre, leurs familiers, leur restaurant préféré (*Chez Gianni*), comme si de rien n'était. Un an auparavant, presque au jour près, Panis était un autre homme. « Ma victoire, le 19 mai 1996, m'a insufflé un surcroît de confiance », rappelle-t-il. L'effet positif passé, elle a généré aussi une réelle frustration. Panis a regretté, dans un mutisme absolu, de n'avoir jamais pu confirmer, au long de 1996, comme il l'aurait souhaité. L'écurie Ligier s'est délitée autour de lui.

Il soupire : « Je n'ai pourtant jamais douté de moi. Et puis Alain Prost est arrivé… » En quelques mots, Panis a tout dit. Il s'en va à la découverte de la Principauté sur un petit scooter, ce qui n'est pas le moyen de transport idéal à Monaco pour échapper aux chasseurs d'autographes. Après tout, Panis a besoin d'eux

pour évacuer son trop-plein de pression intérieure. « Si Olivier ratait Monaco – ce que je n'envisage pas –, il risquerait d'entrer dans une mauvaise période », a glissé Dominique Sappia, en toute lucidité amicale.

Pour un peu, au fond, Panis jouerait à la roulette tout son acquis de 53 GP en un seul week-end. Il a du mal à se laver l'esprit de cette pensée. Sportif méthodique qui a bâti sa carrière sur une progression continue, Panis n'aime visiblement pas cette échéance que lui fixe l'opinion française. Il est un peu contracté. Prost s'en rend compte : « Olivier, l'important pour toi se passera après Monaco. En attendant, nous comptons sur toi. »

*
* *

En se présentant à l'accès du paddock, le jeudi 8 mai à 8 h 55, juché sur un mountain bike vert identifié Lotus (son ancienne écurie de 1994), avec son épouse Rebecca en passagère, Johnny Herbert tente une de ses facéties de prédilection : franchir le tout nouveau contrôle électronique avec son engin à deux roues. Récent résident monégasque (il habite à Fontvieille, à proximité d'Heinz-Harald Frentzen), l'Anglais s'efforce, en vain, de séduire les contrôleurs. En définitive, le mountain bike descendra en sous-sol, dans un parking flambant neuf.

Ces premiers essais, ils les abordent tous à leur manière. Michael Schumacher vient de la villa de son manager Willi Weber, à Saint-Paul-de-Vence. David Coulthard, replié avec Heidi (sa nouvelle compagne) dans un bungalow du *Royal Mougins Golf Club*, retrouve son équipier Mika Hakkinen paradant sur le port dans une Mercedes 600 SL, conduite par sa fiancée Anja. Pour sa part, Eddie Irvine a quitté le *Meridien Beach Plaza* sur un petit scooter. Flânant dans le paddock avec Sandrine, Jacques Villeneuve déconcerte ses proches par sa tolérance (inédite) vis-à-vis du tracé : «Après tout, il suffit de s'y adapter.» Lui qui n'aimait pas le serpentin monégasque se résigne à l'affronter. La présence de sa mère, Joanne, veuve du dernier Villeneuve vainqueur à Monaco (son père Gilles, le 31 mai 1981), n'est peut-être pas étrangère à cette évolution. Enfin, Jean Alesi s'est attardé, avec Kumiko, à Valbonne chez un de ses amis, Ahmed Loumani, maître verrier réputé. Il descend au *Loews*.

Pour Herbert, ce 8 mai 1997 a un agréable parfum de victoire. Aux premiers essais, en l'21"188, sa Sauber-Petronas dompte la meute et, surtout, la Ferrari de Schumacher, 1'21"330. Todt, le premier, félicite Peter Sauber. Néanmoins, aucun schéma n'avait prévu de voir, un jour, une Sauber-Petronas, c'est-à-dire une monoplace propulsée par le V10 Ferrari 1996, devant les Ferrari 1997. Herbert a explosé de bonheur : «Maintenant, tout est à ma

QUAND BUBKA DÉÇOIT HILL...

Au hasard des festivités de Monaco, quand Damon Hill côtoie Sergei Bubka, le recordman et champion du monde de saut à la perche, ils forment un duo de prestige. Tous deux se rencontrent, le jeudi, dans une réception donnée aux Thermes de Monaco par Pierre Dupuy-Urizari, le directeur promotionnel de Zopter qui est, à la fois, le sponsor d'Arrows et de Bubka.

A côté de l'Ukrainien Bubka (1,84 m, 80 kg), l'Anglais Hill (1,80 m, 70 kg) est physiquement moins impressionnant. Tous deux s'entretiennent intensément. Hill est captivé par Bubka qui, soudain, part d'un grand rire qui surprend les invités.

Bubka ne se fait pas prier pour raconter : «D'après M. Hill, selon une rumeur tenace, on me donnerait une Ferrari chaque fois que je bats le record du monde. Je l'ai peut-être déçu car, malheureusement pour moi, ce n'est pas exact.»

Bubka a déjà, ce 8 mai 1997, amélioré ce record du monde (6,15 m) à 35 reprises : s'il avait reçu une Ferrari à chaque fois, il lui faudrait un gigantesque garage dans sa résidence monégasque pour abriter sa flotte de Ferrari !

portée.» Sauber l'a approuvé en allant plus loin : «Nous n'avons reçu le moteur Ferrari qu'à la mi-décembre. Nous n'avons pas pu travailler avec de larges délais. Maintenant, c'est autre chose.» Caustique, Clay Regazzoni lance : «Si la Sauber avait Michael Schumacher, elle serait régulièrement en tête, y compris devant les Williams.» Autour du stand Sauber, les commentaires jaillissent : «Le client a toujours raison.»

C'est justement le type de raisonnement que récuse Giovanni Agnelli, le patriarche de Fiat, qui a suivi ces essais sur son yacht, le *Steahl*, aisément reconnaissable à ses voiles noires. Agnelli a téléphoné à Todt. En milieu d'après-midi, Schumacher, Irvine, Todt et Ross Brawn embarquent dans un canot à moteur en direction de Villefranche, pour une concertation avec Giovanni Agnelli.

Pour l'occasion, le label Petronas vole en éclats : Ferrari 1996 a bel et bien battu Ferrari 1997. Ce détail a interpellé Chris-

tian Contzen, le directeur général de Renault-Sport. Les discussions concernant les Renault-Mécachrome 1998 se poursuivent. D'une ténacité à toute épreuve, Tom Walkinshaw a brandi auprès de Contzen l'argument de l'entrée de John Barnard chez Arrows, en tant que directeur technique, comme aboutissement d'un grand projet. En effet, Barnard a racheté Ferrari Design Development, l'antenne anglaise de Maranello, pour 1,3 million de dollars (près de 8 millions de francs). L'Anglais, qui a finalisé son contrat avec Arrows le mardi 6 mai, a obtenu de Walkinshaw des garanties de financement de «collaboration technique» de 2,75 millions de dollars (au moins 16 millions de francs) sur trois ans. Ces chiffres, habituels dans l'industrie automobile, n'effrayent pas Contzen. «John s'attaque déjà à la voiture 1998», précise Walkinshaw.

Daniele Audetto, le bras droit de Walkinshaw, ajoute : «Il y a début d'urgence. L'option de Tom avec Damon Hill expire fin juin. Nous devons tenir à Damon les promesses faites le 26 septembre 1996, le jour de sa signature avec nous.» Simultanément, Hill est dans le collimateur de plusieurs écuries. Le décalage entre le champion du monde et son matériel est trop évident pour ne pas susciter des convoitises. Alain Prost songe à lui. Eddie Jordan est en quête d'un grand nom avant son entrevue avec Hirotoshi Honda. Et Flavio Briatore s'intéresse à tout ce qui bouge. En vieux routier des paddocks, Walkinshaw subodore ces manœuvres, qu'il ne peut pas (encore) contrecarrer.

En fin de journée, Panis est morose. Il s'est égaré dans une série de réglages qui, finalement, le laissent à près de 2" d'Herbert. Il avoue calmement : «C'est clair : je ne peux gagner ici qu'avec la pluie. En 1996, sous des trombes d'eau, j'avais doublé, entre autres, Hakkinen au Casino, Brundle à la Rascasse et Irvine à l'épingle du *Loews*. C'était inouï.» Ce retour en arrière stimule Panis qui hausse le ton :

«Avec les pneus Bridgestone, la Prost 1997 est meilleure, indiscutablement, que la Ligier 1996.» Il laisse entrevoir ses véritables ambitions du moment.

Sous l'auvent Williams, Villeneuve, qui n'a pas traîné, cède la vedette à Heinz-Harald Frentzen, gonflé d'optimisme en dépit d'un léger accident. Avant de retenir une table au *Polpetta*, son restaurant habituel, l'Allemand s'épanche : «Après Imola, je me sens de taille à récidiver à Monaco. Ce ne sera pas commode de battre Michael, mais je suis bien armé pour y parvenir.» D'évidence, Frentzen se moque de la malédiction monégasque qui frappe les Williams depuis le 15 mai 1983 (dernière victoire avec Keke Rosberg). Il paraît, en tout cas, mieux intégré qu'avant dans l'univers Williams-Renault : «En vérité, mes relations avec Frank et Patrick Head se sont améliorées. Au début de la saison, nous n'étions pas sur la même longueur d'ondes : ils voulaient des résultats immédiats et moi je prenais mon temps. Ils auraient aimé que je réalise, d'emblée, les mêmes performances que Damon Hill en 1996.» En conclusion, ce malentendu s'est évanoui avec la victoire de Frentzen à Imola. Tout repart pour lui.

*
*   *

Michel Boeri, costume droit, et Bernie Ecclestone, chemise blanche et jean, œuvrent de concert, le vendredi, au Yacht Club de Monaco. Les présidents de l'AC Monaco et de la FOCA animent une vente aux enchères d'objets de la Formule 1 au bénéfice de l'association «Monaco Aide et Présence», présidée par le prince Albert. A 15 h 50, la dernière enchère, simultanément répercutée sur Londres et Tokyo, concerne un accessoire dont le donateur est encore inconnu : il s'agit du casque de l'auteur de la pole position du lendemain. A 48 000 francs, les candidats se raréfient. Ecclestone monte brusquement à 52 000 francs. Des acheteurs se déchaînent. A 78 000 francs, prix de vente record, le commissaire-priseur adjuge. Reste à savoir quelle tête aura abrité le casque le plus cher de la Formule 1…

Le samedi, Jean Alesi est le premier à pied d'œuvre pour les essais du matin. Il s'enferme dans le motor-home Benetton avec ses ingénieurs. Le Français n'est pas satisfait de sa machine. «Pour un tas de petits trucs», bougonne-t-il. Sur un petit scooter, Jackie Stewart surgit aux abords du paddock. Il est très heureux : «Je suis un inconditionnel de Monaco. Cette ambiance me plaît.» Ses collaborateurs sont installés à Menton, à l'hôtel *Méditerranée*.

Lui est à l'*Hôtel de Paris*. «Avec le même appartement que lors de ma dernière victoire ici, le 3 juin 1973», explique-t-il à qui veut l'entendre. Helen Stewart, son épouse, Paul et Mark, ses fils, complètent le clan Stewart.

Stewart a, en fait, un énième rendez-vous avec Bernie Ecclestone. Après avoir salué avec enthousiasme l'arrivée de Ford dans Stewart GP, en insistant sur l'importance économique d'une telle opération, Ecclestone tarde à consentir à Jackie Stewart certains avantages financiers, en se retranchant derrière les règles de la FOCA, qui exigent une année probatoire pour toute écurie naissante. Le triple champion du monde expose à Ecclestone la consistance, sur la durée, de ce partenariat avec Ford. Les deux hommes en restent là.

Aux essais officiels, Giancarlo Fisichella embrase l'ambiance d'entrée avec 1'19"701. Sa Jordan-Peugeot est irrésistible. Derrière, ça se bouscule. Schumacher frappe un grand coup, 1'18"235. Il paraît inabordable. La rage de riposter monte chez Williams-Renault avec Villeneuve, qui, après une pléiade de tours, réussit 1'18"583. Le Québécois a bataillé pendant plus d'une demi-heure pour se hisser en première ligne, à 5' de la fin.

Jean Alesi, l'espoir d'une bonne performance à Monaco.

Fisichella et Jordan-Peugeot : traînée jaune sur fond bleu.

Panis aux essais : beaucoup d'efforts mal récompensés.

Mais, 60" après, une explosion d'admiration secoue la Principauté : Frentzen est en pole position en 1'18''216. Il est 13 h 56.

Schumacher se glisse dans son cockpit, le couteau entre les dents. Il fonce, juste avant la fin de cette séance, pour un ultime tour. Le tout pour le tout. En s'acharnant après Frentzen, le double champion du monde valorise son compatriote. Il échoue avec 1'18''362. «Je gagne à Imola, je réalise ma première pole position. Merci, ça va bien pour moi», explique, radieux, le pilote de la Williams-Renault n°4, qui n'a jamais été à pareille fête depuis ses débuts en Formule 1 en 1994. Frentzen a beau être cerné par un commando de médias majoritairement germaniques, Ecclestone

se faufile adroitement. En le voyant, Frentzen lui remet immédiatement son casque.

Dans l'après-midi, les bulletins de la météo marine distribués sur les différents bateaux à quai ne débordent pas d'optimisme. La capitainerie du port ne peut pas donner satisfaction à Giovanni Agnelli qui souhaitait faire mouvement avec le *Steahl* en baie de Monaco pour dimanche. Drôle de hasard : le *Maryanto* de Walkinshaw frôle le *Pia* de Gerhard Berger. Tous deux pourraient comparer leurs infortunes de terre : Hill est en septième ligne, Berger en neuvième. Juste devant Hill, Panis ne s'analyse pas avec indulgence : «Je pense que nous n'avons pas exploité à fond le potentiel de la voiture.

Nous avons tâtonné et, en plus, j'ai dû me rabattre sur le mulet pour les essais.» Il reporte ses espoirs sur la course. «Olivier sait se reprendre», dit Prost, soucieux.

La nuit du 10-11 mai n'est pas clémente. Au matin, le ciel charrie des nuages inquiétants. Les spécialistes italiens de la station météo Porte Solo, basés à San Remo, désignent Monaco comme l'épicentre d'un violent orage, prévu pour 14h 30. A Nice, Météo France promet une grosse averse, pour la même heure, avec 90 % de probabilités. Conséquence immédiate : le paquebot anglais *Diamond Radisson*, qui transportait 800 passagers-spectateurs américains du GP, est dérouté sur Villefranche, tout comme le bateau russe *Arkadia* qui remplissait une mission identique.

Il y a déjà longtemps, chez les rouges, que l'on a pris les devants. Schumacher surveille la préparation du mulet de la F 310 B en version pluie. Les Italiens s'affairent en silence. Du côté de Williams-Renault, c'est le calme plat. L'écurie est branchée sur une météo anglaise privée, spécialisée dans les raids transatlantiques. Williams et Head sont formels : peu importe qu'il pleuve lors du départ, cette averse ne durera que quelques minutes. Williams résiste contre vents et marées à toute information complémentaire. Il néglige délibérément les mises en garde des organisateurs et les précautions de la Scuderia. Quant à Frentzen et Villeneuve, ils n'ont aucun droit à la parole.

Sur la grille, largement arrosée d'une pluie tenace, les Williams-Renault se distinguent avec leurs pneus lisses. Dix écuries sur onze sont en état d'alerte. La onzième est impavide. Les finasseries dans les options des gommes sont dérisoires en regard de ce qui tombe du ciel. L'urgence de l'instant échappe encore à Williams et à Head. L'enchaînement des séquences de ce GP sera implacable. «La pièce était finie pour nous avant d'avoir commencé», soupirera Villeneuve, bien plus tard, en petit comité.

Aucun suspense ne figure au programme. Schumacher peut passer toute la puissance des 740 ch de son V10 Ferrari dans ses roues à pneus pluie : l'adhérence est maximale. La Ferrari n°5 déboule en tête dans Sainte-Dévote, en traînant un geyser dans son sillage. Et 120'05''654 plus tard, le même Schumacher clôturera sa démonstration de funambulisme nautique sous un drapeau à damier qui consacrera la 109ᵉ victoire en Formule 1 d'une Ferrari, exactement cinquante ans après – jour pour jour, mais oui ! – la première course de la toute première Ferrari, une 125 S, le 11 mai 1947 à Piacenza.

En éclaboussant ce GP de Monaco de toute sa classe, Schumacher se montre conforme à lui-même. Derrière lui, les naufrages sont nombreux. Dix machines seulement arrivent à… bon port. Pendant 56 tours, Schumacher s'est découvert un

Michael Schumacher en son jardin : en tête à Sainte-Dévote.

Un éclair rouge dans la tornade : c'est Michael Schumacher.

Rubens Barrichello deuxième, en jeune maître de la pluie.

dauphin en la personne de Rubens Barrichello, pointé avec des écarts variables. Sur la fin, Irvine, comme un corsaire, a arraché un précieux podium. Quatrième et dernier de ceux qui ont terminé dans le même tour que Schumacher, Panis hérite de la plus mauvaise place. Il revient vers les siens sans un regard pour ce podium qu'il a frôlé et qu'il aurait tant mérité. Ses traits sont ravagés de lassitude et de déception.

Il est fêté dans son motor-home comme un vainqueur moral. « C'est bien Olivier qui est allé chercher ses points tout seul. Sa voiture était réglée pour le sec. Il s'en est remarquablement tiré », précise l'ingénieur Loïc Bigois, le concepteur de la JS45. Prost n'est pas moins élogieux : « Olivier a récolté 3 points sur son talent. Il a eu un comportement de champion. » Hirotoshi Honda s'approche de Panis : « Vous avez été aussi brillant qu'en 1996. »

Au pied du podium, Todt saisit Schumacher et Irvine dans ses bras. Double référence historique : c'est la première fois, depuis le doublé Prost-Mansell de Jerez le 30 septembre 1990, que deux pilotes Ferrari gravissent ensemble les marches d'un podium et Schumacher est le premier pilote Ferrari à figurer en tête du classement des pilotes (avec 24 points contre 20 à Villeneuve) depuis Prost en cette même année 1990.

Le lieu le plus « chaud » du paddock est le motor-home Stewart. Les femmes y tiennent la vedette : Helen Stewart a embrassé ses trois hommes, Jackie, Paul et Mark, et Sylvana Barrichello s'est jetée fougueusement dans les bras de son mari Rubens pour un baiser interminable.

Paul Stewart se remémore : « Quand nous avons annoncé la création de l'écurie, le 4 janvier 1996 à Detroit, nous n'étions que quatre collaborateurs. Depuis le 10 décembre dernier, jour de la présentation de la SF-1/Ford à Londres, nous sommes exactement une centaine. » Jackie coupe son fils pour indiquer : « Jamais je

Jean Todt entre Irvine et Schumacher : mission accomplie.

n'ai ressenti une telle joie. Aucune écurie naissante n'a jamais, avant nous, amené un de ses pilotes sur le podium, dès sa cinquième course. »

Dans la fraîcheur humide d'un paddock désormais livré à la foule, Schumacher se fraie un chemin difficile, à 2 km/h, sur une Harley-Davidson avec son fidèle soigneur Balbir Shing. Vaincu, il stoppe pour signer des autographes. Des commissaires le dégagent de la cohue.

A 20 heures, cet homme qui pousse la porte de sa chambre de l'*Hôtel de Paris*, la 758, ne perdra pas son temps à chercher son smoking dans sa valise. Jean Todt n'en avait pas apporté. Son téléphone portable sonne : son ami François Mazet lui rappelle qu'on l'attend au Sporting d'Été pour le gala du GP. Veste en cachemire bleu marine, Todt s'assied à la table princière, sous le regard amusé de Michael Schumacher, en smoking, accompagné de

Corinna, en robe du soir rose. Un peu plus loin, Ralf Schumacher parade avec Willi Weber. Les Stewart, en kilt, sont également là. Cette troisième victoire de Michael Schumacher en Principauté coïncide avec le vingt-cinquième anniversaire de Michel Boeri à la tête de l'AC Monaco. « Je m'en veux d'être ému », lâche-t-il, la voix altérée, sur la scène du Sporting d'Été, quand les applaudissements le submergent.

A une table en face de François Mazet et Clay Regazzoni, le professeur Gérard Saillant captive son auditoire rapproché en racontant la course : « J'étais blotti dans le stand Ferrari. Quand Michael s'est retrouvé tout droit dans Sainte-Dévote, à 10 tours de la fin, tout le monde s'est regardé, incrédule. Todt n'a pas bougé un cil. Lorsque Michael est reparti dans sa chevauchée, personne n'a osé sourire. » Le mot de la fin.

GRAND PRIX D'ESPAGNE

6e MANCHE DU CHAMPIONNAT DU MONDE DES CONDUCTEURS 1997

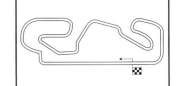

DATE : 25 mai 1997.

CIRCUIT : de Catalogne à Montmelo (Barcelone).

DISTANCE : 64 tours (65 prévus) de 4,728 km, soit 302,608 km.

MÉTÉO : beau mais venteux.

ENGAGÉS : 22. QUALIFIÉS : 22. ARRIVÉS : 15. CLASSÉS : 15.

VAINQUEUR : **Jacques Villeneuve** (Williams-Renault) en 1 h 30'35''896 à 200,314 km/h (nouveau record).

RECORD DU TOUR : **Giancarlo Fisichella** (Jordan-Peugeot) : 1'22''242 à 206,960 km/h.

GRILLE DE DÉPART

VILLENEUVE (Williams-Renault/G) à 222,421 km/h 1'16''525		**Frentzen** (Williams-Renault/G)	1'16''791
Coulthard (McLaren-Mercedes/G)	1'17''521	**Alesi** (Benetton-Renault/G)	1'17''717
Hakkinen (McLaren-Mercedes/G)	1'17''737	**Berger** (Benetton-Renault/G)	1'18''041
M. Schumacher (Ferrari/G)	1'18''313	**Fisichella** (Jordan-Peugeot/G)	1'18''385
R. Schumacher (Jordan-Peugeot/G)	1'18''423	**Herbert** (Sauber-Petronas/G)	1'18''494
Irvine (Ferrari/G)	1'18''873	**Panis** (Prost-Mugen-Honda/B)	1'19''157
Morbidelli (Sauber-Petronas/G)	1'19''323	**Salo** (Tyrrell-Ford/G)	1'20''079
Hill (TWR Arrows-Yamaha/B)	1'20''089	**Nakano** (Prost-Mugen-Honda/B)	1'20''103
Barrichello (Stewart-Ford/B)	1'20''255	**Trulli** (Minardi-Hart/B)	1'20''452
Verstappen (Tyrrell-Ford/G)	1'20''582	**Katayama** (Minardi-Hart/B)	1'20''672
Diniz (TWR Arrows-Yamaha/B)	1'21''029	**Magnussen** (Stewart-Ford/B)	1'21''060

CLASSEMENT

1. **Jacques Villeneuve** (Williams-Renault FW19) en 1 h 30'35''896 à 200,314 km/h
2. **Olivier Panis** (Prost-Mugen-Honda JS45) à 5''804
3. **Jean Alesi** (Benetton-Renault B197) à 12''534
4. **Michael Schumacher** (Ferrari F310B) à 17''979
5. **Johnny Herbert** (Sauber-Petronas C16) à 27''986
6. **David Coulthard** (McLaren-Mercedes MP4/12) à 29''744
7. **Mika Hakkinen** (McLaren-Mercedes MP4/12) à 48''785
8. **Heinz-Harald Frentzen** (Williams-Renault FW19) à 1'14''139
9. **Giancarlo Fisichella** (Jordan-Peugeot 197) à 1'4''139
10. **Gerhard Berger** (Benetton-Renault B197) à 1'5''670
11. **Jos Verstappen** (Tyrrell-Ford 025) à 1 tour
12. **Eddie Irvine** (Ferrari F310B)❶ à 1 tour
13. **Jan Magnussen** (Stewart-Ford SF-1) à 1 tour
14. **Gianni Morbidelli** (Sauber-Petronas C16)❶ à 2 tours
15. **Jarno Trulli** (Minardi-Hart M197) à 2 tours

ABANDONS

Ukyo Katayama (Minardi-Hart M197) : pompe hydraulique de boîte (11 tours), alors 21e / **Damon Hill** (TWR Arrows-Yamaha A18) : moteur (18 tours), alors 6e / **Shinji Nakano** (Prost-Mugen-Honda JS45) : boîte de vitesses (34 tours), alors 15e / **Mika Salo** (Tyrrell-Ford 025) : pneu arrière gauche éclaté (35 tours), alors 18e / **Rubens Barrichello** (Stewart-Ford SF-1) : moteur (37 tours), alors 11e / **Ralf Schumacher** (Jordan-Peugeot 197) : fuite d'huile et moteur (50 tours), alors 13e / **Pedro Diniz** (TWR Arrows-Yamaha A18) : moteur (53 tours), alors 13e.

EN TÊTE

Villeneuve : les 20 premiers tours, du 22e au 45e tour et les 18 derniers tours, soit 293 km.

Alesi : le 21e tour, soit 5 km.

M. Schumacher : le 46e tour, soit 5 km.

A NOTER

Deux procédures de départ en raison du calage sur la grille de R. Schumacher qui s'élance en fin de grille lors du deuxième départ.

❶ Pénalité de 10'' : **Morbidelli** pour départ anticipé ; **Irvine** pour non-respect des drapeaux bleus.

Villeneuve-Panis-Alesi : ça décoiffe !

Le matin du jeudi 22 mai, à 12 h 50, à l'aéroport de Barcelone, Olivier Panis est particulièrement concentré. Il glisse méthodiquement un billet de 100 pesetas dans un appareil pour débloquer un chariot à bagages. Généreuse, la machine lui en libère une dizaine d'un seul coup. C'est une aubaine pour le Français qui, grand seigneur, invite ses amis à utiliser un chariot.

Panis est bien dans sa peau. Il lâche spontanément : « J'ai effacé ma déception de Monaco. » Un silence. Avant de reprendre : « D'ailleurs, ce n'en était pas vraiment une. » Il s'exorcise lui-même. Il avait une étape de vérité à couvrir en Principauté. Maintenant qu'elle est derrière lui, Panis est libéré.

Un quart d'heure plus tard, le Fokker d'Air Littoral débarque, ensemble, David Coulthard, Johnny Herbert et Pedro Diniz, tous trois en provenance de Monaco *via* Nice. Ce même jour, Diniz passe le cap de sa 27e année. A son arrivée à Montmelo, au volant d'une Audi 4, le Brésilien plonge dans un motor-home Arrows en état de fête, spécialement à son intention. Diniz est agréablement surpris par ces attentions. Trois autres Brésiliens, Rubens Bar-

Schumacher conjure le sort.

richello, Geraldo Jimenez (l'ancien manager de ce dernier) et José Brunoro (Parmalat) l'attendaient, affichant un sourire complice.

Un énorme gâteau au chocolat trône sur une table, orné d'une bougie. Après l'avoir soufflée, Diniz reçoit une imprimante Danka ultramoderne, et aussi un pot de crème de chocolat. « Vous me connaissez bien », murmure Diniz, amusé. A côté, Damon Hill s'inquiète de l'absence de Tom Walkinshaw. « Il arrivera demain avec John Barnard », lui dit-on. Pour l'ins-

tant, c'est Jackie Oliver, l'ex-propriétaire d'Arrows, toujours présent sur les GP, qui fait office de maître de maison.

La fièvre règne chez Ferrari. Toujours autour de Michael Schumacher, et pas seulement en retour de référence sur sa première victoire « en rouge », ici même le 2 juin 1996. Une semaine auparavant, le 18 mai, l'Allemand s'est aventuré – comme si de rien n'était – sur un terrain de football à Genolier, à côté de Genève, en ayant enfilé le maillot n°9 du FC Aubonne. Contacté par Jacky Marcuard, le président du FC Aubonne, Willi Weber a bondi sur l'occasion. Venu en voisin de sa résidence de Vufflens-le-Château, Schumacher (qui a signé une licence officielle suisse, n°187810) n'a pas empêché l'échec (1-6) du FC Aubonne devant Genolier.

Schumacher, qui n'a joué qu'une mitemps, a croulé ensuite sous les demandes d'autographes. « Je reviendrai », a-t-il promis à ses nouveaux équipiers suisses. Étalée dans les médias hélvétiques, l'affaire a intrigué l'Italie. Des fanatiques du Calcio ont téléphoné à *La Gazzetta Dello Sport* en suggérant d'enrôler Schumacher sous les couleurs de la Juventus de Turin. Sur la route de Barcelone, le même Schumacher

Alesi et Briatore : réflexion (inutilement) morose.

a honoré, l'espace d'une soirée au *Four Seasons*, à Milan, une manifestation donnée par le bijoutier Asprey. «On ne m'y a parlé que de football», révèle le double champion du monde.

En cette fin de journée, Schumacher effectue un déplacement éclair entre Montmelo et Montjuich, au stade olympique de Barcelone. Pour une conférence publique dans une salle de gymnastique, bourrée à craquer. L'Allemand essuie un feu roulant de questions parfois naïves mais toujours sincères. «La pluie est annoncée pour dimanche, comme à Monaco et comme ici en 1996. Êtes vous confiant ?» Un peu excédé, mais ne se trahissant pas, Schumacher réplique : «Vous savez qu'il m'est arrivé de gagner aussi sur piste sèche.» C'est du délire.

A son retour dans son motor-home, Schumacher rencontre Eddie Irvine, furieux d'un retard d'avion. «J'en ai assez d'être l'otage des autres. Je vais acheter mon avion. Comme ça, je serai un voyageur libre et indépendant», clame Irvine, qui n'est pas irlandais pour rien.

Le motor-home Williams-Renault est bien calme. En concertation intense, Frank Williams, Jacques Villeneuve et Heinz-Harald Frentzen sont préoccupés. Après le désastre de Monaco, humiliant pour tous, Patrick Faure et Christian Contzen ne se sont pas contentés d'un debriefing «de routine» avec leur associé depuis 1989.

Des lettres explicites ont circulé entre Grove (Williams), Boulogne-Billancourt (Faure) et Viry-Châtillon (Contzen), toutes destinées à déterminer les responsabilités et à s'engager à ne pas retomber dans des erreurs identiques. A mots couverts, nul ne s'y trompe : c'est bel et bien le fonctionnement de l'équipe Williams-Renault qui est remis en cause, notamment à l'échelon décisionnaire en course. Contzen et ses hommes de Renault-Sport se retranchent derrière un mutisme de circonstance. Dans un accès de franchise, Williams a précisé à Villeneuve : «Tout a été de ma faute. J'assume tout, je suis l'unique responsable.» Pour un peu, le Québécois, interloqué, ferait répéter cet

aveu à Williams. Il se contente de cinq mots : «Frank, il reste douze courses.»

Frentzen, qui a rendu une brève visite à sa mère à Alicante, met aussi les choses au point : «Schumacher a eu raison de dire que sa marge de supériorité à Monaco était un cadeau du ciel. Il n'aura pas la vie aussi facile ici.» Villeneuve explique : «Cette saison 1997 est atypique. Je passe des sommets aux profondeurs du classement, des podiums aux échecs. Je veux me débarrasser du fardeau de l'erreur de Monaco.»

Le nez bas, morose, Jean Alesi déambule dans le paddock en quête d'un certain apaisement. Il a besoin de serrer des mains, d'échanger des propos anodins, de rigoler ici et là avec ses copains pour se sentir bien. Jamais il n'a connu un aussi pénible début de saison : 5 GP et 3 points. En plus, lors de récents essais privés ici, Flavio Briatore a confié la B 197 à l'espoir autrichien Alexander Wurz et à l'Italien Jarno Trulli. Du coup, Alesi est mortifié. Il ne récupère un semblant de sérénité qu'en songeant à son imminent déplacement à Munich, le 28 mai, pour la finale de la Ligue des champions, Juventus de Turin-Borussia de Dortmund. Auparavant, il y a un détour par le GP d'Espagne.

*
* *

Cheveux blancs, les traits hâlés, Walter Thoma, président de Philip Morris Europe en fin d'exercice, dialogue ouvertement avec Bernie Ecclestone, dans la lumière crue du paddock. Le Suisse écoute attentivement l'Anglais. Ce dernier sait qu'un Allemand, Paul Hendrys, président de Philip Morris Allemagne, est sur le point d'assurer la succession de Walter Thoma à la tête de PME. Alors, Ecclestone propose à Thoma d'entrer dans un directoire international chargé, au sein de la Formula One Holding, de «parrainer» l'entrée en bourse de la Formule 1, dans un certain délai.

A Monaco, Ecclestone avait déjà contacté l'Allemand Helmut Werner, ancien président du directoire de Mercedes. Avec toujours la même argumentation : « La Formule 1 a besoin de personnalités internationales, à la compétence admise par tous, pour être pleinement cautionnée dans les milieux financiers internationaux. » Le banquier italien Marco Piccinini, ex-directeur de Ferrari et maintenant résident à Monaco, compléterait ce trio.

Plus insaisissable et virevoltant qu'Eddie Jordan, ce vendredi, c'est impossible à trouver sur le site catalan. Depuis son entretien du 17 mai avec Hirotoshi Honda, Jordan connaît la valeur de l'argent : il n'aura jamais le V10 Mugen-Honda à pleine gratuité. L'Irlandais se situe dans la lignée de Ligier, à l'ère Briatore-Walkinshaw : 8 millions de dollars (42 millions de francs, au cours du 17 mai) sans pilote japonais, et la moitié avec un Japonais. Il se lance à corps perdu à l'assaut d'Alain Prost et de Pierre-Michel Fauconnier, le directeur des activités sportives de Peugeot.

Le vendredi, à 10 h 20, Jordan surgit chez Prost. Pour tâter le terrain de la prolongation d'un partenariat Peugeot en 1998 en plus de Prost (qui n'a pas encore ce fameux V10 français). Il fonce ensuite auprès de Fauconnier. Avant de revenir, d'une foulée raccourcie, chez Prost. Le Français reçoit courtoisement Jordan et s'amuse : « Eddie promet tout ce qu'on veut, mais je suis ferme sur mes positions. »

L'Irlandais pousse à fond ses feux vers Prost et Peugeot pour arracher le sursis d'une quatrième année (après 1995, 1996, 1997) avec le motoriste français. Il ne se décourage pas. Ce manège fou dure quarante-huit heures. Jordan déborde d'imagination. Dernière suggestion : la fourniture gratuite à Prost GP d'une assistance électronique en échange d'un assouplissement de son attitude.

Prost, conseillé de Genève par son avocat, Me Jean-Charles Roguet, s'en tient à son contrat avec Peugeot. La démarche réservée de Fauconnier est un indice de ten-

Jackie Stewart et Barrichello se voient en double.

dance : l'exclusivité Prost-Peugeot est une priorité, l'hypothèse Jordan-Peugeot en 1998 n'est, franchement, qu'une hypothèse d'école. Jordan a beaucoup de mal à s'y résigner.

Le rapprochement Prost-Peugeot s'effectue irrévocablement. Le vendredi, à 19 heures, Prost et Didier Perrin, son directeur des opérations, s'entretiennent en plein paddock avec Jacques Levacher et Jean-Pierre Boudy, respectivement responsable de la logistique et ingénieur motoriste en chef Peugeot. Bien que fortuite à l'origine, cette rencontre s'étire plus d'une demi-heure.

Visages sérieux, les quatre hommes ne parlent pas de la pluie et du beau temps. Enfin, Prost consulte sa montre et, ayant pris congé, se dirige, sans hâte, vers le motor-home Jordan. Fausse coïncidence : Jordan attendait Prost depuis un bon quart d'heure, sur le seuil de son auvent. Il invite le Français à pénétrer dans son motor-home.

D'une année sur l'autre, le revêtement de la piste reste identique à lui-même :

Panis ne transforme pas ses essais en grande performance.

Il l'avait dit, il l'a fait : Alesi monte en deuxième ligne.

bosselé et abrasif avec, en prime, de longues courbes qui sollicitent exagérément les organismes et les machines. La Benetton-Renault d'Alesi s'est bien adaptée à ces conditions : en 1'19''566, le Français joue les trouble-fête en même temps qu'il a récupéré un meilleur moral. Relation de cause à effet : Alesi rappelle que les B 197 se sont montrées ici très à l'aise en essais privés. Villeneuve, 1'19''766, harcèle le Français sans le battre. Le duo des Peugeot, assez homogène avec Ralf Schumacher, 1'20''198, et Fisichella, 1'20''537, complète ce carré d'as.

Même en étant le meilleur des Bridgestone, Panis n'en figure pas moins au onzième rang, 1'21''636, talonné par Frentzen, 1'21''887. L'ingénieur Humphrey Corbett a été transféré, en interne, de la machine n° 15 de Shinji Nakano à la n° 14 de Panis. Corbett et Panis ont testé plusieurs réglages, à valider le lendemain. « Si nous pouvions nous contenter d'un seul arrêt en course, ce serait idéal », soupire Panis. Il n'est jamais interdit de rêver.

Le samedi matin, à 7 h 55, Villeneuve termine son petit déjeuner devant Craig Pollock. « Il paraît qu'il va pleuvoir. Mais je m'en moque », ironise le Québécois, pour conjurer le sort. Cette fois, Williams a pris ses précautions : une liaison permanente directe a été établie avec les spécialistes météo de Gérone (où atterrissent les avions privés), à 60 km d'ici. L'écurie se resserre sur elle-même, en s'appuyant sur les bonnes performances accomplies ici l'hiver précédent. « Un seul impératif : il faut contrer Ferrari tout de suite », a ordonné Williams à ses hommes, revanchards à souhait.

Épanoui, Alesi l'est franchement en cette fin de matinée. Il a balayé sa morosité de jeudi. Il parle d'abondance. Au point de lancer allégrement à Christian Contzen, d'abord, puis à Michel Bonnet et Daniel Trema (Elf), une prophétie optimiste : « Vous me verrez, au pire, en troisième ligne. D'ailleurs, je prends tous les

David Coulthard : des ambitions avouées.

paris. A vous de fixer les enjeux ! » Baromètre psychologique au zénith, Alesi est tout entier dans ce sursaut de hardiesse et de fierté.

Dans les écuries de pointe, aux essais officiels, un seul et même mot d'ordre : organiser la riposte contre Ferrari. Le ciel charrie des nuages sombres, lourds d'une pluie qui ne tombera pas. 13 h 03 : Villeneuve se met en jambes, 1'17'' 633. A 13 h 13, Frentzen tire le premier, 1'16''791. A 13 h 14, le moteur de la Ferrari n° 5 explose sans sommations. Schumacher se replie sur le mulet. Autour de lui, les visages sont tendus.

Ensuite, David Coulthard, 1'17''521, et Alesi, 1'17''717, se faufilent habilement en deuxième ligne. Frentzen semble intouchable. Panis, 1'19''157, ne décolle pas. Les gommes tendres Bridgestone ne lui conviennent pas. 13 h 55 : après avoir attendu son heure, Villeneuve assomme la meute, 1'16''525. Frentzen tente un ultime assaut inutile. En émergeant de son cockpit, Villeneuve grimace, en connivence avec Pollock. Ce dernier avait

prévu : « Jacques aura au moins 0,5'' d'avance sur Frentzen. » L'écart, 266/1 000, n'est pas aussi conséquent. « Jacques s'en accommodera », concède Pollock.

Contraste franco-français. Alesi exulte : « Je suis là où je l'avais dit ! » A côté, Briatore observe : « Jean a joué un bon tour aux McLaren. » Dans le camp de Panis, c'est la soupe à la grimace. « Les essais nous mettent à notre place. A quoi bon être le meilleur des Bridgestone si c'est pour arracher le douzième temps ? » se demande Panis, sous le regard interrogatif de Prost. Lequel ne comprend pas la régression des Bridgestone depuis leurs essais privés de l'hiver et du printemps : « Ils savaient à quoi s'en tenir sur l'abrasivité de la piste. Tant pis pour eux : ça leur ouvre les yeux. »

Dans les motor-homes, les briefings tournent, pour la plupart, sur ces questions de gommes. Chez Goodyear, on n'est guère plus rassuré qu'ailleurs. Mais, naturellement, il faut préserver une sérénité de façade. Prost, Tom Walkinshaw et Jackie Stewart, tous déçus des médiocres perfor-

Malgré Coulthard et Michael Schumacher, Villeneuve part en tête sur la lancée de sa pole position.

mances de leurs pilotes, se retrouvent, pas du tout fortuitement, sous l'auvent de Bridgestone, en quête d'informations. Hiroshi Yasukawa est le plus embarrassé des spécialistes japonais. Les autres se déplacent, en arrière-plan, aussi silencieux que des ombres.

*
* *

Le dimanche matin, à 9 h 15, dans le motor-home Arrows, Dominique Sappia, qui a fini de masser Damon Hill et Pedro Diniz, est demandé au téléphone. C'est son ami Pascal Olmeta, ancien gardien de but du Matra-Racing et de l'Olympique de Marseille, qui l'avertit : « Il pleut fort à Barcelone. » Le site de Montmelo est encore épargné. Vincent Gaillardot, l'ingénieur de Damon Hill, rigole : « Moi, je m'en remets aux météorologues de Williams. » De fait, l'averse inonde le circuit, peu après.

Une autre tornade se pointe à l'entrée du paddock : Ronaldo (19 ans), la jeune star du FC Barcelone, encadré d'une cohorte de gardes du corps, s'approche du motor-home de Bernie Ecclestone. L'Anglais glisse à l'oreille du Brésilien : « Ne croyez pas que les photographes sont là pour vous. C'est moi qui les intéresse. » Le Brésilien ne saisit pas ce trait d'humour anglais. Il préfère – contrat Nike oblige – aller offrir un maillot du FC Barcelone à Schumacher. Cette diversion distrait les habitués du paddock.

Dans le compte à rebours avant le départ du GP, la pluie ne figure plus au programme. Briatore pose complaisamment avec Ronaldo, revenu du fond de la grille, où il a serré les mains de ses compatriotes Diniz et Barrichello. Le départ est donné en deux épisodes. Ralf Schumacher a calé juste après l'extinction des feux. Ce qui arrange Berger qui, lui aussi, avait calé.

D'emblée, Villeneuve, très bien parti, découvre une machine rouge dans son rétroviseur : Michael Schumacher a grimpé de cinq rangs avant le premier virage. Le

Québécois se donne une avance croissante, de 2" à 12" en 10 tours, sur Schumacher, Coulthard, Alesi, Hakkinen, Frentzen, Fisichella, Herbert, Berger, Salo, Hill, Irvine et, enfin, Panis. Trahi par son V10 Yamaha, Hill renonce, alors que, devant, Villeneuve est flanqué d'Alesi, à plus de 20" néanmoins, Fisichella et Panis, remarquablement remonté, le dernier des hommes de tête à changer de pneus.

Le Québécois a plaqué un gant de fer sur cette course. Il laisse Alesi et Schumacher s'installer furtivement au commandement – à peine trois quarts de tour –, au gré des changements de pneus. Il maintient ensuite Alesi à distance respectable, entre 13" et 19", en continuant à sa meilleure cadence, en ménageant remarquablement ses pneus. Derrière, Panis affronte Coulthard et Schumacher sans faiblir. Après son deuxième changement de gommes, Panis surgit derrière Villeneuve, à 12", et devant Alesi, qui accuse 13" de retard sur le pilote de la Prost-Mugen-Honda n°14.

Panis, dans son offensive, a eu maille (sportive) à partir avec Irvine qui, ayant été dédoublé, a oublié à la fois la correction élémentaire et le règlement. Pendant cinq tours, Panis a buté sur l'Irlandais, qui jouait les chicanes mobiles. Prost a bien perçu le manège d'Irvine, tout autant que l'indifférence du stand Ferrari. A 15 h 15, Didier Perrin s'est élancé, en courant, vers la tour de contrôle. Les commissaires refusant de le recevoir, Perrin griffonne quelques mots sur une feuille blanche et colle sa requête sur les vitres : « PENALTY FOR IRVINE! » Message reçu.

En bas, Prost s'est rendu chez Ferrari, auprès de Todt. Sans lui mâcher ses mots. «Je ne réclame que l'égalité de traitement pour tous », avouera-t-il plus tard, avec indulgence. A six tours de la fin, une sanction tombe : Irvine écope d'une pénalité de 10". Ce GP d'Espagne tient déjà son podium francophone : Villeneuve-Panis-Alesi, le premier du genre depuis le 1er mai 1983 à Imola, avec Tambay (Ferrari), de-

vant Prost (Renault) et Arnoux (Ferrari). Tous les trois, présents ici, ne rajeunissent pas. En 1983, Villeneuve avait 12 ans, Panis 17 et Alesi 19.

Derrière le trio du jour, Schumacher, Herbert et Coulthard terminent dans les points, avec des pneus à l'agonie. L'Allemand rêvait d'enchaîner ici sur un deuxième succès consécutif, sur sa lancée de Monaco. «Je n'ai jamais tourné aussi vite que prévu. Mes trains de pneus n'étaient pas homogènes », se plaint le leader de Ferrari. Coulthard, quant à lui, déplore d'avoir été ralenti (lui aussi) alors qu'il se sentait en mesure d'attaquer. Les sous-entendus ne sont pas perdus pour tout le monde.

Un homme, une femme. A 15 h 40, dans la cohue de la zone des stands, une jeune femme blonde, en tee-shirt rayé, pique un long sprint vers le parc fermé. Anne Panis, qui n'y tient plus depuis quatre tours, veut tout de suite embrasser son champion préféré. Dans le parc fermé, Olivier a cherché, en vain, Anne du regard. Avant de monter vers le podium, son deuxième de 1997.

Pas du tout anonyme dans la foule qui applaudit les trois lauréats, Anne Panis s'est juchée sur les épaules de François Gressot, le kinésithérapeute d'Olivier, une casquette rouge Bridgestone sur le crâne. D'en haut, Olivier adresse un petit signe de complicité à Anne. Un peu plus tard, en poète méconnu, Gressot murmurera : «Les amoureux sont seuls au monde.»

Pendant que Jean Alesi revient chez les siens d'un pas léger («Alors, les gars, je vous l'avais bien annoncé», se contente-t-il de répéter), Prost descend l'allée des stands aussi cerné par une nuée de cameramen et de reporters japonais de Fuji TV que l'était Ronaldo par ses gorilles. Il savoure manifestement cette minute.

Une main amie lui ayant opportunément tendu une casquette Bridgestone, Prost l'a ajustée, un peu de travers. Il donne ses impressions, en direct, sans ja-

Michael Schumacher : des soucis avec ses pneus.

Panis-Villeneuve-Alesi : ce podium parle français à 100 %.

mais s'arrêter. La traduction instantanée ne le ralentit pas. Droits et souriants, Mario Ilien et Steve Nichols, ses amis de McLaren, l'interceptent une toute petite minute pour le féliciter. Ensuite, Prost reste bloqué dans son stand.

Ce n'est que près d'une heure après la course que Panis regagne enfin son motorhome. Il est trempé de champagne des pieds à la tête. Prost l'a serré dans ses bras. « Quand ça se passe aussi bien que ça, nous n'avons pas grand-chose à nous dire, Olivier et moi », ironise Prost. Redevenu sérieux, Prost ajoute : « Je n'ai jamais perdu confiance ce week-end, ni en Olivier ni en la machine ni en nous tous. Quoi qu'il arrive, nous avons le potentiel pour obtenir de bons résultats. »

Panis accuse un coup de fatigue. Il met un peu d'ordre dans ses sensations et ses pensées, sous le tendre regard d'Anne. « Passer treizième au premier tour et finir deuxième, ce n'est pas banal. Aux ravitaillements, je lisais dans les regards de tout le monde qu'on attendait quelque chose de ma part », souffle-t-il d'une voix neutre. Maintenant, il a hâte de récupérer totalement. Sur la route de Silverstone, encore et toujours pour des essais privés, Panis s'offrira une journée à Roland-Garros. Il sera le premier étonné du déferlement de gloire qui tombe sur sa personne. « Je croyais que, sous mon casque, personne ne me connaissait », réfléchira-t-il à haute voix. « Maintenant que vous êtes troisième du championnat du monde, vous

n'en resterez pas là, monsieur Panis », lui ont prédit des gamins dans les allées de Roland-Garros.

A son retour au motor-home Williams-Renault, Villeneuve est tombé en arrêt devant deux solides gaillards qui, flûte de champagne en plastique à la main, dévorent allégrement les portions de tarte tropézienne préparée par Albert Dufresne. « Nous avons terriblement faim, à cause de toi », ont répondu Stéphane Quintal (le bien-nommé) et Vincent Damphousse, deux solides hockeyeurs « canadiens » de Montréal, que Villeneuve avait invités pour l'occasion. « Revenez, vous me portez chance », leur a demandé Villeneuve. Quintal et Damphousse n'ont pas répondu : ils avaient la bouche pleine.

GRAND PRIX DU CANADA
7ᵉ MANCHE DU CHAMPIONNAT DU MONDE DES CONDUCTEURS 1997

DATE : 15 juin 1997.
CIRCUIT : Gilles-Villeneuve sur l'île Notre-Dame à Montréal.
DISTANCE : 54 tours (69 prévus) de 4,421 km, soit 238,734 km.
MÉTÉO : ciel bleu, température clémente.
ENGAGÉS : 22. QUALIFIÉS : 22. ARRIVÉS : 10. CLASSÉS : 11.
VAINQUEUR : **Michael Schumacher** (Ferrari) en 1h17'40''646 à 184,404 km/h.
MOYENNE RECORD : **Damon Hill** (Williams-Renault) en 1996 à 190,541 km/h.
RECORD DU TOUR : **David Coulthard** (McLaren-Mercedes) : 1'19'635 à 199,856 km/h.

GRILLE DE DÉPART

M. SCHUMACHER (Ferrari/G) à 203,797 km/h 1'18''095	**Villeneuve** (Williams-Renault/G)	1'18''108
Barrichello (Stewart-Ford/B) 1'18''388	**Frentzen** (Williams-Renault/G)	1'18''464
Coulthard (McLaren-Mercedes/G) 1'18''466	**Fisichella** (Jordan-Peugeot/G)	1'18''750
R. Schumacher (Jordan-Peugeot/G) 1'18''869	**Alesi** (Benetton-Renault/G)	1'18''899
Hakkinen (McLaren-Mercedes/G) 1'18''916	**Panis** (Prost-Mugen-Honda/B)	1'19''034
Wurz❶ (Benetton-Renault/G)❸ 1'19''286	**Irvine** (Ferrari/G)	1'19''503
Herbert (Sauber-Petronas/G)❸ 1'19''622	**Verstappen** (Tyrrell-Ford/G)	1'20''102
Hill (TWR Arrows-Yamaha/B) 1'20''129	**Diniz** (TWR Arrows-Yamaha/B)	1'20''175
Salo (Tyrrell-Ford/G) 1'20''336	**Morbidelli❷** (Sauber-Petronas/G)	1'20''357
Nakano (Prost-Mugen-Honda/B) 1'20''370	**Trulli** (Minardi-Hart/B)	1'20''370
Magnussen (Stewart-Ford/B) 1'20''491	**Katayama** (Minardi-Hart/B)	1'21''034

CLASSEMENT

1. **Michael Schumacher** (Ferrari F310B) ... en 1h17'40''646 à 184,404 km/h
2. **Jean Alesi** (Benetton-Renault B197) ... à 2''565
3. **Giancarlo Fisichella** (Jordan-Peugeot 197) ... à 3''219
4. **Heinz-Harald Frentzen** (Williams-Renault FW19) ... à 3''768
5. **Johnny Herbert** (Sauber-Petronas C16) ... à 4''716
6. **Shinji Nakano** (Prost-Mugen-Honda JS45) ... à 36''701
7. **David Coulthard** (McLaren-Mercedes MP4/12) ... à 37''753
8. **Pedro Diniz** (TWR Arrows-Yamaha A18) ... à 1 tour
9. **Damon Hill** (TWR Arrows-Yamaha A18) ... à 1 tour
10. **Gianni Morbidelli** (Sauber-Petronas C16) ... à 1 tour
11. **Olivier Panis** (Prost-Mugen-Honda JS45) ... à 3 tours (abandon)

ABANDONS

Mika Hakkinen (McLaren-Mercedes MP4/12) : aileron arrière suite accrochage avec Panis au départ (0 tour) / **Jan Magnussen** (Stewart-Ford SF-1) : sortie dans la bousculade du départ avec Nakano (0 tour) / **Eddie Irvine** (Ferrari 310B) : accrochage avec Panis (0 tour) / **Jacques Villeneuve** (Williams-Renault FW19) : sortie (1 tour), alors 2ᵉ / **Ukyo Katayama** (Minardi-Hart M197) : violente sortie sur problème d'accélérateur électronique (5 tours), alors 16ᵉ / **Ralf Schumacher** (Jordan-Peugeot 197) : violente sortie sur crevaison (14 tours), alors 5ᵉ / **Jarno Trulli** (Minardi-Hart M197) : moteur (32 tours), alors 12ᵉ / **Rubens Barrichello** (Stewart-Ford SF-1) : boîte de vitesses (33 tours), alors 15ᵉ / **Alexander Wurz** (Benetton-Renault B197) : transmission (35 tours), alors 6ᵉ / **Jos Verstappen** (Tyrrell-Ford 025) : boîte de vitesses (42 tours), alors 7ᵉ / **Mika Salo** (Tyrrell-Ford 025) : moteur (46 tours), alors 8ᵉ / **Olivier Panis** (Prost-Mugen-Honda JS45) : accident (51 tours), alors 7ᵉ, classé 11ᵉ.

EN TÊTE

M. Schumacher : les 27 premiers tours, du 40ᵉ au 43ᵉ tour et les 3 derniers tours, soit 150 km.
Coulthard : du 28ᵉ au 39ᵉ tour et du 44ᵉ au 51ᵉ tour, soit 88 km.

A NOTER

1ʳᵉ intervention de la voiture de sécurité du 6ᵉ au 8ᵉ tour, suite à la sortie de Katayama.
2ᵉ intervention de celle-ci suite à l'accident de Panis, soit du 52ᵉ tour à l'arrêt de la course au drapeau rouge au 56ᵉ tour.

❶ Pilote débutant en GP (Wurz, pilote d'essais de l'équipe Benetton, remplace Berger, souffrant).
❷ Morbidelli prend la place de Larini dans l'équipe Sauber.
❸ Parti avec le mulet.

Schumacher, sur fond d'angoisse

Voici une trentaine d'années que Paul Treuthardt bourlingue sur tous les océans de la Formule 1. Ce journaliste australien (Associated Press et Agence France Presse, *Advertiser Adelaide*) est un familier des GP depuis 1965. Le vendredi 6 juin, dans l'autobus qui, à Heathrow, le conduit du Terminal 1 jusqu'au Boeing British Airways vol 97 Londres-Detroit, Treuthardt conserve mal son calme. Il a bavardé avec Jan Magnussen et Mario Ilien. Et puis il serre la main de Craig Pollock, le manager de Jacques Villeneuve. Ce dernier lui glisse : « Drôle d'histoire : Jacques est convoqué à Paris mercredi prochain, le 11 juin, devant le Conseil mondial de la FIA, pour s'expliquer sur son interview au *Spiegel*. »

Treuthardt est au courant. Villeneuve y a dénoncé, en termes extrêmement violents, la réglementation technique 1998 de la FIA. Apprendre une telle information sans pouvoir l'exploiter, c'est un drame pour un journaliste. Coincé dans cet autobus, Treuthardt est catastrophé. Il espérait, au moins, pouvoir téléphoner du jet de la British Airways à l'Agence France Presse. Hélas, il emprunte un des rares ap-

Alesi-Schumacher : visages de catastrophe.

pareils British Airways démunis de téléphone à bord.

A peine les contrôles policiers américains franchis, Treuthardt se précipite sur un téléphone mural. Il est 17 heures locales, le décalage horaire lui est défavorable (22 heures en France). En arrivant au *Westin Hotel* de Detroit, dans l'immense Renaissance Center, Pollock croise son ami journaliste québécois Pierre Lecours (*Le Journal de Montréal*) et le met au parfum. Cette rumeur avait déjà circulé dans le paddock de Detroit, en ce week-end de

course du Cart, et avait déjà alerté Lecours et ses confrères québécois, en attente cependant d'une confirmation.

La déflagration est terrible. Alors qu'en Europe l'information, reprise prioritairement par les médias anglais et italiens, ne soulève que l'intérêt institutionnel lié aux initiatives de la FIA, le Québec est en ébullition. Une éventuelle suspension de Villeneuve flotte hâtivement dans l'air de Montréal comme une hypothèse vraisemblable de forfait du même Villeneuve au GP du Canada.

Le secret qui a entouré cette convocation a agi comme un détonateur d'inquiétude exacerbée chez les Québécois. Dans son interview (*Der Spiegel*, 26 mai), Villeneuve a notamment qualifié le règlement 1998 de « ridicule » et estimé que « la Formule 1 va devenir un cirque ». En parlant ainsi, Villeneuve a négligé une clause (la n° 4) de sa super-licence selon laquelle il doit « en tout temps s'efforcer de promouvoir et encourager les actions pour soutenir le championnat du monde de Formule 1 de la FIA ». En leur temps, Ayrton Senna (1990) et Alain Prost (1993) avaient déclenché les foudres fédérales pour des déclarations du même calibre.

Max Mosley, le président de la FIA, a personnellement téléphoné le 2 juin à Frank Williams pour lui faire part de la convocation de son pilote à Paris. Williams avait immédiatement répercuté sur Craig Pollock. Lequel avait expliqué à Williams que Villeneuve avait pris des engagements promotionnels à Montréal en date du 9 juin et qu'il avait prévu une conférence de presse à Montréal le jeudi 12 juin. Williams suggère une autre date, après le GP, auprès du président Mosley.

Cette fois, la situation est inversée : en devenant solliciteur, Villeneuve ne peut que durcir la FIA qui maintient inflexiblement sa date du 11 juin. « Au matin », précise Max Mosley. En s'étalant au grand jour, au Québec et ailleurs, cette « affaire Villeneuve » cristallise les prises de position des parties en cause.

A Montréal, repliés depuis le dimanche 8 juin au soir dans leurs suites, 1838 et 1842, du *Queen Elizabeth Hotel*, Craig Pollock et Villeneuve peaufinent un plan opérationnel très strict, en liaison avec Julian Jakobi, diplomate accompli et qui avait eu une très saine influence sur Senna, dans les mêmes tourments. Première consigne : ne rien dire qui soit susceptible d'indisposer le Conseil mondial. Au passage, Ecclestone a donné de discrètes assurances à Williams : l'Anglais sait, le premier, l'apport de Villeneuve dans l'unique GP disputé en Amérique du Nord.

Pollock ne nourrit qu'une seule crainte : une éventuelle grève d'Air France ou d'Air Canada. Après réflexion, il décroche son téléphone. En quelques minutes, après un fructueux dialogue avec Robert E. Brown, président de la société Bombardier, Pollock récupère un Lear 60, disponible dès le lundi 9 juin au soir à Dorval, l'un des deux aéroports de Montréal. Dans les heures qui précèdent l'envol, Pollock vérifie auprès de Villeneuve qu'il a bien glissé dans son sac un costume droit, une chemise et une cravate. A 9 heures, le mardi 10 juin, Pollock et Villeneuve quit-

tent la zone d'affaires du Bourget dans une Renault Safrane grise.

Tous deux rejoignent le *Plaza Athénée*, avenue Montaigne, dans une confidentialité absolue. Villeneuve se repose. Pollock, lui, profite de ce voyage forcé pour honorer quelques précieux rendez-vous professionnels, dont l'un à Billancourt, au siège de Renault, dans les étages supérieurs de la direction générale. L'après-midi, Craig et Jacques déambulent sur les Champs-Élysées, le second signant force autographes. Ils se distraient avec *Le Cinquième Élément*, le film de Luc Besson. Au dîner, au *Plaza Athénée*, Villeneuve tente le tout pour le tout : il pénètre dans la salle de restaurant en tenue très… décontractée. A 21 h 50, Villeneuve s'endort du sommeil du juste.

A 8 heures, le mercredi 11 juin, ultime concertation Pollock-Villeneuve devant un solide petit déjeuner. A 9 heures, tous deux montent dans la Renault Safrane de la veille, en direction de l'hôtel *Crillon*, place de la Concorde. A 9 h 40, Villeneuve est introduit dans le salon Gabriel, en face des membres du Conseil mondial, autour d'une table rectangulaire. Il en sort dix minutes plus tard, sans un mot, le regard clair, la démarche assurée. Peu après, il est convoqué dans ce même salon Gabriel pour y apprendre la sentence. Un blâme. Un simple blâme.

Sérieux et mesuré dans ses propos, Villeneuve affronte, sur le trottoir de la Concorde, les médias français. Il adopte un profil bas. Conciliant. C'est l'essentiel. Max Mosley lui a plus reproché la forme que le fond de ses critiques. Villeneuve, qui a gardé un respectueux silence, n'en pense pas moins.

Depuis le matin, Pollock avait fixé l'envol vers Montréal du Lear 60 à 12 heures précises. Ce plan est suivi à la lettre. Dans la Safrane, vers Le Bourget, Villeneuve a, toutes affaires cessantes, dénoué sa cravate. Au pied du Lear 60, il avait recouvré toute sa sérénité.

Trois heures après le décollage, Villeneuve et Pollock font une brève escale à Reykjavik, en Islande, et atterrissent à Dorval à 15 h 35 (locales) après avoir pris, par radio, mille précautions d'anonymat avec les contrôleurs montréalais. Motif : préserver l'intérêt de la conférence de presse prévue le lendemain jeudi à 11 heures, au musée des Arts modernes. Mais le Québec était déjà rassuré : Villeneuve disputerait bien son deuxième GP du Canada.

*
* *

Le même mercredi, un autre pilote rallie Dorval. En provenance de Boston, Olivier Panis aborde le Canada, reposé et confiant. Il a passé quarante-huit heures dans le Massachusetts, aux environs de Boston. Il s'est adonné à la voile sur un yacht de 12 m, rescapé de l'America's Cup. Il est resplendissant de santé. « Je me sens au maximum de moi-même », lance-t-il à ses amis, en arrivant à l'*Hotel Vogue*.

Toujours le mercredi 11 juin, peu après 21 heures, Gerhard Berger, le regard triste, les yeux fiévreux, traverse l'aéroport Kennedy, à New York. Il est affreusement déçu. Flavio Briatore a tenu à ce que, sous le prétexte d'une manifestation de promotion au Benetton Show Room, sur la Cinquième Avenue, Berger soit examiné par d'éminents spécialistes américains des voies respiratoires. L'Autrichien traînait une tenace sinusite depuis plusieurs semaines.

A Barcelone, Berger était déjà sous antibiotiques. Depuis, il a renoncé à des essais privés à Silverstone. Son équilibre physique est un mystère. Au début, il laissait entendre qu'il souffrait des dents. Le mal est peut-être plus profond. Banale sinusite ou infection pulmonaire ?

Son organisme pourrait comporter quelques séquelles tardives de son grave accident du 23 avril 1989 à Imola. Il était resté bloqué dans le cockpit de sa Ferrari en feu pendant plusieurs dizaines de secondes. A l'époque, les carburants spéciaux étaient autorisés et ses barrières immunitaires en ont peut-être été vulnérabilisées. Cette théorie médicale est sérieusement avancée. En 14 saisons de Formule 1, Berger n'a manqué qu'un seul GP, le 7 mai 1989 à Monaco, deux semaines après son accident d'Imola.

Un grand gabarit autrichien en chassant un autre, le jeune Alexander Wurz (23 ans), issu de la filière Opel, vainqueur des 24 Heures du Mans 1996, se faufile sans sourciller dans le cockpit de la Benetton-Renault n° 8 de son aîné. « Nous avions Alexander en réserve, sa désignation est normale », assure Briatore qui a donné à Bernie Ecclestone, le jeudi en tête à tête, les raisons du forfait de Berger. A une échéance plus lointaine, cette mesure concerne le GP d'Autriche (21 septembre) à Zeltweg.

Ni Briatore ni Benetton ne semblent pris de court. Wurz non plus. Il a déjà plus de 3 000 km d'essais privés au volant de la B197, à Barcelone, Silverstone et Magny-Cours. A 13 h 35, le jeudi, Wurz fait ajuster son siège à ses mensurations, sous le regard de Pat Symonds. « Ma chance dépendait de Gerhard. Un jour ou l'autre », confie Wurz, qui amuse les siens en portant une paire de chaussures dépareillées, une bleue et une rouge. « Il est dans le style Benetton », sourit Briatore. Wurz est l'un des derniers à quitter le paddock, avec son directeur technique Nick Wirth. Le poids de l'événement tombe sur ses épaules : il ne sourit plus.

Lors de sa conférence de presse, en pantalon bleu et chemise Rothmans, Villeneuve est bien plus détendu qu'en 1996, dans sa bonne ville de Montréal. Il résume sa comparution devant le Conseil mondial en une phrase : « Une affaire de vocabulaire. Je ne dois plus utiliser le mot de Cambronne. Vous avez saisi, j'espère ? »

Aux premiers essais, Tom Walkinshaw surgit, ragaillardi, dans l'enclos cerné de caravanes qui sert de zone de réception à

Alexander Wurz, chaussé de bleu et de rouge.

chaque team. « On se croirait au Far West. Les caravanes sont disposées comme pour un bivouac », a rigolé René Arnoux, très entouré car il est l'un des deux Français vainqueurs ici avec Jean Alesi. La veille au soir, au restaurant *Lentini*, Arnoux a fasciné les médias italiens en leur rappelant son exploit de 1983 : « Vous m'aviez traîné dans la boue. J'ai gagné et il y avait, deux jours après, au moins 1 000 Italiens à m'attendre à mon arrivée à Milan. » Il y a prescription.

Walkinshaw s'apprête à vivre trois journées insensées. Il a réparti ses forces sur deux fronts, au Mans (100 personnes autour des Nissan R390 GTI) et à Montréal (effectif habituel) : « C'est la première fois que je livre une pareille double bataille. » Il est en liaison permanente avec Le Mans et Montréal. Il va jongler avec les fuseaux horaires avec une série de voyages aériens :

mercredi : Leafield-Le Mans ; jeudi : Le Mans-Reykjavik-Montréal ; vendredi : Montréal-Roissy-Le Bourget-Le Mans ; dimanche : Le Mans-Roissy-New York (en Concorde)-Montréal. « Il a la santé, Tom », s'émerveille Pedro Diniz.

Olivier Panis, qui en est pourtant à son quatrième GP du Canada, parcourt le circuit à pied. Histoire de vérifier les retouches du tracé. Le revêtement l'intrigue. A juste titre. La prise de contact ne lui dit rien qui vaille. La chasse aux gommes performantes est ouverte dans la confusion. Avec 1'20''727, Panis est derrière Frentzen, 1'20''289, Ralf Schumacher, 1'20''390, Fisichella, 1'20''416, Villeneuve 1'20''552, Alesi, 1'20''624. Sur sa lancée de Barcelone, Panis visait mieux. Consolation : chaque pilote déplore des boursouflures ou des cloques géantes. Les machines Goodyear et Bridgestone s'en ti-

Villeneuve, chez les siens, manque la pole.

Barrichello dans la peau d'un outsider.

rent aussi péniblement les unes que les autres.

L'ambiance est à la fièvre. Tout comme l'affluence. Du matin au soir, les abords de l'île Notre-Dame sont incroyablement denses. «L'effet Villeneuve est amplifié», se réjouit Normand Legault, l'organisateur. «Pour nous tous, les Québécois, Jacques Villeneuve a acquis de la consistance et un surcroît de crédibilité», jubile Robert Ferland. L'intéressé garde un sang-froid imperméable, très contrasté par rapport à son environnement. «En 1996, on était confiant en lui. Cette année, on sait ce qu'il vaut et on rêve», surenchérit Daniel Robin. Selon un récent référendum, Céline Dion et Jacques Villeneuve se partagent le premier rang du Top 10 des célébrités québécoises. Le pilote de la Williams-Renault n° 3 se préserve de ce déferlement affectif. Il fait le strict minimum.

La séance officielle démarre sur les chapeaux de roue, en pleine passion. Pour la foule, la pole position est déjà réservée à Villeneuve. 13 h 10 : Barrichello signe 1'20''425. 13 h 22 : Villeneuve réussit 1'19''418, dans un torrent de hurlements. 13 h 28 : Ralf Schumacher, 1'19''248, éclipse le Québécois. 13 h 30 : Frentzen, à son tour, dépasse Villeneuve, 1'18''847. Le public est muet. 13 h 32 : c'est au tour de Michael Schumacher, 1'18''661. 13 h 36 : David Coulthard frappe fort, 1'18''466, avant de céder, à 13 h 42, devant Michael Schumacher, 1'18''159.

Mais où est donc passé Jacques Villeneuve? A 13 h 48, il revient en trombe, 1'18''108. Le public, soulagé, crie sa joie. 14 h 08 : Villeneuve s'attaque, en vain, à sa pole, 1'18''259. Consternation; à 14 h 09, Schumacher devance Villeneuve, 1'18''095. Pour 13 millièmes, Villeneuve échoue, une deuxième année consécutive, aux portes de la pole. Les Québécois sont abasourdis. Pour la première fois de 1997, la pole n'appartient plus aux Williams-Renault.

David Coulthard en pole position, pendant quelques minutes.

Évident : Michael Schumacher s'est surpassé pour la pole.

Ecclestone, Prost, Pierre Bourque, Norman Legault : mondanités.

Villeneuve dédramatise : « Cette piste n'est pas idéale pour nous. Mais je suis confiant. » A côté, Michael Schumacher s'exclame : « Je veux le podium. » Sans préciser la place. Les deux Français se s'estiment pas à la fête. Panis, 1'19''034, manque d'adhérence. Alesi, 1'18''899, a tâtonné pendant toute la séance. Dans le clan Bridgestone, Barrichello, le mieux placé (3e avec 1'18''388), est hilare : « Pour moi, ça sera peut-être mieux qu'à Monaco. » Cesare Fioro lâche, avec philosophie : « La hiérarchie de la grille s'est établie sur la disponibilité de tours clairs. Olivier n'en a pas trouvé plus de deux. Barrichello en a eu beaucoup plus. Inutile de chercher plus loin. »

A ce qu'il semble, Bridgestone a proposé à Barrichello, sur l'insistance de Ford, des nouveaux pneus style Formule Pacific. L'ingénieur Alan Jenkins revient de trois jours de travail intense à Dearborn avec Paul Fickers, l'ingénieur résident de Stewart GP à Dearborn, présent dans le stand de Montréal. L'Américain John Valentin, directeur de Ford Motorsport, a indiqué, deux jours plus tôt : « Nous mettons tout en œuvre pour soutenir Stewart. Mais, comme dans les meilleurs mariages, il y a des hauts et des bas. »

Dans sa chambre, la 409, de l'*Hotel Vogue*, Panis s'endort frustré. Il consulte deux feuilles de chronométrage : s'il avait accompli l'après-midi le temps du matin, 1'18''514, il serait en troisième ligne.

*
*   *

Le samedi, Jean-Michel Schoeler donne un dîner d'une quarantaine de couverts au *Fouquet's*, rue de la Montagne, en l'honneur d'Alain Prost. Bernie Ecclestone s'approche de Pierre Bourque, le maire de Montréal, pour évoquer l'avenir du GP. La transition de sponsoring entre Molson et Player's, sur fond d'une dizaine de millions de dollars, s'est bien passée, en dépit des réserves du ministère de la Santé. Mais le gouvernement tient bon. A tel point que des panneaux officiels du gouvernement ont réapparu sur le circuit aux côtés des commanditaires attitrés : Player's, la Banque HSBC, Shell, Zepter, Cellier des Dauphins et Bridgestone. Le ministre de l'Industrie, du Commerce et du Tourisme, Rita Dione-Marsolais, assise à côté d'Alain Prost, est avertie de l'ampleur des retombées économiques locales du GP. « Pour 100 millions de dollars, en gros, nous méritons un amendement sérieux », certifie Pierre Bourque. A une autre table, René Arnoux a révélé qu'on lui avait dérobé les précieuses images de son duel d'anthologie avec Gilles Villeneuve, le 1er juillet 1979 à Dijon. « Qu'à cela ne tienne, réplique Robert Ferland, l'ancien promoteur du GP du Canada. Je vais dupliquer la vidéo que j'ai gardée et tu auras vite cette copie. » Comblé, Arnoux s'exclame : « C'est formidable, je rajeunis. »

Ccsarc Fiorio l'avait bien constaté : avec un tour clair, Panis se serait mieux positionné en qualification. Au warm-up, Panis a enfin eu le tour idéal dont il avait besoin : du coup, il a magistralement signé le meilleur temps, 1'19''477, dans les ultimes minutes. « J'ai enfin une voiture stable », commente-t-il.

Prost et ses ingénieurs se concertent avec ceux de Bridgestone : le pari d'un seul ravitaillement sur les 69 tours les émoustille sérieusement. Les Japonais sont séduits : depuis Barcelone, la cote personnelle de Panis a encore progressé. Ils se tournent du côté de Barrichello. A priori, ce dernier est moins audacieux que Panis. Damon Hill, en quinzième position, n'est pas concerné. C'est gagné : tout se met en place pour que Panis ne stoppe qu'une seule fois. Des conditions humides ne seraient pas malvenues.

Ultime conseil de guerre chez Ferrari : Schumacher et Todt adoptent le V10 046/1 de 1996 pour la course. « Cette pole, je l'ai eue comme un cadeau du ciel, in extremis. L'important, c'est de finir », a argumenté l'Allemand. Une jeune femme,

Panis et Prost : la tentation de l'exploit.

dans le motor-home Williams, se jette dans les bras de Jacques Villeneuve : sa jeune sœur Mélanie (16 ans) arrive directement de New York. Au fait, Villeneuve a acheté une quinzaine de places dans une tribune située à gauche, après le départ. Comme d'habitude, avant le départ, Olivier Panis a téléphoné à son épouse, Anne, déjà rivée devant son écran de TF1, à Pont-de-Claix (Isère). Sur la grille, Kumiko brandit un parapluie au-dessus de Jean Alesi, tendu.

Le suspense se dissipe prestement au départ, en ce sens que Michael Schumacher utilise sa pole position comme rampe de lancement. Il s'engouffre dans la première courbe avec Villeneuve, Fisichella, Coulthard et Frentzen dans son sillage. Rien ne

D'emblée, la Ferrari de Schumacher donne le ton au GP.

La machine de Panis est dégagée, le pilote est à l'hôpital.

ailleurs. Il est 14h 17. La Prost-Mugen-Honda de Panis, soudainement folle, échappe au contrôle de son pilote et tape des deux côtés de la piste, dans une portion sinueuse très rapide, en rebondissant avant d'être bloquée dans un mur de pneus. L'image est saisissante.

Panis cherche, d'abord, à s'extraire tout seul de son cockpit en s'aidant de ses bras. Il renonce. Les commissaires s'occupent de lui avec plus de bonne volonté que de précautions élémentaires. Le professeur Syd Watkins arrive. Panis est placé dans une coquille, avant d'être transporté vers l'infirmerie du circuit. Peu après, un hélicoptère tourbillonne au-dessus du site en direction de l'hôpital du Sacré-Cœur.

Pendant ce temps, le *safety car* est revenu en piste. Schumacher, Alesi, Fisichella, Frentzen, Herbert, Nakano, Coulthard le suivent en une procession ralentie et lourde d'angoisse. Une chape de tristesse tombe sur l'île Notre-Dame. Personne n'a plus le cœur à l'ouvrage. Les commissaires arrêtent le GP du Canada au cinquante-quatrième tour, sur le classement acquis après l'accident de Panis.

va pour Panis, qui heurte Hakkinen puis Irvine, dans le même enchaînement. Le Français s'arrête dès le premier tour, pendant 33"338. Le Finlandais et l'Irlandais sont hors course.

Coup de théâtre au deuxième tour : Villeneuve se plante dans la chicane et percute le mur de béton. Il émerge de son cockpit spontanément. Au warm-up, Villeneuve s'était rabattu, par nécessité, sur le mulet. Sur la grille, Pollock confiait : «Jacques n'a pas eu le temps d'essayer la voiture.» En quelques tours, Schumacher porte son avance sur Fisichella à plus de 4", avant un regroupement, derrière le *safety car* pour cause de sortie violente de Katayama. Mais la Ferrari du double champion du monde repart de plus belle, en augmentant sa marge sur Fisichella,

harcelé par Coulthard et Alesi, qui ne se ménagent guère.

Tous les plans initiaux élaborés chez Prost GP sont ruinés : Panis tourne assez loin des leaders avant de regagner du terrain après la mi-course. Quand il surgit en septième position, après deux arrêts, Prost respire mieux. A ce moment-là, après un ravitaillement, Coulthard a devancé Schumacher avec 8"-10' d'avance. Après son unique arrêt, Coulthard est chronométré, au tour, en 1'20"079 contre 1'20"094 à l'Allemand. Il reprend alors le commandement, avec 14" d'écart à son avantage. Coulthard stoppe une deuxième fois, son train de pneus ne lui donnant pas satisfaction. Sa transmission est endommagée.

Mais, en ce fatidique cinquante-deuxième tour, l'attention se porte

Arrivée insolite : Fisichella, Alesi et Schumacher à pied.

Le champagne ne pétillera pas sur le podium. Pour cette première victoire du deuxième cinquantenaire de l'ère Ferrari, Schumacher est très réservé. La peur rôde à nouveau sur la Formule 1. A l'arrivée, Schumacher, Alesi, Fisichella et tous les autres ont demandé des nouvelles de Panis. L'incertitude nourrit leur anxiété.

Les tribunes se vident lentement, sans allégresse. Villeneuve, en tee-shirt blanc, a eu un délicat dialogue avec Williams. « Même les meilleurs commettent des erreurs », a plaidé son ingénieur traitant, Jock Lear. Villeneuve est coincé avec Sandrine et Pollock dans un gigantesque embouteillage, monté aux abords de l'île Notre-Dame par les chauffeurs de taxi montréalais.

*

* *

Aussi étroite et fermée qu'un toril, l'enceinte de Prost GP est sinistre. Les visages des uns et des autres sont graves. On échange des impressions à voix basse. L'épave de la JS45, totalement détruite de l'avant, regagne le stand de piste sous bâche. Les mécaniciens écartent les curieux. Prost est enfermé, au téléphone, dans la caravane qui sert de motor-home. « Si Olivier n'a qu'une fracture, c'est un cadeau du ciel », murmure Didier Perrin.

Des bribes d'informations jaillissent. « Olivier a toujours gardé conscience », souffle Cesare Fiorio. Son kinésithérapeute personnel, François Gressot, tourne comme un ours en cage. Dominique Sappia vient aux nouvelles. Patrick Chamagne, son autre préparateur personnel, est en route vers l'hôpital du Sacré-Cœur.

Le premier à parler, c'est Alain Prost : « Il a la jambe droite cassée. » Ce soulagement est bref. Un diagnostic plus précis et plus grave est publié : Panis souffre d'une double fracture tibia-péroné droit et d'une simple fracture du tibia gauche.

L'intervention chirurgicale, effectuée par le docteur Jacques Bouchard, le médecin du circuit, le traumatologue Ronald Denis, et le chirurgien orthopédiste Pierre Ranger, a duré 3 h 35. Après anesthésie générale de Panis, les spécialistes ont « encloué » les os atteints. « Pour réparer un sportif, dont l'organisme est sain, il y a évidemment urgence », soulignent les Canadiens. Chamagne et Gressot ne quittent pas Olivier. A son installation dans la chambre 595 A, Panis émerge de son sommeil artificiel. Il entrevoit ses deux amis. « Et vous, ça va ? » leur demande-t-il.

Dès le lendemain, Panis se sent mieux. Il force évidemment sa nature, mais c'est conforme à son tempérament de champion. Le premier télégramme qu'il reçoit est signé du président Chirac. A 12 h 35, le lundi 16 juin, Panis émet le désir de se… lever. Gressot et Chamagne ne disent rien. Panis fournit un effort surhumain pour se tenir debout. Il entre déjà dans sa phase de rééducation.

GRAND PRIX DE FRANCE

8ᵉ MANCHE DU CHAMPIONNAT DU MONDE DES CONDUCTEURS 1997

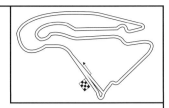

DATE : 29 juin 1997.
CIRCUIT : Nevers Magny-Cours.
DISTANCE : 72 tours de 4,250 km, soit 305,814 km.
MÉTÉO : variable avec pluie en fin de course.
ENGAGÉS : 22. QUALIFIÉS : 22. ARRIVÉS : 11. CLASSÉS : 12.
VAINQUEUR : **Michael Schumacher** (Ferrari) en 1 h 38'50''492 à 185,639 km/h.
MOYENNE RECORD : **Damon Hill** (Williams-Renault) en 1996 à 190,183 km/h.
MEILLEUR TOUR : **Michael Schumacher** (Ferrari) : 1'17''910 à 196,380 km/h.
RECORD DU TOUR : **Nigel Mansell** (Williams-Renault) en 1992 : 1'17''070 à 198,521 km/h.

GRILLE DE DÉPART

M. SCHUMACHER (Ferrari/G) à 205,236 km/h 1'14''548		**Frentzen** (Williams-Renault/G)	1'14''749
R. Schumacher (Jordan-Peugeot/G)	1'14''755	**Villeneuve** (Williams-Renault/G)	1'14''800
Irvine (Ferrari/G)	1'14''860	**Trulli** (Prost-Mugen-Honda/B)	1'14''957
Wurz (Benetton-Renault/G)	1'14''986	**Alesi** (Benetton-Renault/G)❷	1'15''228
Coulthard (McLaren-Mercedes/G)	1'15''270	**Hakkinen** (McLaren-Mercedes/G)	1'15''339
Fisichella (Jordan-Peugeot/G)❷	1'15''453	**Nakano** (Prost-Mugen-Honda/B)	1'15''857
Barrichello (Stewart-Ford/B)	1'15''876	**Herbert** (Sauber-Petronas/G)	1'16''018
Magnussen (Stewart-Ford/B)	1'16''149	**Diniz** (TWR Arrows-Yamaha/B)	1'16''536
Hill (TWR Arrows-Yamaha/B)	1'16''729	**Verstappen** (Tyrrell-Ford/G)	1'16''941
Salo (Tyrrell-Ford/G)	1'17''256	**Fontana**❶ (Sauber-Petronas/G)	1'17''538
Katayama (Minardi-Hart/B)	1'17''563	**Marques** (Minardi-Hart/B)	1'18''280

CLASSEMENT

1. **Michael Schumacher** (Ferrari 310B) — en 1 h 38'50''492 à 185,639 km/h
2. **Heinz-Harald Frentzen** (Williams-Renault FW19) — à 23"537
3. **Eddie Irvine** (Ferrari 310B) — à 1'14''801
4. **Jacques Villeneuve** (Williams-Renault FW19) — à 1'21''784
5. **Jean Alesi** (Benetton-Renault B197)❷ — à 1'22''735
6. **Ralf Schumacher** (Jordan-Peugeot 197) — à 1'29''871
7. **David Coulthard** (McLaren-Mercedes MP4/12) — à 1 tour (abandon)
8. **Johnny Herbert** (Sauber-Petronas C16) — à 1 tour
9. **Giancarlo Fisichella** (Jordan-Peugeot 197) — à 1 tour
10. **Jarno Trulli** (Prost-Mugen-Honda JS45) — à 2 tours
11. **Ukyo Katayama** (Minardi-Hart M197) — à 2 tours
12. **Damon Hill** (TWR Arrows-Yamaha A18) — à 3 tours

ABANDONS

Tazio Marques (Minardi-Hart M197) : moteur (5 tours), alors 21ᵉ / **Shinji Nakano** (Prost-Mugen-Honda JS45) : sortie (7 tours), alors 11ᵉ / **Jos Verstappen** (Tyrrell-Ford 025) : accélérateur bloqué et sortie (15 tours), alors 15ᵉ / **Mika Hakkinen** (McLaren-Mercedes MP4/12) : moteur (18 tours), alors 7ᵉ / **Jan Magnussen** (Stewart-Ford SF-1) : freins (33 tours), alors 15ᵉ / **Rubens Barrichello** (Stewart-Ford SF-1) : moteur (36 tours), alors 12ᵉ / **Norberto Fontana**❶ (Sauber-Petronas C16) : sortie (40 tours), alors 16ᵉ / **Pedro Diniz** (TWR Arrows-Yamaha A18) : tête-à-queue (58 tours), alors 15ᵉ / **Alexander Wurz** (Benetton-Renault B197) : tête-à-queue (60 tours), alors 8ᵉ / **Mika Salo** (Tyrrell-Ford 025) : électricité (61 tours), alors 10ᵉ / **David Coulthard** (McLaren-Mercedes MP4/12) : sortie, poussé par Alesi (71 tours), alors 5ᵉ, classé 7ᵉ.

EN TÊTE

M. Schumacher : les 22 premiers tours, du 24ᵉ au 46ᵉ tour et les 25 derniers tours, soit 298 km.
Coulthard : les 23ᵉ et 47ᵉ tours, soit 8 km.

A NOTER

Trulli remplace Panis, blessé, chez Prost GP et est remplacé chez Minardi par Marques.

❶ Pilote débutant en GP (Fontana, pilote d'essai chez Sauber, remplace Morbidelli, blessé).
❷ Partis avec le mulet (Fisichella sur rupture moteur dans le tour de formation ainsi qu'Alesi).

Schumacher : la bonne opération

L e mardi 24 juin, à l'hôtel *La Renaissance*, à Magny-Cours, la Formule 1 française vit une transition de plus. Alain Prost déjeune, table 15, avec Sophie Sicot, son attachée de direction. Le quadruple champion du monde, imperceptiblement tendu, sort d'une période délicate. Il lui a fallu trancher entre Emmanuel Collard et Jarno Trulli pour assurer l'intérim d'Olivier Panis sur la JS45 n° 14.

A l'instant du choix, les données étaient contrastées. Dès le lundi matin 16 juin, de Roissy, Prost avait téléphoné à Jean-Pierre Jabouille, l'animateur du JB Marlboro team, en quête d'informations sur la disponibilité de Collard. Ce dernier, de retour d'éprouvantes 24 Heures du Mans (sur une Porsche 911 officielle), bondit de joie devant la sollicitation de Prost.

Il en néglige sa lassitude pour rallier Magny-Cours dans l'après-midi du 16 juin. Il se présente à l'atelier pour ajuster un siège à ses mensurations. Il ne doute pas un instant de sa promotion aux côtés de Shinji Nakano. Tous les facteurs convergents lui sont positifs. Après plusieurs saisons comme essayeur (Williams-Renault puis Benetton-Renault et Tyrrell), Collard se

Michael Schumacher dans le parc fermé.

croit (enfin) apte à franchir le cap d'un GP.

L'idée de contacter Trulli, c'est Flavio Briatore qui l'a soufflée à Prost à Mirabel, le dimanche soir à Montréal, dans la cohue de l'embarquement du vol AF 342 vers Roissy. Prost l'a soigneusement enregistrée, sans en parler à quiconque, en laissant Briatore mener les premières approches auprès de Giancarlo Minardi, le team-manager de Trulli.

Quand le principe de tester Trulli est dévoilé, ce jeune Italien roule déjà, lui aussi, vers Magny-Cours avec un temps de

retard sur Collard. A son arrivée, le 16 juin également, Trulli commence par se reposer à l'hôtel *Holiday Inn*, avant un détour par l'usine pour son siège. Ce n'est qu'après plus de quatorze heures de récupération qu'il se présente, à son tour, dans le stand de piste. « Monsieur Prost, je suis très heureux », a-t-il balbutié, en français, en rencontrant Prost.

Sans se focaliser sur une comparaison strictement chronométrée des deux candidats, Prost et son entourage s'emploient à les mettre, à égalité, dans les meilleures conditions possibles. Collard (26 ans), introverti, énigmatique, écoute plus qu'il ne s'extériorise. Trulli (23 ans), intimidé par la soudaineté de l'opération, se défoule en questionnant d'abondance son environnement. D'emblée, cette différence de démarche oriente la tendance décisionnaire vers l'Italien, qui a su se créer un terrain favorable.

Pour Prost, qui endossera seul son option vis-à-vis de l'opinion publique, le comportement de Collard reste, en gros, un mystère. Soutenu par Elf, Collard, au fond, manque d'indépendance. Pendant ces essais grandeur nature de Magny-Cours, il reste étrangement replié sur lui-

Prost avec Trulli : un élève de plus pour le Professeur.

même, ne communiquant que très peu avec ses techniciens. Détail crucial : après sa sortie de piste du jeudi 19 juin – au demeurant pas mentionnée dans le communiqué officiel de l'écurie –, il est sorti en silence de sa machine et a regagné son stand les dents serrées. « Nous avons dû lui arracher quelques éléments d'explications pour en savoir plus », révèlent les ingénieurs. Collard est arrivé, avec un soupçon d'excès de confiance en lui, dans une collectivité traumatisée par l'accident de Panis. « Son temps de réponse ne correspondait pas à nos questions », ajoute-t-on.

La concurrence inopinée de Trulli était la pire pour Collard. La courte carrière de Trulli (sept GP) dans une petite écurie italienne équivalait à une mini-expérience de la Formule 1. En plus, l'Italien s'est infiltré dans l'équipe française en masquant sa timidité derrière une furieuse aspiration à apprendre. Après avoir enchaîné plusieurs séries de tours, sur un tracé qu'il ne

connaissait pas, il aime échanger ses impressions avec celles de ses ingénieurs.

Pour Prost et les siens, la décision en faveur de Jarno Trulli se dessine prestement. Son expérience, pourtant limitée, de la Formule 1 de compétition (par rapport à celle de Collard, confinée à des essais privés) lui a servi. Un consensus se cristallise autour de son nom. « Jarno ne subit pas les événements. Il les exploite à son bénéfice et nous en fait profiter », observe Prost. L'ultime argument de Collard, son appartenance à l'école Elf, ne joue même pas.

Voici exactement douze mois, à quelques jours près, que Bernard Polge de Combret a prononcé, unilatéralement, le retrait d'Elf de la Formule 1. Le pétrolier français n'aide plus qu'un seul pilote (Panis) par un contrat strictement *intuitu personae*. Aucun budget supplémentaire n'est envisageable pour Collard.

Dans ces conditions, à examen analogique des qualités de Collard et de Trulli,

Prost se prononce comme il l'entend. Le seul regret qu'il puisse nourrir à propos de Collard, il le garde par-devers lui. Un peu plus de cinq mois plus tôt, en finalisant l'acquisition de Ligier, Prost souhaitait enrôler un essayeur français, Emmanuel Collard en l'occurrence. Dès qu'il plongea dans le contrat Ligier-Mugen-Honda, il se vit bridé par une clause d'interdiction formelle : la protection de Shinji Nakano était impérative. Prost, qui n'imaginait pas rencontrer Collard dans de telles circonstances, ne demandait, au fond, qu'à être convaincu.

Depuis quarante-huit heures, Prost s'entretient souvent avec Giancarlo Minardi, à Faenza. Et aussi avec Flavio Briatore, présent sur le site, et Gabriele Rumi, le partenaire de Minardi. Prost est convaincant. Il négocie en plus le principe d'une option pour 1998, à une date mobile correspondant au retour en activité de Panis.

Un élément imprévu surgit le jeudi 19 mai. L'Italien Gianni Morbidelli s'est cassé le bras gauche lors d'une sortie de piste, sur sa Sauber-Petronas. Philippe Gurdjian, le promoteur-organisateur du GP de France, fait immédiatement transporter Morbidelli à Paris, à l'hôpital de la Pitié-Salpêtrière, où l'attend, dûment prévenu, le professeur Gérard Saillant.

En fin de journée, le 19 juin, le portable de Prost sonne. C'est Giancarlo Minardi, tout excité : « Alain, Peter Sauber vient de me demander Trulli. En plus, il veut une réponse rapide. » Prost n'a plus qu'à accélérer sa réflexion finale. Dès cet instant, sa conviction est établie, voire renforcée.

Il sollicite trois jours supplémentaires, auprès de Collard et de Trulli, avant l'annonce officielle, le lundi 23 juin. Le temps de rédiger en bonne et due forme un contrat au nom de Trulli. Pour les initiés, la désignation de Trulli ne soulève aucun doute. Pour l'intéressé non plus.

Dans sa maison familiale de Champs-sur-Marne (Seine-et-Marne), Collard passe des jours difficiles. A Rimini, chez ses parents, Trulli est rayonnant. A Faenza, le lundi, Giancarlo Minardi informe les siens du départ de Trulli et de son remplacement par le jeune Brésilien Tazio Marques. Ce qui, au passage, conforte le budget 1997 de Minardi.

Or donc, on y revient, le mardi 24 juin, dans ce restaurant *La Renaissance*, Prost embrasse du regard une table d'angle, la 4. Guy Ligier s'y tient entre Bruno Michel et Dany Snobeck...

*
* *

Depuis quelques jours, la rupture Prost-Michel est consommée, en aboutissement d'un schéma prévisible. Les deux hommes manquaient d'atomes crochus. Le directeur général de Ligier déplorait de ne pas avoir le large espace de responsabilités qui lui appartenait sous la férule de Guy Ligier, Cyril de Rouvre, Tom Walkinshaw et Flavio Briatore. Soucieux de restructurer l'entité de Magny-Cours, Prost refusait de concéder à Bruno Michel ces responsabilités. Après quatre mois chaotiques, ce divorce s'imposait. L'avis de séparation sera publié, d'un commun accord, le jeudi 26 juin.

A une autre table, sur la terrasse, Pascuale Lattunedu et Giovanni Ferri déjeunent avec Philippe Gurdjian. Le premier est l'adjoint opérationnel de Bernie Ecclestone. Le second gère les questions télévisuelles de la FOCA. Les deux Italiens sont évidemment en quête de garanties pour le GP de France, surtout (et même exclusivement) du côté de France Télévision.

Gurdjian leur expose l'état des lieux. «La tendance, assure-t-il, est à l'apaisement.» En sa qualité de président de l'association de Nevers Magny-Cours, Jean Glavany a personnellement téléphoné à Xavier Gouyou-Beauchamp, le président de France Télévision, pour calmer le jeu et en fixer les règles : il a garanti que des reporters de France Télévision pourraient

L'AUTRE GP DE FRANCE

Une semaine avant Magny-Cours, un autre GP de France de Formule 1 se déroule à Chalon-sur-Saône, sur la Saône elle-même, en pleine agglomération. Son promoteur est l'Italien Nicolo San Germano, un ancien du sport automobile, rodé par son expérience de la Formule 1 dans les années 85-90. D'ailleurs, Nicolo San Germano est en excellents termes avec Bernie Ecclestone : il lui a présenté Vladimir Yacovlev, le gouverneur de Saint-Pétersbourg, et son adjoint Valery Malhesev, avec l'arrière-pensée d'amener les Schumacher, Villeneuve et consorts à Saint-Pétersbourg. L'idée a captivé Ecclestone.

Cela dit, ces «Formule 1 nautiques» s'affrontent en une dizaine de sites autour du globe (Suisse, France, Russie, Chine, Émirats Arabes Unis, etc.) dans le cadre d'un championnat du monde entouré d'un énorme succès populaire. Ces engins motonautiques, aux accélérations phénoménales, passent de 0 à 100 km/h en 3''5 et montent à 250 km/h en ligne droite. Le spectacle contient tous les ingrédients attractifs du genre.

Le numéro 1 mondial en titre (depuis trois ans) est l'Italien Guido Capellini, ancien pilote réputé en Formule 3 et Formule 2, de la génération des Ivan Capelli, Michele Alboreto, Pier Luigi Martini et Stefano Modena. Sa particularité : il construit lui-même une dizaine de catamarans, en fibre de carbone, et les vend sans souci : tous sont retenus d'avance !

Guido Capellini et Nicolo San Germano : ça baigne !

effectuer des reportages-interviews dans le paddock. Lattunedu et Ferri inspectent ensuite le paddock, écrasé de soleil, où se garent les premiers transporteurs.

Bien rodée, la lourde machinerie du GP de France est en état de marche. Les apparences sont sauves. Pourtant, depuis le mercredi 2 avril dernier où Guy Mourot, l'agent de presse du GP de France, se rendit compte que la serrure de son bureau – qui jouxte la salle de presse – avait été changée à son insu, une ambiance lourde règne sur le site de Magny-Cours. Cet incident était révélateur du radical changement d'état d'esprit de la direction du circuit.

En fait, le bâtiment administratif de Magny-Cours est un baril de poudre. A la suite de certains déficits de fonctionnement, les instances politiques locales (conseil général, conseil régional, mairie de Nevers) ont modifié la hiérarchie en charge des installations sportives. Un nouvel arrivant issu de la fonction publique, Roland Hodel, ancien préfet en disponibilité (après avoir exercé dans la Nièvre, le Jura et le Cher), récemment battu aux élections législatives (sous l'étiquette PS) à Bourges, a été intronisé président du directoire de Nevers Magny-Cours. Il s'est installé, d'emblée, dans un vaste bureau d'angle, au troisième étage.

Cette restructuration était une offensive sur Philippe Gurdjian, promoteur-organisateur du GP de France et manager de Magny-Cours. Après sept années d'exercice de responsabilités octroyées par contrat et d'investissements cautionnés par une pléiade d'hommes politiques nivernais, Gurdjian devient une cible idéale pour ceux qui l'ont nommé à ce poste et qui, au fil des années, ont pourtant assisté au développement conjugué de Magny-Cours et du GP de France.

Quoi qu'il en soit, Jean Glavany, vice-président de l'Assemblée nationale et unique rescapé du trio «historique» originel de Magny-Cours (avec François Mitterrand et Pierre Bérégovoy), en est réduit à s'avancer avec précaution en ce terrain désormais miné. «Maintenant, ici, on se révolte contre Paris», lui a glissé, en confidence, une voix amie à sa descente d'hélicoptère, le jeudi soir. A l'héliport de Paris, chez Héli-France, Glavany avait indiqué du doigt à quelques amis une photographie d'Olivier Panis, arborant le sigle Héli-France en 1993, la saison de sa consécration en Formule 3000 sur une Dams. «Olivier va nous manquer cette année», estimait Glavany, porte-parole d'une majorité silencieuse.

Jacques Villeneuve, le même jour, rejoint Magny-Cours un peu plus tôt mais, néanmoins, en retard sur ses obligations. Il était inscrit à la conférence de presse d'avant GP organisée par la FIA. C'est Craig Pollock qui devait, dans un appareil d'Aeroleasing, passer chercher Villeneuve à Nice, en provenance de Londres, avant de revenir directement sur l'aéroport de la Sangsue à Nevers. Conséquence d'une panne des appareils de contrôle à Roissy, tout le trafic dans le ciel hexagonal est perturbé.

Bloqué à Londres, Pollock appelle Villeneuve, à Monaco, pour lui annoncer son retard. «Craig, tu vas être surpris. J'ai fait quelque chose sans t'en avertir», lui dit le Québécois. Impossible pour Pollock d'en tirer plus de Villeneuve. A Nice, après un détour imposé par Nantes, Pollock est stupéfait de découvrir Villeneuve en chevelure blonde. Jacques est hilare. Craig est muet. Après tout, tous sports confondus, Villeneuve n'est pas le premier champion à se décolorer. «Le moment le plus délicat, c'est celui du contact avec son milieu», lui prédit Pollock.

A 19 h 30, Villeneuve déboule dans le paddock nivernais. Il épie sans anxiété les réactions et ne rencontre que des sourires d'indulgence, à la rigueur d'étonnement. Jean-François Robin, responsable de l'exploitation à Renault-Sport, se passe la main dans ses cheveux poivre et sel et lui promet : «Si tu es champion du monde, je me ferai teindre en blond.» D'autres ingénieurs français sont prêts à l'imiter. Du coup, Villeneuve éclate de rire.

A l'*Holiday Inn*, Béatrice Lyon ne se trahit pas quand Villeneuve retire la clé de sa chambre, la 202. A peu près à la même heure, Michael Schumacher gare sa Lancia Dedra Station Wagon sur le parking de l'hôtel. Il est aussi désinvolte que Ville-

Jacques Villeneuve, un coup de blond.

neuve. Il se réfugie, déjà, derrière une maxime passe-partout : «Si je prends un point, je serai un homme heureux.» Accessoirement, il a déjà opté pour le nouveau moteur, le 046/2. C'est une indication.

Les nerfs à vif. Depuis l'accident de Panis, Jean Alesi est l'unique Français en lice. Il supporte cette charge avec plus ou moins de sérénité, selon les moments. «J'en ai un peu assez d'être attendu au tournant», lâche-t-il, en petit comité. Il est autant sur ses gardes vis-à-vis de l'extérieur que de l'intérieur. Il espérait le retour de Berger. Opéré le 17 juin à Salzbourg, ce dernier est au repos total, dans un coin perdu du Tyrol, près de Kitzbuhel.

Alesi doit continuer à cohabiter avec Wurz, sans affinités particulières. Le vendredi matin, aux premiers essais, le nombre des mécaniciens affectés à Alesi par rapport à Wurz s'évalue du simple au double. Patrick Faure et Christian Contzen, le président et le directeur de Renault-Sport, seront discrètement informés de cette anomalie.

*
*   *

Le front plissé, Jarno Trulli lève des yeux inquiets vers le ciel, le vendredi matin. Il sort du motor-home Prost manifestement crispé. Cesare Fiorio l'a pourtant préparé de son mieux avec toute son expérience et sa compétence. «Après un rapide calcul, je pense que Jarno est le 301ᵉ pilote, rallye, endurance et Formule 1, qui me passe entre les mains», sourit Fiorio, moins pressé que Prost. Avant de gagner le motor-home Prost, Trulli a serré quelques mains chez Minardi. «Ce sont toujours mes amis», dit-il. Ensuite, il va vers son destin de coureur Prost d'un pied ferme.

Sur son portable, Didier Perrin, le directeur des opérations de Prost GP, commence à entretenir une liaison intense – appelée à durer quarante-huit heures – avec la station Météo France de Nevers. Depuis deux mois, l'écurie a passé un accord avec Météo France au coup par coup, c'est-à-dire avec des bulletins très localisés, dans le temps et l'espace. Jusqu'à maintenant, Panis et Nakano n'en ont guère eu besoin. Avec ce ciel menaçant – c'est le moins que l'on puisse dire –, Perrin se félicite de la proximité de son météorologue : les averses lui sont annoncées, le vendredi, à la minute près. Habituellement en charge de Panis, l'ingénieur Humphrey Corbett est affecté à Trulli : «Jarno m'épate par la pertinence de ses analyses.» Nakano et Trulli sont à l'ouvrage.

Tout comme Jacques Villeneuve, attendu comme le fer de lance des Williams-Renault, mais qui doit, avant les essais, franchir une dernière chicane, dans le bureau des commissaires de la FIA. Le Québécois est représenté par Pollock et Dickie Stanford, le manager de Williams. Il leur faut s'expliquer sur l'absence de Villeneuve à la conférence du jeudi. Pollock, qui s'y attendait, donne, pour information, tous les numéros de téléphone des tours de contrôle aérien de Nantes, Nice, Roissy et Nevers, avec l'immatriculation de l'avion.

Dix minutes plus tard, l'affaire est réglée et Villeneuve absous.

Côté piste, Villeneuve est moins souverain. Schumacher, 1'18"339, et Fisichella, 1'19"838, mènent la danse, entre les gouttes. Villeneuve, 1'20"225, est morose. «Je suis en retard de points sur mes prévisions. Je n'ai terminé que trois GP. Il n'y a aucune logique dans mon duel avec Michael», lâche-t-il, pêle-mêle. Son tissu relationnel avec Williams paraît déchiré.

Les tractations battent leur plein dans le paddock. Patrick Faure aurait vraisemblablement aimé confirmer un accord avec Benetton pour 1998, en plus de Williams. La proximité géographique avec Mécachrome (une soixantaine de kilomètres) aurait justifié une information de taille. Gérard Casella, le président de Mécachrome, se promène anonymement dans l'enceinte du GP. Il observe tout de près

Alexander Wurz, la relève annoncée chez Benetton.

Trajectoire imprévue pour Jean Alesi.

Pour Trulli, un difficile baptême du feu sur la JS 45.

et relève des détails intéressants. Une seule certitude : Patrick Faure lance l'anathème sur la fourniture, en 1998, du moteur Renault-Mécachrome à une troisième écurie : « Ça ne pourrait marcher, éventuellement, qu'en 1999, à la condition que Mécachrome s'y retrouve financièrement. » C'est à Briatore de jouer et de donner à Mécachrome les garanties bancaires usuelles en la matière.

Le vendredi soir, dans la maison qu'il occupe à Magny-Cours (héritage de Ligier), en plein centre de la bourgade, Alain Prost donne un dîner informel, en présence de Nakano et de Trulli. Il analyse ainsi son premier GP de France en tant que team-manager : « C'est intéressant et harassant de voir la Formule 1 de l'autre côté du rideau. Il y a quand même beaucoup de matins où j'aimerais pouvoir dormir un peu plus longtemps. »

La complicité des frères Schumacher.

Dans l'ombre des stands, pour les essais officiels du samedi, Bridgestone et Goodyear rivalisent en quantité. Des monceaux de pneus, 1 388 pour les quatre écuries Bridgestone, et 2 300 pour les sept écuries Goodyear, débordent dans la zone en retrait des camions. Didier Perrin apaise ses interlocuteurs Bridgestone : la pluie doit épargner les essais officiels.

D'emblée, Trulli se distingue, 1'15''495. Il taquine Alesi, 1'15''228, et Wurz, 1'14''996. Mais l'Italien de Prost-Mugen-Honda améliore prestement, 1'14''957. Les gros bras entrent alors en action. Schumacher arrache la pole, à 13 h 12, en 1'14''548, et en fait une forteresse inexpugnable. « Ne m'en demandez pas plus », ironise l'Allemand qui, évidemment, masque son optimisme derrière une phrase de convenance. Un Allemand pouvant en précéder deux autres, le champion du monde est flanqué de Frentzen, 1'14''749, et de son frère Ralf, 1'14''755. Ce dernier a fêté son 22e anniversaire avec quarante-huit heures d'avance. Après un dérapage le matin, Villeneuve se rabat sur le mulet, pas réglé à ses mensurations. Il suit le trio allemand avec 1'14''800. In extremis, Irvine, 1'14''860, devance Trulli, toujours à 1'14''957.

Avec Trulli en troisième ligne, Prost a vu juste. Du stand, Trulli utilise un portable pour joindre Panis, là-bas, dans son établissement de Douarnenez. En aparté, Corbett ne peut s'empêcher d'avouer : « Avec Olivier... » A chaque jour son bonheur suffit. Trulli n'a qu'un commentaire : « A moi, maintenant, de confirmer en course. » De plus, Nakano, 1'15''857, n'est guère éloigné.

La tension monte chez Williams. Pollock rappelle : « En Formule Indy, la voiture et le mulet sont pareils. » Villeneuve bougonne : « Je veux le mulet à ma taille pour les prochaines courses. » La tête basse, Alesi traverse le paddock vers son motor-home Benetton. Il n'y comprend rien : « Après Montréal, j'ai fait ici de très bons essais privés. Aujourd'hui, je n'ai retrouvé aucun de ces réglages. » Alesi a le sentiment d'être un mal aimé, y compris dans son écurie Benetton-Renault. « En course, il ne me restera qu'à attaquer. Mais avec sept voitures devant moi au départ... » A quoi bon s'épancher plus ? Alesi rumine sa morosité. Pour son dernier GP de France (au moins de ce siècle), Renault espérait manifestement mieux.

Le samedi soir, toujours en l'honneur du dernier GP de France de Renault, Jean-Jacques Delaruwière et Christine Marquillé ont eu l'idée originale de convier tous les attachés de presse (une trentaine) de la Formule 1.

L'ambiance joyeuse est baignée par les orages qui crèvent dans le ciel nivernais. Ann Bradshaw et Patricia Guérendel (Arrows) pronostiquent : « Avec un temps pareil, Damon Hill vous surprendra. » Jane Parisi et James Penrose (Bridgestone) révèlent : « Avec une course sous la pluie, Trulli et Hill n'auront même pas besoin de s'arrêter pour changer de pneus. » Delaruwière termine sur une prédiction : « Je vous donne rendez-vous, avec Renault, pour le siècle prochain. » Dans la nuit rafraîchie, cette prophétie retentit comme un signal d'espoir.

Toujours ce même soir, Hirotoshi Honda, le président de Mugen, s'est rendu discrètement, au volant d'une Honda Prélude, dans un quartier excentré de Nevers, rue Romain-Baron, dans une vaste maison où résident ses ingénieurs. Eux aussi disputent leur dernier GP de France pour une écurie avec laquelle ils collaboraient depuis fin 1994. « Mon choix 1998 est en voie de finition », leur a dit Hirotoshi Honda. Ce dernier a convié Flavio Briatore et Bruno Michel à dîner à *La Renaissance*. Bruno Michel a suggéré d'inviter Alain Prost, qui a accepté avec joie.

En regagnant l'*Holiday Inn*, Hiroteshi Honda tombe sur Damon Hill, en train de contempler des maquettes de Formule 1 exposées sous verre. Le Japonais s'approche de l'Anglais. Leur dialogue, fourni, s'éternise un peu. Le champion du monde coupe soudain : « Je dois dormir. » Hirotoshi Honda paraît tout dépité.

*
* *

Une communication souriante entre attachés de presse.

▲ Heinz-Harald Frentzen ne s'interroge pas : il fonce vers le podium.

Ralf Schumacher, vipère au poing, va récolter 1 point. ▼

Villeneuve, des efforts spectaculaires.

Dimanche matin, dans la fraîcheur, Tom Walkinshaw fonce s'enfermer avec Briatore dans le motor-home Benetton. Eddie Jordan qui s'approchait, en même temps, de ce motor-home tourne les talons. Le tête-à-tête Briatore-Walkinshaw se concentre encore sur la «troisième» écurie Renault en 1998. L'Italien ne peut que rapporter les propos de Patrick Faure. Une réminiscence hante Faure : le souvenir ambigu des années 1985-86, où la Régie équipait trois écuries en turbo, la sienne d'abord, puis Lotus et Tyrrell. «C'était très lourd», soupire Patrick Faure.

A côté, Jacques Calvet parade dans ce qui est, pour lui aussi, son «dernier» GP de France. Le patron de Peugeot se répand dans les micros avec générosité. Il n'a que brièvement rencontré Alain Prost. La question du transfert de l'écurie Prost dans la région parisienne trouble beaucoup les Nivernais. A un moment, Calvet dialogue

avec Jacques Douffiagues, l'ancien ministre des Transports, convié ici par son ami Jean-Michel Schoeler (au même titre que le professeur Saillant). «Évidemment, après tout, Williams et Benetton s'accommodent bien de travailler à 600 km de Renault», réfléchit Calvet. Mais cette remarque ne saurait remettre en cause la réalité du projet Prost-Peugeot qui repose, entre autres, sur un rapprochement des deux parties.

Le ciel de Magny-Cours est très incertain. Chez Williams, on est branché, en permanence, sur le pilote de l'avion de Villeneuve, lui-même en liaison avec les contrôleurs aériens de la Sangsue. Chez Prost, le dispositif direct avec la station météo de Nevers fonctionne à plein. Bernie Ecclestone a conçu une initiative totalement secrète : un de ses collaborateurs a acheté, à Magny-Cours, trois bouteilles de Moët et Chandon. Ces bouteilles sont confinées dans le motor-home de la

Après 1994 et 1995, Michael Schumacher encore n° 1 en France.

FOCA. Personne n'a eu vent de l'idée d'Ecclestone.

Sur la grille de départ, Jean Poczobut, le directeur des sports de Marie-George Buffet, le nouveau ministre des Sports, voisine avec Jean-Michel Schoeler et Philippe Gurdjian. Les tribunes sont bien remplies. Gurdjian annonce près de 80 000 spectateurs. Prost et Trulli s'entretiennent, de la voix et du geste. Todt échange quelques propos amicaux avec Jacques Calvet. A ce que l'on apprend, il pleut à la Sangsue. Schumacher est indifférent à toute cette agitation. Son frère Ralf, par contre, l'est moins. Jusqu'à l'ultime minute, on hésite, ici et là, sur les pneus à monter. Aucune goutte ne tombe sur la piste. Alors, tous en pneus lisses !

A la fin du premier tour, Michael Schumacher précède Frentzen, de 0''820, Irvine, Villeneuve, Ralf Schumacher, Coulthard, Hakkinen et Trulli. Pour Damon Hill, c'est déjà la galère : après une balade dans les graviers, il doit changer de museau. Il repart bon dernier, la rage au cœur. La course est limpide : Schumacher cavale à sa main, avec un avantage de plus en plus conséquent, qui culmine un moment à 21''. Il ne cède le commandement qu'en un seul tour, le 47ᵉ, pour cause de ravitaillement. Frentzen n'est qu'un leader très éphémère.

La pluie rôde sans vraiment s'abattre sur le circuit. A 15 heures, des premières gouttes mettent tout le monde en alerte. Didier Perrin, le portable vissé à l'oreille, ne laisse pas une seule seconde de répit à son « honorable » correspondant météo local. Soudain, celui-ci devient plus précis : une grosse averse est imminente. Prost anticipe le changement de pneus : il stoppe Trulli et le fournit en pneus mixtes. Le ciel pourtant reste clément. Trulli, qui était chronométré en 1'20'' au tour, descend immédiatement à 1'32'' et perd le contact avec le premier peloton.

Quand la pluie arrive enfin, pas aussi drue que prévu, Trulli remonte un peu. Mais les hommes de tête, Schumacher et Frentzen notamment, roulent en pneus lisses. A l'inverse de Villeneuve et Irvine, en pneus striés. Sur la fin, Villeneuve, en bagarre avec Irvine puis Coulthard, s'égare dans un tête-à-queue dans la voie

Le passage sous la flamme tricolore : la symbolique du GP de France.

des stands. Il redresse avec maestria. Avant de subtiliser, in extremis, la quatrième place à Alesi, au prix d'un rush désespéré et grandiose.

Ce champagne qui jaillit allégrement sur le podium, entre les mains de Schumacher, Frentzen et Irvine, prend manifestement de court les personnalités, Jean Glavany, Jean-Marie Balestre, Daniel Vaillant, le ministre des relations avec le Parlement, et Jacques Régis, le président de la FFSA. Depuis 1993, le podium national était tronqué. Ecclestone a défié la loi Évin parce qu'il sait qu'elle a été bafouée par les navigateurs Christophe Auguin (Vendée Globe Challenge) et Olivier de Kersauzon (Trophée Jules-Verne). En plus, en misant sur l'extraterritorialité du circuit, dans le cadre d'un championnat du monde – thèse qui avait été avancée quelques mois plus tôt lors d'une réunion avec Guy Drut, le ministre des Sports du gouvernement Juppé –, le vice-président de la FIA se protège de toute réaction administrative. Ses avocats lui avaient assuré que les risques étaient minimes : ils sont même inexistants, car aucun ministère n'a osé réagir, après coup.

Pour le duo Schumacher-Ferrari, ce dernier dimanche de juin est un jour de fête. L'Allemand prononce une phrase symétrique de celle qu'il avait lancée la veille : « Je ne peux pas faire plus ! » Bernard Dudot n'est guère loquace : « Maintenant, on sait à qui on a affaire. Il n'est plus question de traîner en route. »

Pendant que Schumacher fonce, sous escorte policière, vers l'aéroport de la Sangsue, Claudio Berro et Jean Todt (une serviette éponge blanche sur ses cheveux imbibés de champagne) rapportent lentement les trophées du podium dans le motor-home Ferrari, avec une satisfaction qu'ils ne dissimulent pas.

Dans le flot de véhicules qui roulent à une allure moyenne et régulière vers la RN 7, Jacques Villeneuve, assis comme passager à l'avant d'une Renault Megane Scenic, est immobile, le regard dans le vide. Si le Québécois avait consenti à tourner son regard, il se serait vu réconforté par ses supporters, indestructiblement confiants.

Villeneuve : tête-à-queue rattrapé avec brio.

GRAND PRIX DE GRANDE-BRETAGNE

9ᵉ MANCHE DU CHAMPIONNAT DU MONDE DES CONDUCTEURS 1997

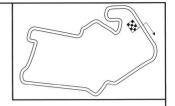

DATE : 13 juillet 1997.
CIRCUIT : Silverstone.
DISTANCE : 59 tours (60 prévus) de 5,143 km, soit 303,437 km (tracé modifié).
MÉTÉO : beau mais nuageux.
ENGAGÉS : 22. QUALIFIÉS : 22. ARRIVÉS : 10. CLASSÉS : 11.
VAINQUEUR : **Jacques Villeneuve** (Williams-Renault) en 1 h 28'01''665 à 206,703 km/h (nouveau record).
RECORD DU TOUR : **Michael Schumacher** (Ferrari) : 1'24''475 à 219,047 km/h.

GRILLE DE DÉPART

VILLENEUVE (Williams-Renault/G) à 226,770 km/h 1'21''598		**Frentzen** (Williams-Renault/G)❶	1'21''732
Hakkinen (McLaren-Mercedes/G)	1'21''797	**M. Schumacher** (Ferrari/G)	1'21''977
R. Schumacher (Jordan-Peugeot/G)	1'22''277	**Coulthard** (McLaren-Mercedes/G)	1'22''279
Irvine (Ferrari/G)	1'22''342	**Wurz** (Benetton-Renault/G)	1'22''344
Herbert (Sauber-Petronas/G)	1'22''368	**Fisichella** (Jordan-Peugeot/G)	1'22''371
Alesi (Benetton-Renault/G)❸	1'22''392	**Hill** (TWR Arrows-Yamaha/B)	1'23''271
Trulli (Prost-Mugen-Honda/B)❸	1'23''366	**Nakano** (Prost-Mugen-Honda/B)	1'23''887
Magnussen (Stewart-Ford/B)	1'24''067	**Diniz** (TWR Arrows-Yamaha/B)	1'24''239
Salo (Tyrrell-Ford/G)	1'24''478	**Katayama** (Minardi-Hart/B)	1'24''553
Verstappen (Tyrrell-Ford/G)	1'25''010	**Marques** (Minardi-Hart/B)	1'25''154
Barrichello (Stewart-Ford/B)	1'25''525	**Fontana** (Sauber-Petronas/G)	1'23''790❷

CLASSEMENT

1. **Jacques Villeneuve** (Williams-Renault FW19) .... en 1 h 28'01''665 à 206,703 km/h
2. **Jean Alesi** (Benetton-Renault B197) .... à 10''205
3. **Alexander Wurz** (Benetton-Renault B197) .... à 22''296
4. **David Coulthard** (McLaren-Mercedes MP4/12) .... à 31''229
5. **Ralf Schumacher** (Jordan-Peugeot 197) .... à 31''880
6. **Damon Hill** (TWR Arrows-Yamaha A18) .... à 1'13''552
7. **Giancarlo Fisichella** (Jordan-Peugeot 197) .... à 1 tour
8. **Jarno Trulli** (Prost-Mugen-Honda JS45) .... à 1 tour
9. **Norberto Fontana** (Sauber-Petronas C16) .... à 1 tour
10. **Tazio Marques** (Minardi-Hart M197) .... à 1 tour
11. **Shinji Nakano** (Prost-Mugen-Honda JS45) .... à 2 tours (abandon)

ABANDONS

Ukyo Katayama (Minardi-Hart M197) : sortie sur problème technique (0 tour) / **Heinz-Harald Frentzen** (Williams-Renault FW19) : sortie sur problème de roue suite à une touchette avec Verstappen (0 tour) / **Pedro Diniz** (TWR Arrows-Yamaha A18) : panne de distribution pneumatique (29 tours), alors 14ᵉ / **Rubens Barrichello** (Stewart-Ford SF-1) : moteur (37 tours), alors 15ᵉ / **Michael Schumacher** (Ferrari 310B) : roulement de roue arrière gauche (38 tours), alors en tête / **Johnny Herbert** (Sauber-Petronas C16) : électronique (42 tours), alors 17ᵉ / **Mika Salo** (Tyrrell-Ford 025) : moteur (44 tours), alors 14ᵉ / **Eddie Irvine** (Ferrari 310B) : demi-arbre de transmission à la roue arrière droite (44 tours), alors 2ᵉ / **Jos Verstappen** (Tyrrell-Ford 025) : moteur (45 tours), alors 14ᵉ / **Jan Magnussen** (Stewart-Ford SF-1) : moteur (50 tours), alors 12ᵉ / **Mika Hakkinen** (McLaren-Mercedes MP4/12) : moteur (52 tours), alors en tête / **Shinji Nakano** (Prost-Mugen-Honda JS45) : moteur (57 tours), alors 6ᵉ, classé 11ᵉ.

EN TÊTE

Villeneuve : les 22 premiers tours, du 38ᵉ au 44ᵉ et les 7 derniers tours, soit 185 km.
M. Schumacher : du 23ᵉ au 37ᵉ tour, soit 77 km.
Hakkinen : du 45ᵉ au 52ᵉ tour, soit 41 km.

A NOTER

Deux procédures de départ, **Frentzen** ayant calé lors de la première et repoussé en dernière position à la seconde.
Sanctionnés d'une course de suspension avec sursis et mise à l'épreuve durant une course pour non-respect de la distance correcte derrière la voiture de sécurité lors du second départ : **Villeneuve**, et quatre courses pour avoir dépassé par deux fois durant la neutralisation : **Fontana**.

❶ Parti en fin de grille.
❷ Temps de qualification annulé pour non-respect de la procédure de pesage, prend le départ en dernière position.
❸ Parti avec le mulet.

Villeneuve : chance méritée

Trois destins croisés dans la campagne anglaise. Les routes respectives de Frank Williams, Damon Hill et Tom Walkinshaw convergent vers Silverstone pour des raisons à la fois différentes et complémentaires. Séquence émotion pour Frank Williams. Le dimanche 14 juillet 1979 – c'était avant-hier –, l'Australien Alan Jones hisse pour la première fois une Williams-Ford en pole position, précisément dans le GP de Grande-Bretagne. « Je me souviens de cette performance : Alan avait tourné à plus de 234 km/h de moyenne : personne ne lui résistait ! » confie spontanément Williams, sans avoir besoin de puiser dans sa mémoire. C'est pourtant Clay Regazzoni, le Suisse de Lugano, qui (à quelques jours de son 40ᵉ anniversaire) donnait à l'écurie Williams la première de ses quatre-vingt-dix-neuf victoires, le moteur de Jones n'ayant pas tenu.

En 1997, depuis Barcelone, Williams court après son fatidique centième succès. « La vie m'a appris à ne plus être pressé », soupire-t-il avec nostalgie, les traits éclairés par un furtif sourire. Le présent ne le réconforte pas. « En 1996, avant Silverstone, dit-il, nous totalisions 101 points, Damon en avait 63 pour lui et Jacques 38. Cette année, nous n'en avons que 43 : 30 pour Jacques et 13 pour Heinz-Harald. En plus, Ferrari nous précède. »

En raison de son immobilisation forcée (depuis 1986), Williams n'en finit jamais

Tom Walkinshaw : des propos mordants.

de concentrer ses pensées sur son écurie, ses pilotes, ses techniciens, son entreprise, la course, etc. Cet homme à l'autorité glacée assume toutes ses décisions, les bonnes comme les autres. « C'est sa raison de survivre. Il nous faut le comprendre, même dans ses choix qui échappent à notre jugement », a observé un jour Christian Contzen, avec une estime indulgente (« Frank est un partenaire impeccable ») et logique. Bref, pour Williams, plus anglais que n'importe quel autre citoyen du Royaume-Uni, une « centième » à Silverstone revêtirait une signification inestimable. Autour de lui, ses proches partagent ce secret espoir informulé. Williams lâche une précieuse indication : « J'ai beaucoup aimé les trois derniers tours de Villeneuve à Magny-Cours. »

Précisément, à Magny-Cours, deux semaines auparavant, Tom Walkinshaw avait le regard sombre en attendant Damon Hill dans son motor-home, après la course : il avait mal supporté de voir l'Arrows du champion du monde terminer à trois tours du vainqueur. « Tu gaspilles ton talent », avait lancé Walkinshaw à son pilote vedette. Depuis Melbourne, en fait, Hill n'a fini que deux fois (Montréal et Magny-Cours). Et ce bilan ne correspond pas au schéma que Walkinshaw s'était fixé pour sa saison 1997. Hill ne l'ignore pas.

Aussi bien, dans son motor-home, en ce jeudi désœuvré, Walkinshaw déballe ce qu'il a sur le cœur : « Je ne crois pas qu'un professionnel de la dimension de Damon puisse manquer de motivation en course. Au contraire : il devrait tourner en permanence à 110 % de ses moyens. » Walkinshaw n'émet aucune allusion au traitement en or massif qu'il a réservé à Hill. C'est inutile, car les redoutables tabloïds anglais s'en chargent en termes outranciers.

En gros, idolâtré hier, Damon Hill est accusé aujourd'hui de ne pas se dépenser assez au volant de son Arrows-Yamaha en échange des millions (de dollars) que lui verse Walkinshaw. Cette affaire agite le paddock et, par extension, remue toute la Grande-Bretagne. Hill se défend de son mieux sans (trop) polémiquer : « L'argent n'est pas une solution. Cette année est aussi difficile pour Tom que pour moi. »

Damon Hill, héros anglais devant la foule de ses compatriotes.

Bon avocat, Michael Breen, qui rôdait par là, n'était averti de rien.

Ici et là, chacun a son opinion. Jean Alesi soutient ouvertement Damon Hill : «J'ai beaucoup de respect pour Damon. Il travaille de son mieux sur sa machine.» Jackie Stewart révèle : «En 1996, j'avais proposé un volant à côté de Barrichello. Mais Damon a préféré Arrows.» Frank Williams indique : «J'ai moi-même expliqué à Tom que Damon était un régleur accompli et un pilote de haut rendement.» En vérité, nul n'ose ternir l'image du champion du monde en insistant, peu ou prou, sur l'aspect financier de cette mésentente Hill-Walkinshaw. Entre gentlemen, il n'est pas de bon ton d'évoquer des considérations aussi mercantiles.

Alors que le public anglais se réjouit d'applaudir Hill (dont la cote personnelle est très forte) sur une monoplace ornée du numéro 1, le même Hill est critiqué dans son propre environnement sportif. Un certain consensus se dessine : nul ne conteste la classe de Damon Hill (toutes les sollicitations qu'il a reçues le démontrent), pas plus que l'ampleur de l'investissement en technologie (6 millions de dollars, soit 3,6 millions de francs) de Walkinshaw chez Arrows. Mais le dysfonctionnement Hill-Arrows-Walkinshaw est manifeste.

Aux premiers essais du vendredi matin, Hill est vingtième à 3"875 de Mika Hakkinen, et l'après-midi il se classe quinzième à 2"725 de Villeneuve. Entre les deux séances, l'Anglais est quand même passé devant son équipier, Pedro Diniz. Par deux fois, Walkinshaw s'est pris la tête dans les mains.

Le jeudi après-midi, un appareil d'Aeroleasing a atterri à Oxford. Alain Prost, Jacques Laffite et Cesare Fiorio avaient quitté Le Bourget le matin à destination de Quimper, pour rendre visite à Olivier Panis, au *Thalasstonic*, à Tréboul-Douarnenez. Prost tenait à se rendre compte par lui-même du degré de rétablissement de Panis et des progrès de sa rééducation.

Il passe des heures instructives auprès de Panis. Laffite, volubile, lui recommande de recevoir des visites, de s'extérioriser, de s'évader du cadre de l'établissement pour se dépenser un peu. Prost avance quelques suggestions sur la préparation mentale de Panis. En vérité, le quadruple champion du monde, qui n'a jamais accepté la moindre inactivité forcée, appréhende que Panis ne se laisse aller. Patrick Chamagne, qui ne l'a pas lâché d'une semelle depuis le

15 juin, rassure Prost. D'ici peu, Panis s'aventurera sur un court de tennis.

Dans son vol vers Oxford, Prost compare ses impressions avec celles de Laffite et Fiorio. A très court terme, après concertation avec ses partenaires, Prost concrétisera son intention de prolonger (sur deux ans) le contrat de Panis. « Moi, lors de mon accident de 1986, je m'ennuyais tellement qu'un jour, pour me distraire, Guy Ligier me proposa son carnet de chèques. Il me signa sur-le-champ un chèque de 20 000 francs. Comme ça. Sur un réflexe gratuit », coupe Laffite. Prost est interloqué.

Villeneuve l'a claironné : « Je n'ai plus le droit à l'erreur. » Cette référence à Montréal le galvanise. Williams, Head, Dudot et tous leurs compagnons l'approuvent. Chez Ferrari, Corinna Schumacher se lance dans les statistiques : « Il manque trois GP, Australie, Argentine et Grande-Bretagne, au palmarès de Michael. Ce week-end, il peut combler au moins une lacune… » Le double champion du monde ne se sent pas en terrain favorable ici. Il a récapitulé : 1994, drapeau noir ; 1995, collision avec Hill ; 1996, abandon au troisième tour. Schumacher corrige cette fatalité d'une brève appréciation : « Depuis le Canada, je me sens plus optimiste. Nous

ne sommes pas mal armés pour continuer. » Cette prudence verbale est inspirée par Jean Todt.

Le vendredi, Hakkinen domine le lot, 1'22"935. Villeneuve, 1'23"266, et Frentzen, 1'23"327, le suivent à distance. Herbert, 1'23"581, devance plus nettement les Ferrari, 1'24"132 pour Michael Schumacher et 1'24"424 pour Irvine. « Il m'en reste sous le pied », promet le Québécois, qui s'estime en déficit d'une demi-seconde sur son meilleur temps potentiel. Alesi déplore une carence de rendement de sa machine. Il n'est pas du tout satisfait de son temps, 1'23"785. Sa concertation avec Pat Symonds, son directeur technique, est tendue. De retour à son hôtel de Buckingham, il songe à tester le mulet. « Je veux jouer le tout pour le tout », assure-t-il.

Aux essais officiels, un hôte de marque se tient dans le stand Ferrari. Le célèbre restaurateur Guy Savoy, ami personnel de Jean Todt, passe quarante-huit heures, avec son épouse Danielle, dans l'intimité de la Scuderia. Il s'amuse : « Jean, au moins, n'est pas superstitieux. La dernière fois qu'il m'avait invité, le 28 août 1994 à Spa, les deux Ferrari de Jean Alesi et Gerhard Berger avaient très vite abandonné. » Sur le muret de piste, Todt n'a pas entendu l'anecdote.

Philippe Gurdjian et Guy Savoy, captivés.

Ils ne sont que trois à se disputer la pole position. A 13 h 13, Villeneuve est le meilleur, 1'22"163. Cinq minutes plus tard, Hakkinen pousse sa McLaren-Mercedes à 1'21"797. Les minutes s'égrènent sans menacer le Finlandais. Michael Schumacher se bloque : 1'21"977. Soudain, à 13 h 55, Frentzen surprend tous ses adversaires, 1'21"732. A 13 h 59, Villeneuve termine en apothéose, 1'21"598. Autour de Hakkinen, les visages se ferment : il est trop tard pour riposter.

LE RETOUR DE LA « THÉIÈRE JAUNE »

Le jeudi soir, Renault UK a convié des amis anglais à un dîner à l'hôtel *Vine House,* à Paulerspurry, en pleine campagne. En sortant dans la nuit fraîche, ils découvrent, au centre du village, la première Renault Turbo RS 01, une machine jaune et noir qui avait débuté le 14 juillet 1977 a Silverstone. Une foule enthousiaste se presse autour de cette monoplace que Ken Tyrrell avait baptisée la « théière jaune ».

Le lendemain, la RS 01 trône dans le paddock de Silverstone. Des centaines de visiteurs la photographient sous tous les angles. Les plus audacieux se font photographier à côté de cette machine de vingt ans d'âge.

Pour ses adieux à la Formule 1, Renault remonte le cours de sa propre histoire.

La bonne vieille Renault turbo RS 01, chargée de nostalgie.

Villeneuve : des autographes dans toutes les positions.

Hakkinen : le panache avant un abandon en rase campagne.

Le Québécois est radieux : « C'est à Frentzen que je dois mon temps. Il m'a inspiré. Avec, en plus, la chance d'un tour clair, je me suis bien battu. » Les écarts entre les quatre premiers sont étroits : Frentzen est à 134/1000, Hakkinen à 199/1000 et Michael Schumacher à 379/1000. Ce dernier est réaliste : « Il ne suffit pas d'avoir les Williams dans sa ligne de mire, il faut surtout les battre. » Alesi, 1'22"392, est mal à l'aise : « J'ai besoin d'un gros coup de chance pour la course. » Hill, 1'23"271, ne dit rien. Son avocat, Michael Breen, noue des contacts avec qui le lui demande.

Désinvolte, Damon Hill déambule sur la grille de départ près de Coulthard, Fisichella, Ralf et Michael Schumacher... Ce manège laisse Walkinshaw de marbre. Hill s'est enivré de salves d'applaudissements. Pour avoir calé au départ, Frentzen est rétrogradé en fond de grille. Au vrai départ, Villeneuve fonce en flèche, avec Michael Schumacher (qui a bien exploité le champ dégagé par Frentzen), Coulthard, Hakkinen, Herbert, Ralf Schumacher, Irvine, Alesi.

Deuxième erreur du jour pour Frentzen : sorti de la piste, il ne boucle même pas le premier tour. Villeneuve contrôle bien les opérations et laisse Michael Schumacher mener pendant 15 tours. Sur son premier ravitaillement, Villeneuve a perdu 53". Il cravache pour revenir. Hakkinen a pris le meilleur sur Coulthard et Alesi est très bien revenu sur la tête. Au deuxième arrêt, le Québécois est derrière Hakkinen, qui ne s'en laisse pas conter. Villeneuve, qui a appris l'abandon de Michael Schumacher, harcèle Hakkinen à 0"76, trahi par une rupture de son V10 Mercedes.

Une voie triomphale s'offre alors au Québécois, qui a bien forcé la chance à lui sourire. Peu après, Nakano, alors sixième et en lutte avec Damon Hill, est trahi à son tour par son V10 Mugen-Honda. Pour Hill, c'est une aubaine tombée du ciel :

Dès le premier mètre, Villeneuve avait affirmé ses ambitions.

après 8 GP de galère, il récolte 1 point. Les 110 000 Anglais de Silverstone chavirent de bonheur et scandent son nom. Dans le parc fermé, Hill lève les bras en un geste qu'il avait oublié depuis le 13 octobre 1996 à Suzuka. Georgie, sa jeune femme, en a les larmes aux yeux. Walkinshaw, tout ragaillardi, serre Hill dans ses bras comme s'il n'avait pas vu son «vieil ami Damon» depuis une éternité.

De son côté, du haut de son podium, Villeneuve considère son bilan avec un optimisme régénéré. «J'ai bien attaqué Mika», observera-t-il un peu plus tard, entre Sandrine Gros d'Aillon et Craig Pollock. Ses deux compagnons de podium, Jean Alesi et Alexander Wurz, le duo de Benetton-Renault, se congratulent allégrement. «Notre stratégie d'un seul arrêt a été payante. Et puis la voiture marchait de mieux en mieux», s'émerveille le Français, passé de l'enfer d'une onzième place sur la grille au paradis d'une deuxième sur le podium. Au passage, il conforte son troisième rang mondial.

Dans son motor-home, Frank Williams n'a pas besoin de s'exprimer longuement. «Cette centième en terre anglaise, c'est l'histoire de l'écurie qui recommence. Au Canada, on nous avait donnés comme morts. Nous sommes revenus chez les vivants.» Dans sa tête, Williams a déjà programmé sa trajectoire vers la 150e victoire. Voire la 200e.

Damon Hill : au bonheur d'un point.

GRAND PRIX D'ALLEMAGNE
10ᵉ MANCHE DU CHAMPIONNAT DU MONDE DES CONDUCTEURS 1997

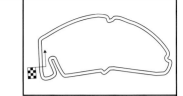

DATE : 27 juillet 1997.
CIRCUIT : Hockenheim.
DISTANCE : 45 tours de 6,823 km, soit 307,035 km.
MÉTÉO : beau et chaud.
ENGAGÉS : 22. QUALIFIÉS : 22. ARRIVÉS : 10. CLASSÉS : 11.
VAINQUEUR : **Gerhard Berger** (Benetton-Renault) en 1 h 20'59''046 à 227,477 km/h (nouveau record).
RECORD DU TOUR : **Gerhard Berger** (Benetton-Renault) : 1'45''747 à 232,278 km/h.

GRILLE DE DÉPART

BERGER (Benetton-Renault/G) .... à 241,112 km/h 1'41''873	**Fisichella** (Jordan-Peugeot/G) .... 1'41''896
Hakkinen (McLaren-Mercedes/G) .... 1'42''034	**M. Schumacher** (Ferrari/G) .... 1'42''181
Frentzen (Williams-Renault/G) .... 1'42''421	**Alesi** (Benetton-Renault/G) .... 1'42''493
R. Schumacher (Jordan-Peugeot/G) .... 1'42''498	**Coulthard** (McLaren-Mercedes/G) .... 1'42''687
Villeneuve (Williams-Renault/G) .... 1'42''967	**Irvine** (Ferrari/G)❶ .... 1'43''209
Trulli (Prost-Mugen-Honda/B) .... 1'43''226	**Barrichello** (Stewart-Ford/B) .... 1'43''272
Hill (TWR Arrows-Yamaha/B) .... 1'43''361	**Herbert** (Sauber-Petronas/G) .... 1'43''660
Magnussen (Stewart-Ford/B)❶ .... 1'43''927	**Diniz** (TWR Arrows-Yamaha/B) .... 1'44''069
Nakano (Prost-Mugen-Honda/B) .... 1'45''112	**Fontana** (Sauber-Petronas/G) .... 1'44''552
Salo (Tyrrell-Ford/G)❶ .... 1'45''372	**Verstappen** (Tyrrell-Ford/G) .... 1'45''811
Marques (Minardi-Hart/B) .... 1'45''942	**Katayama** (Minardi-Hart/B) .... 1'46''499

CLASSEMENT
1. **Gerhard Berger** (Benetton-Renault B197) .... en 1 h 20'59''046 à 227,477 km/h
2. **Michael Schumacher** (Ferrari 310B) .... à 17''527
3. **Mika Hakkinen** (McLaren-Mercedes MP4/12) .... à 24''770
4. **Jarno Trulli** (Prost-Mugen-Honda JS45) .... à 27''165
5. **Ralf Schumacher** (Jordan-Peugeot 197) .... à 29''995
6. **Jean Alesi** (Benetton-Renault B197) .... à 34''717
7. **Shinji Nakano** (Prost-Mugen-Honda JS45) .... à 1'19''722
8. **Damon Hill** (TWR Arrows-Yamaha A18) .... à 1 tour
9. **Norberto Fontana** (Sauber-Petronas C16) .... à 1 tour
10. **Jos Verstappen** (Tyrrell-Ford 025) .... à 1 tour
11. **Giancarlo Fisichella** (Jordan-Peugeot 197) .... à 5 tours (abandon)

ABANDONS
Tazio Marques (Minardi-Hart M197) : problème d'embrayage sur la grille (0 tour) / **Eddie Irvine** (Ferrari 310B)❶ : accrochage avec Frentzen et incendie au stand (1 tour) / **Heinz-Harald Frentzen** (Williams-Renault FW19) : accrochage avec Irvine (1 tour) / **David Coulthard** (McLaren-Mercedes MP4/12) : transmission suite touchette avec Frentzen (1 tour) / **Pedro Diniz** (TWR Arrows-Yamaha A18) : accrochage avec Herbert (8 tours), alors 12ᵉ / **Johnny Herbert** (Sauber-Petronas C16) : accrochage avec Diniz (8 tours), alors 11ᵉ / **Ukyo Katayama** (Minardi-Hart M197) : panne d'essence sur problème radio suite touchette avec Verstappen (23 tours), alors 14ᵉ / **Jan Magnussen** (Stewart-Ford SF-1)❶ : moteur (27 tours), alors 11ᵉ / **Mika Salo** (Tyrrell-Ford 025)❶ : embrayage (33 tours), alors 13ᵉ / **Rubens Barrichello** (Stewart-Ford SF-1) : moteur (33 tours), alors 9ᵉ / **Jacques Villeneuve** (Williams-Renault FW19) : tête-à-queue en lutte avec Trulli (33 tours), alors 5ᵉ / **Giancarlo Fisichella** (Jordan-Peugeot 197) : radiateur crevé suite pneu éclaté sur débris (40 tours), alors 2ᵉ, classé 11ᵉ.

EN TÊTE
Berger : les 17 premiers et les 21 derniers tours, soit 259 km.
Fisichella : du 18ᵉ au 24ᵉ tour, soit 48 km.

A NOTER
❶ Partis avec le mulet.

Berger : retour de flamme

Son retour à la course, Gerhard Berger l'attaque par des essais privés à Monza, le 15 juillet. Sa joie est assombrie par l'accident mortel de son père, Johannis (62 ans), dans un avion privé. Le 14 juillet, Berger assiste aux obsèques de son père. Le lendemain, après 52 jours de vacances forcées, il tourne intensément aux commandes de sa Benetton-Renault B 197. Son stoïcisme force l'admiration : il a subi trois opérations en un court laps de temps et il a perdu son père, le 9 juillet, sur un contrefort du Tyrol.

Il a rejoint le petit aérodrome de Spire, après un crochet de détente par Monaco. Heinz-Harald Frentzen atterrit, peu après lui, sur son Cessna. Les deux hommes échangent quelques mots de courtoisie.

Depuis sa victoire de Melbourne, David Coulthard n'a jamais eu le loisir de se rendre à Stuttgart, au siège de Mercedes. Lacune comblée : en préambule au GP d'Allemagne, Coulthard et Mika Hakkinen consacrent une journée entière, le mercredi 23 juillet, à une visite d'usine qui est surtout un bain de foule chez les collaborateurs de Mercedes. La ferveur du personnel de Mercedes est impressionnante : Coulthard et Hakkinen signent, chacun, plus de 1 000 posters pendant deux heures dans le musée Mercedes.

Disciplinés et admiratifs, les Allemands font la queue, sur plus de 500 m, pour approcher leurs pilotes et leur parler, même

Gerhard Berger : la résurrection.

brièvement. A tous, Coulthard et Hakkinen promettent inlassablement un deuxième succès 1997. A Hockenheim, évidemment, dans quatre jours. « C'est un circuit qui valorise la puissance des moteurs, puisque nous couvrons les trois quarts de chaque tour à pleine charge motrice », assurent l'Écossais et le Finlandais.

Au gré de ce voyage, Ron Dennis s'est entretenu discrètement avec Jurgen Hubbert, le patron des véhicules particuliers de Mercedes, et Norbert Haug, le directeur de Mercedes Motorsport, à propos des pilotes 1998. Les deux titulaires, Coulthard et Hakkinen, sont alternativement louangés ou critiqués, selon leurs résultats. « Le choix sera délicat », a prédit, peu avant, Haug qui, à longueur d'année, assure une liaison directe entre Hubbert et Dennis.

Quand il évoque le nom de Damon Hill, Dennis suscite un réel intérêt chez ses interlocuteurs. Le champion du monde a un sérieux avocat dans la place : l'ingénieur Adrian Newey (ex-Williams), recruté par McLaren sur la base de 2 millions de dollars par an (12 millions de francs, soit presque le double de ce qu'il recevait chez Williams). « Avec l'apport de Newey, un aérodynamicien de pointe, le rendement de la voiture sera amélioré, dès cette année. Et d'autre part, Hill est un excellent metteur au point », assure Dennis, attentivement écouté par les deux Allemands.

En conclusion, Hubbert et Haug accordent à Dennis la liberté de manœuvre qu'il souhaite. A une restriction près : maintenir pour 1998 un duo de pilotes complémentaires et compétitifs. Aucun autre nom n'est sérieusement avancé entre les trois hommes.

Le jeudi 24 juillet, en début d'après-midi, Damon Hill débarque à son tour à Spire, assez tendu, entouré de Pedro Diniz, Daniele Morelli, Dominique Sappia et Carlos Brunoro, ses compagnons de voyage qu'il a rencontrés, deux heures plus tôt, sur le petit aéroport de Cannes-Mandelieu. Le champion du monde se dirige, dans une Opel Calibra de location, vers le circuit d'abord puis vers l'hôtel *Vorfelder*, à Walldorf, où l'attend son avocat Michael Breen.

A plus de 22 h 30, ce même soir, les deux Anglais discutent encore intensément en

Damon Hill, devant Diniz : en quête de confirmation.

Willi Weber-Ralf Schumacher : dialogue intéressé.

tête à tête, dans une petite salle à manger, à l'écart de tous. Ils auraient aimé élargir leur concertation à Tom Walkinshaw, le directeur d'Arrows. Mais ce dernier se fait attendre. Breen a tout loisir de dresser à Hill l'état de ses pourparlers (très difficiles) avec Ron Dennis.

De leur côté, en guise d'avant-propos à leur double présence dans le GP d'Allemagne, les frères Schumacher ont donné, le mardi soir, une exhibition de kart à Berlin : Michael arborait le numéro 1 et Ralf le numéro 2. Ils se sont affrontés, en un duel singulier, devant une foule en délire. Le mercredi, ils inaugurent, toujours ensemble, le tout nouveau «Michael Schumacher Kart Center» de Kerpen, flambant neuf, étalé sur 6 000 m².

Willi Weber, le manager des deux Schumacher, se frotte les mains. «J'ai sous contrat les deux meilleurs pilotes du monde», lance-t-il avec emphase (et exagération) à ses invités de Kerpen. La mine gourmande, il révèle qu'il a spécialement confectionné 50 000 casquettes Schumacher pour ce week-end de Hockenheim : 40 000 au nom de Michael et 10 000 à celui de Ralf.

Andreas Meyer, le promoteur de Hockenheim, ne peut pas, lui, se frotter les mains. «Nous atteignons le maximum. Le circuit ne contient pas plus de 83 000 places assises. Comme il est coincé entre deux autoroutes, toute expansion nous est interdite», expose-t-il. De plus, poussée par ses ressortissants (19 000 résidents), la municipalité de Hockenheim refuse toute extension des parkings, extérieurs au circuit.

Pendant plusieurs semaines, Andreas Meyer a demandé l'autorisation de construction d'une tribune supplémentaire après la deuxième chicane, en étant fort de l'appui de Mercedes qui souhaitait acheter toutes les places (6 000) pour ses invités et s'engageait à les transporter dans des autocars spéciaux. Les autorités de Hockenheim ont tout repoussé en bloc.

«C'est inévitable, prédit Meyer, Hockenheim est condamné à terme.» L'Allemand ne s'inquiète pas outre mesure : des plans d'élaboration d'un nouveau circuit aux alentours de Berlin existent déjà. Ce gigantesque projet est chiffré à 460 millions de marks (soit près de 2 milliards de francs).

Pour l'heure, l'approche des premiers essais du vendredi déclenche des confidences intéressantes. Ross Brawn fait l'éloge de la Scuderia : «Je travaille avec des gens enthousiastes et avides de réussite.» Michael Schumacher ajoute : «Je garantis la stabilité positive de la F 310 B. Désormais, nous avons fini de louvoyer : nous suivons une ligne directrice, toujours dans le même sens.» Cette évidence rationnelle stimule le Schumacher de Ferrari, conforté par ailleurs par la confiance de trois de ses compatriotes sur quatre. En effet, d'après un vaste sondage récent, 74 % des Allemands le voient cette année triple champion du monde. En face de lui, Frentzen n'existe pas.

En retrait de cette agitation autour de Ferrari, Jean Alesi, très heureux de retrouver Berger (il a assisté à l'enterrement de son père, avec Todt et Briatore), prend ses distances avec Benetton et se met, sans se cacher, sur le marché des pilotes. Il mène en personne ses premières négociations.

L'accès à Hockenheim, au milieu d'une double muraille humaine, vaut son pesant de pittoresque. Villeneuve se dissimule, sous une couverture, à l'arrière d'une Renault Espace conduite par Craig Pollock. Michael Schumacher roule dans un fourgon anonyme, la tête masquée. Seuls Coulthard et Hakkinen étrennent, à faible allure dans une foule compacte, la toute récente Mercedes Classe A qu'ils viennent d'essayer sur le tracé maison de Mercedes à Untertürkheim. Récupérateur de la renommée de son frère, Ralf Schumacher ne craint pas d'affirmer : «Je suis en année d'apprentissage, mais je me sens prêt à re-

Mika Hakkinen et David Coulthard : à chacun sa classe A.

joindre mon frère Michael.» Pour justifier sa candidature, il est le meilleur aux essais du vendredi en 1'46"196 devant Michael, 1'46"322, sur une piste humide. Les tribunes du stadium agitent des milliers de casquettes Schumacher. L'effet d'idolâtrie est atteint.

Déterminé, Jacques Villeneuve ne se donne qu'un impératif : accélérer sa course-poursuite sur Michael Schumacher. Sur les quatre FW19/5 transportées à Hockenheim, trois sont, de principe, affectées au Québécois. «Sans parler d'état d'urgence, il y a nécessité d'adapter sa stratégie aux circonstances, autour de Jacques», commente Bernard Dudot, qui accorde toujours une signification probante à Hockenheim, test suprême pour les moteurs. Frentzen est retombé dans une phase relationnelle ambiguë avec ses techniciens. Head, sarcastique, le souligne : «Contrairement à ce que l'on pense, Frentzen n'a pas été invité, depuis Silverstone, à venir à l'usine.» L'Allemand ne bronche pas.

Aux essais officiels, à 13 h 07, Hakkinen donne le ton : 1'42"516. Mais à 13 h 15, en 5 tours, Berger progresse nettement : 1'42"086. C'est un grand moment. Berger

peut voir venir. Les assauts de Michael Schumacher, 1'42"181, et Frentzen, 1'42"421, restent vains. 13 h 42 : Berger réapparaît encore plus fort, 1'41"873. C'est sa première pole depuis le 26 août 1995 à Spa (1'54"392 sur Ferrari) et la première d'une Benetton-Renault depuis le

Berger vers la victoire : le vétéran vous salue bien !

Hakkinen dans ses œuvres, avec un podium à la clé.

Pour Frentzen, l'aventure allemande est prestement avortée.

28 octobre 1995 à Suzuka (Michael Schumacher, 1'38''023). Une minute après, Fisichella se surpasse, 1'41''896.

Inédite, cette première ligne Renault-Peugeot est contrastée : Berger (37 ans) est un baroudeur d'élite, Fisichella (23 ans) s'aligne ici, en Formule 1, pour la première fois. Berger s'épanche avec des mots soigneusement choisis : « Cette pole, je la savoure en priorité pour moi. Le reste… » L'Italien, qui a manqué la pole pour 23/1000, exulte : « Je suis autant heureux pour Gerhard que pour moi. Ma voiture est parfaite. » Michael Schumacher est à l'affût.

Où est donc passé Villeneuve ? Il n'est qu'en cinquième ligne, 1'42''967, au niveau d'Irvine, 1'43''209. Une crise ponctuelle agite Williams-Renault. La tête basse, Villeneuve se plaint : « Je ne suis pas plus content du moteur que du châssis. » Il accuse un certain découragement. Il se sent entouré d'incompréhension. Le soir, il dîne à l'hôtel *Holiday Inn*, à Walldorf, sans le moindre appétit. Craig Pollock et Sandrine Gros d'Aillon ne le dérident pas.

Le dimanche matin, Damon Hill et Gerhard Berger règlent leur note d'hôtel, au *Vorfelder*, pratiquement ensemble. L'Anglais est morose, l'Autrichien décontracté.

Deux policiers les attendent et leur ouvrent la route vers Hockenheim, sans hésiter à couper à travers champs. La Mercedes 600 du champion du monde supporte bien ce traitement de 4×4.

Berger attend le départ avec le calme d'un vieux briscard. Fisichella, lui, ne tient pas en place. D'entrée, Berger s'installe en tête. Il amorce le premier virage devant Fisichella et Michael Schumacher, sans aucun souci. Frentzen et Irvine sont déjà dans le décor, tout comme Coulthard. Au deuxième passage, Berger possède 2''58 d'avance sur Fisichella, 3'' sur Schumacher, 4''70 sur Hakkinen, 6''02 sur Alesi,

Fisichella trahi par une roue abîmée.

7'' sur Villeneuve, remarquablement extirpé du peloton. L'Autrichien donne une démonstration. Après un premier ravitaillement, il concède à Fisichella un intérim en tête de 7 tours. Pour amuser la galerie. Derrière, son pneu arrière gauche en lambeaux, Fisichella a lâché. Michael Schumacher et Hakkinen suivent, avec Trulli, très opiniâtrement remonté, qui a dépassé Villeneuve «à la limite». Parti en tête-à-queue, le Québécois a tout perdu. Berger fonce avec panache vers sa 10e victoire, la plus belle de sa trajectoire en Formule 1.

L'Autrichien est le premier à s'en amuser : «Il ne fallait pas me laisser la pole et une route dégagée. Avec Giancarlo dans mes roues, je n'avais pas intérêt à com-

Très en verve, Trulli met la pression sur Villeneuve.

mettre une erreur !» A son retour chez Benetton, Berger avoue : «J'ai vécu une journée magique.» Il a aussi redoré le blason de Benetton. Sans perdre une seconde, Briatore s'est précipité auprès d'Alain Prost : «Alors, je te l'avais bien annoncé : Jarno est un tout bon.» Le même Trulli est sur la table de massage de Gressot.

Avant de s'envoler vers Nice, pour assister à un concert de Michael Jackson, Villeneuve bavarde avec Trulli. Sans trop d'acrimonie. Le Québécois met les choses au point. «Tu n'es pas un gamin», lance Villeneuve (26 ans) à Trulli (23 ans). Assez fatigué, Michael Schumacher sourit en mesurant son écart (10 points) avec Villeneuve : «J'ai tiré le maximum de ma voiture et des circonstances.» A côté, Jean Todt tente de sonder Irvine qui répète : «J'avais pourtant pris un bon départ.»

L'option de l'Irlandais chez Ferrari expire le 31 juillet. Il lui faut se justifier. Et travailler. Deux jours d'essais l'attendent à Monza, tout comme sa confirmation chez Ferrari pour 1998. Entre-temps, ayant acquis un Jet Falcon de 3,5 millions de dollars (21 millions de francs), il s'exclamera : «J'ai déjà eu quatre podiums cette année, j'en vise huit !»

Michael Schumacher en chauffeur de luxe pour Fisichella.

Pour Berger, deux brillants dauphins, Michael Schumacher et Hakkinen.

GRAND PRIX DE HONGRIE
11e MANCHE DU CHAMPIONNAT DU MONDE DES CONDUCTEURS 1997

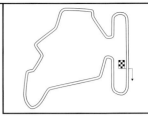

DATE : 10 août 1997.
CIRCUIT : Hungaroring (Budapest).
DISTANCE : 77 tours de 3,968 km, soit 305,536 km.
MÉTÉO : beau, chaud et venteux.
ENGAGÉS : 22. QUALIFIÉS : 22. ARRIVÉS : 12. CLASSÉS : 13.
VAINQUEUR : **Jacques Villeneuve** (Williams-Renault) en 1 h 45'47''149 à 173,295 km/h (nouveau record).
RECORD DU TOUR : **Heinz-Harald Frentzen** (Williams-Renault) : 1'18''372 à 182,269 km/h.

GRILLE DE DÉPART

M. SCHUMACHER (Ferrari/G)❶ à 191,301 km/h 1'14''672		**Villeneuve** (Williams-Renault/G)	1'14''859
Hill (TWR Arrows-Yamaha/B)	1'15''044	**Hakkinen** (McLaren-Mercedes/G)	1'15''140
Irvine (Ferrari/G)	1'15''424	**Frentzen** (Williams-Renault/G)	1'15''520
Berger (Benetton-Renault/G)	1'15''699	**Coulthard** (McLaren-Mercedes/G)	1'15''705
Alesi (Benetton-Renault/G)	1'15''905	**Herbert** (Sauber-Petronas/G)	1'16''138
Barrichello (Stewart-Ford/B)	1'16''138	**Trulli** (Prost-Mugen-Honda/B)	1'16''297
Fisichella (Jordan-Peugeot/G)	1'16''300	**R. Schumacher** (Jordan-Peugeot/G)	1'16''686
Morbidelli (Sauber-Petronas/G)	1'16''766	**Nakano** (Prost-Mugen-Honda/B)	1'16''784
Magnussen (Stewart-Ford/B)	1'16''858	**Verstappen** (Tyrrell-Ford/G)	1'17''095
Diniz (TWR Arrows-Yamaha/B)	1'17''118	**Katayama** (Minardi-Hart/B)	1'17''232
Salo (Tyrrell-Ford/G)	1'17''482	**Marques** (Minardi-Hart/B)	1'18''020

CLASSEMENT

1. **Jacques Villeneuve** (Williams-Renault FW19) en 1 h 45'47''149 à 173,295 km/h
2. **Damon Hill** (TWR Arrows-Yamaha A18) à 9''079
3. **Johnny Herbert** (Sauber-Petronas C16) à 20''445
4. **Michael Schumacher** (Ferrari 310B)❶ à 30''501
5. **Ralf Schumacher** (Jordan-Peugeot 197) à 30''715
6. **Shinji Nakano** (Prost-Mugen-Honda JS45) à 41''512
7. **Jarno Trulli** (Prost-Mugen-Honda JS45) à 1'15''552
8. **Gerhard Berger** (Benetton-Renault B197) à 1'16''409
9. **Eddie Irvine** (Ferrari 310B) à 1 tour (abandon)
10. **Ukyo Katayama** (Minardi-Hart M197) à 1 tour
11. **Jean Alesi** (Benetton-Renault B197) à 1 tour
12. **Tazio Marques** (Minardi-Hart M197) à 2 tours
13. **Mika Salo** (Tyrrell-Ford 025) à 2 tours

ABANDONS

Jan Magnussen (Stewart-Ford SF-1) : problème direction suite touchette avec Morbidelli (5 tours), alors 22e / **Gianni Morbidelli** (Sauber-Petronas C16) : problème moteur (7 tours), alors 21e / **Mika Hakkinen** (McLaren-Mercedes MP4/12) : problème hydraulique (12 tours), alors 3e / **Heinz-Harald Frentzen** (Williams-Renault FW19) : rupture du clapet anti-retour de la trappe de ravitaillement d'essence (29 tours), alors en tête / **Rubens Barrichello** (Stewart-Ford SF-1) : moteur (29 tours), alors 10e / **Giancarlo Fisichella** (Jordan-Peugeot 197) : tête-à-queue en voulant dépasser M. Schumacher (42 tours), alors 6e / **Pedro Diniz** (TWR Arrows-Yamaha A18) : problème électrique, alternateur (53 tours), alors 10e / **Jos Verstappen** (Tyrrell-Ford 025) : boîte de vitesses bloquée en raison d'une chute de pression d'air (61 tours), alors 14e / **David Coulthard** (McLaren-Mercedes MP4/12) : problème électrique, alternateur (65 tours), alors 3e / **Eddie Irvine** (Ferrari 310B) : accroché par Nakano (76 tours), alors 6e, classé 9e.

EN TÊTE

Schumacher : les 10 premiers tours, soit 40 km.
Hill : du 11e au 25e tour et du 30e à l'avant-dernier tour, soit 246 km.
Frentzen : du 26e au 29e tour, soit 16 km.
Villeneuve : le dernier tour, soit 3 km.

A NOTER

Retour de Morbidelli après 3 GP d'absence.

❶ Parti sur le mulet après coque endommagée au warm-up.

Villeneuve : un tour suffit

L e jeudi matin 8 août, Gerhard Berger, en tee-shirt et pantalon de toile beige, pénètre, peu avant 8 heures, dans le restaurant du *Kempinski Hotel* de Budapest. Deux hommes se lèvent en le voyant. Avant de s'asseoir avec ses interlocuteurs, deux Autrichiens en provenance de Graz qui lui proposent des opérations promotionnelles pour le GP d'Autriche, renaissant après une décennie d'hibernation, Berger esquisse un regard circulaire. Il se découvre ainsi la cible de la plupart des hôtes du *Kempinski*, en train de prendre leur petit déjeuner. Certains oseront lui demander des autographes. Berger les signera avec un petit sourire qui, en vérité, reflète un profond contentement intérieur.

Déjà, la veille, en atterrissant dans la zone d'aviation d'affaires de Ferihegy 1, l'un des aéroports de la capitale hongroise, Berger avait été chaleureusement accueilli. « En gagnant à Hockenheim, j'ai renoué avec moi-même, dit-il. J'avais abordé ce GP d'Allemagne avec le cœur en deuil[1]. Finalement, je me suis retrouvé meilleur que jamais. Une force mystérieuse m'habitait. » Silhouette éternellement élancée, le front dégagé, les traits mûris par les années (il fêtera son 38e anniversaire le 27 août 1997), Berger a démontré que son talent de pilote demeurait vivace.

1. Son père, Johannis Berger, s'est récemment tué dans un accident d'avion.

Damon Hill : l'exploit frôlé.

Il rejoint la plupart des circuits aux commandes de son jet privé. « C'est un plaisir pour moi de voler, le plus souvent possible. Je me considère comme un pilote d'avion à plein temps. Je ne cesse pas de faire des trajets intéressants et, ainsi, les heures dans le ciel s'écoulent plus vite. Mon jet me coûte environ 250 000 dollars par an, aussi cher que si je voyageais en classe affaires sur des lignes régulières », poursuit Berger, intarissable.

Depuis Hockenheim, Berger s'est offert des vacances, à Monaco et au Portugal. Entre son absence forcée de 52 jours (GP du Canada, de France et de Grande-Bretagne) et sa résurrection à Hockenheim, il a eu le loisir de réfléchir sur le sens de sa carrière. « En quelques semaines, j'étais devenu un coureur du passé, un vétéran qui n'était plus maître de son destin. Il en aurait fallu plus pour me démotiver et m'empêcher de me défoncer sur ma Benetton », révèle-t-il. Cette performance de Hockenheim l'a libéré : « J'avais toutes les raisons morales et intimes de gagner. Néanmoins, c'est toujours difficile d'annoncer, un jour, que c'est terminé. J'avais admiré, en leur époque, Alan Jones et Keke Rosberg de pouvoir se retirer sans regrets apparents. Je n'en suis pas encore là ! »

Pourtant, Berger avait reçu des offres avant Hockenheim. Ron Dennis lui avait rendu visite à Monaco, pour évaluer sa disponibilité. Frank Williams lui avait transmis le souhait de le rencontrer, discrètement, dans son motor-home, sur le circuit allemand. Son ami (et conseiller) Fritz Kaizer, directeur commercial de Sauber-Petronas, l'avait sondé sur la demande de Peter Sauber. « Je n'ai qu'une certitude : la course sera toujours ma vie », répète-t-il généreusement. Comme pour compliquer encore plus sa décision (définitive) pour l'avenir.

Cette fois, Berger traverse le hall du *Kempinski* d'un pas accéléré. Il s'entretient brièvement avec un homme en chemise claire, Attila Gal, le directeur de l'Hungaroring. « Gerhard a envahi tous les médias », commente Gal. Le retentissement du succès de Berger à Hockenheim a vitaminé les ventes de billets en Autriche. « A hauteur de 10 000 Autrichiens », promet Gal, avec le sourire.

Onze ans après sa création, le GP de Hongrie demeure le symbole sportif annuel le plus fort de cette ancienne démocratie populaire. En 1986, le GP de Hongrie dérangeait l'ordre communiste. En 1997, les organisateurs exposent clairement leur budget. Leur contrat de base avec la Formula One Association atteint 4,6 millions de dollars (27,6 millions de francs). Le patronage de Marlboro leur rapporte 1 million de dollars (6 millions de francs). Ils ont rénové leur circuit (réaménagement de la grande tribune de 42 000 places assises, installation de 9 000 sièges supplémentaires, transformation complète du paddock, etc.). Ils ont surtout percé, dans la campagne, une voie d'accès rapide au Hungaroring, prestement baptisée *Bernie Avenue*.

Cet investissement de 2,5 millions de dollars (15 millions de francs), effectué par un consortium mixte, est garanti, sur le long terme, par le gouvernement. «Sans les sponsors, nous n'existerions pas ou plus», affirme Gal. Sans les spectateurs non plus, pourrait-il même ajouter. En 1997, l'objectif est de dépasser l'affluence 1996 (182 000 spectateurs) et d'égaler celle de 1986 (200 000 curieux, venus de toute l'Europe de l'Est). «En fait, Gerhard Berger est le fil rouge de l'Hungaroring : il est l'unique rescapé de 1986 et, en plus, il a disputé tous les GP ici», observe Gal.

*
* *

Au hasard des sollicitations des médias, Berger s'est répandu en éloges sur Michael Schumacher, tout en évitant le traquenard de la comparaison Villeneuve-Schumacher. Il a tranché : «Jacques est un jeune champion, mais Michael est le maestro.» Après Hockenheim, l'Allemand s'est envolé pour la Norvège, avec Corinna et la petite Gina-Maria, pour quelques jours de détente totale. Quant à Villeneuve, il s'est replié sur Monaco.

C'est là, en Principauté, que Craig Pollock est venu le retrouver, le mardi 5 août,

pour un examen de la situation à tête reposée. «Il est nécessaire de resserrer les boulons avec Williams», avait commencé Pollock. Bref, quarante-huit heures plus tard, Frank Williams, Patrick Head, Pollock et Villeneuve se concertent, sous l'auvent du motor-home Williams, en quête d'une «meilleure compréhension mutuelle». L'essentiel est de gommer des aspérités relationnelles, envenimées par des rumeurs insidieusement distillées à l'extérieur. «Vous verrez, nous ne sommes pas morts», coupe sèchement Williams, en fin de journée.

Au même moment, Schumacher, Eddie Irvine et Jean Todt affrontent, dans le cadre du Marlboro Grand Prix Action, plusieurs centaines de Hongrois, au *Bahnof Music Club*, en pleine ville. Après des propos convenus, une vraie question jaillit soudain : «Messieurs Schumacher et Irvine, vous répétez à satiété que l'on ne peut jamais doubler sur le tracé du Hun-

garoring. Alors, comment expliquez-vous que, pour la dernière victoire Ferrari ici le 13 août 1989, Nigel Mansell ait pu gagner tout en étant parti en douzième position sur la grille?» Schumacher restant coi, Irvine s'empare du micro : «Mansell était Mansell, Michael et moi, nous ne sommes que de simples mortels.» L'Irlandais enthousiasme l'assistance. «Depuis que je suis confirmé chez Ferrari pour 1998, je me sens mieux», avait-il lâché, l'après-midi dans le paddock.

De son côté, en arrivant sur le site hongrois, Damon Hill s'est à peine souvenu qu'il avait acquis ici même, le 15 août 1993, la première de ses vingt et une victoires. Comme pour Hockenheim, il a interrompu ses vacances des environs de Cannes pour courir. «L'espoir fait vivre», a-t-il déclaré, comme ça, sans entrain particulier. Michael Breen, l'avocat du (toujours) champion du monde en titre, l'a précédé : il ouvre son cabinet de consultations dans le motor-home Arrows en guettant manifestement les contacts. «Damon est l'homme clé de la plupart des transferts. Conséquence : les team-managers ne vont pas se gêner pour l'exploiter à fond», a lancé, cyniquement, l'Allemand Gerd Kraemer, ex-consultant de Mercedes, très averti de toutes les tractations, imaginaires, abusives ou authentiques.

Entre les intox, la réalité est délicate à discerner. Alors que Jean Todt a toujours plaidé la stratégie d'un «profil bas» pour Ferrari dans sa campagne mondiale, Michael Schumacher fait grand bruit autour de sa monoplace munie d'un châssis allégé (le 178). Le test décisif de ce châssis a été validé à Fiorano le 2 août par Nicola Larini. L'Allemand n'y va pas de main morte : «Avec une nouvelle machine, je me rapproche du titre mondial.» Schumacher met son autorité dans la balance de cette innovation technique, peut-être plus audacieuse qu'elle ne le paraît.

En face, Villeneuve mesure ses propos. Il n'a pas oublié ses ennuis avec la FIA à propos du règlement 1998. Le Québécois fait du funambulisme verbal au sujet des Ferrari. Pour s'être extasié devant l'efficacité des machines rouges lors des départs des GP, Villeneuve a été soupçonné d'accuser les Ferrari d'utiliser un dispositif antipatinage, strictement prohibé. Ce procès d'intentions, excessif en soi, débouche sur des démentis.

Dans un parking, à proximité de l'entrée de l'Hungaroring, une dizaine de nettoyeuses disposant d'énormes balais sont soigneusement garées. Depuis une semaine, ces nettoyeuses déblaient la poussière, à une cadence régulière. Mais totalement vaine. Le bitume, qui demeure sale, n'a, de surcroît, rien perdu de son abrasivité naturelle. Curiosité : pour la première fois depuis 1986 (année où l'Italien Pirelli équipait dix écuries), Goodyear affronte un autre manufacturier, Bridgestone, sur ce tracé, que les uns et les autres connaissent assez mal, pour ne venir jamais y tourner en essais privés.

Les techniciens américains paraissent sûrs d'eux-mêmes. Carl Lint (Goodyear) annonce : « Nous avons préparé 2 300 pneus adaptés à toutes les conditions. » Hiroshi Yasukawa (Bridgestone) se montre plus évasif : « Nous estimons avoir bien travaillé. » Un détail : aucun pneu Bridgestone n'a, à ce jour, roulé sur l'Hungaroring.

Au terme des premiers essais, le vendredi, la suprématie de Schumacher, 1'17"583, devant Coulthard, 1'17"810, ne revêt qu'une signification relative. En effet, l'émergence de Jarno Trulli en troisième position, 1'17"848, retentit comme un coup de tonnerre : l'Italien, qui découvrait le circuit, a hissé sa Prost-Mugen-Honda à pneus Bridgestone à un rang insoupçonné. Et Damon Hill, chaussé lui aussi de Bridgestone, s'est pointé cinquième, 1'18"181. Quelques jours plus tôt, au gré d'un week-end en Sardaigne, Flavio Briatore a pressé Alain Prost d'engager Trulli pour 1998.

Walkinshaw : à l'écoute de Hill...

Prost calme le jeu autour de lui. « Je vois Jarno au moins en troisième ligne pour le départ, peut-être même en deuxième ligne », s'exalte Cesare Fiorio. « C'est une piste pour anciens du kart. J'aurais pu faire mieux si je n'avais pas été ralenti dans mon meilleur tour par Schumacher », explique Trulli, radieux, submergé par une nuée d'ingénieurs de Bridgestone. A 310 millièmes de seconde du meilleur Goodyear, Trulli incarne une menace montante pour le manufacturier américain.

Sur cette lancée, Yasukawa abandonne sa réserve toute japonaise pour annoncer, non sans solennité : « En 1998, nous miserons à fond sur Prost-Peugeot. Cette écurie nous captive prioritairement. » A côté, à l'ombre des camions Goodyear, l'ambiance est très studieuse. Carl Lint a convié ses hommes à une réunion improvisée. Jacques Villeneuve a traversé le paddock pour dialoguer avec les spécialistes affectés à sa machine. « J'ai toujours besoin

d'en savoir plus », répond-il, presque furtivement, à ceux qui ont surpris son initiative. En vérité, pour avoir suivi et observé Schumacher, le Québécois juge la F 310B instable et il avait besoin de vérifier son appréciation avec les techniciens de Goodyear, principalement à propos de l'usure des pneus. Ce qu'il a appris, Villeneuve ne le confie qu'à Patrick Head et à Jock Clear, son ingénieur traitant.

*
* *

Les essais officiels sont attendus comme un verdict de vérité. A 13 h 03, Magnussen signe 1'19"359. Une minute plus tard, Katayama réussit 1'19"179. Très vite en action, Villeneuve donne le ton à 13 h 08 : 1'16"392. Mais Schumacher déclenche une contre-offensive en trois spectaculaires étapes : 13 h 09, 1'15"078 ; 13 h 24, 1'14"831 ; 13 h 47, 1'14"672, en apothéose absolue. Villeneuve, déchaîné, a amélioré en 1'14"859. Néanmoins, ce duel Schumacher-Villeneuve est éclipsé, in extremis, par une superbe prouesse de Damon Hill. A 14 heures, le champion du monde boucle son meilleur tour, en 1'15"044. Troisième, il devance Hakkinen, 1'15"140.

Et si, à la faveur de ce sursaut attractif de Damon Hill, les données de ce GP de Hongrie étaient radicalement modifiées ?

Déferlant tous azimuts, les commentaires se télescopent. Schumacher attaque : « J'ai trouvé le bon équilibre. Je crois à fond en ce nouveau châssis, le premier intégralement produit en Italie, loin des ateliers de John Barnard à Salford. Je salue le retour de Damon Hill en deuxième ligne. Mais ça ne durera pas : je suis persuadé que les Bridgestone auront des problèmes en course. »

Villeneuve confie : « Je me contente d'un optimisme raisonné car, ici, la distance à couvrir est très longue et des retournements de situation sont prévisibles. » Damon Hill, épanoui, affiche un large sourire : « Je dois tout à John Bar-

Damon Hill captive les médias.

nard. Il a apporté tant de légères retouches à la voiture que je suis incapable de les répertorier toutes. Mais j'ai confiance. » Tom Walkinshaw, le team-manager d'Arrows, se contente d'ironiser : « Alors, vous avez vu, maintenant, à quoi ça sert un champion du monde ? »

Flavio Briatore se singularise : « En course, Damon Hill ne comptera pas. Il doit tout à ses Bridgestone. » Le directeur de Benetton partage l'accablement de ses pilotes, Gerhard Berger et Jean Alesi, tous deux assez éloignés sur la grille. L'Autrichien n'a pu éviter une fâcheuse sortie de piste. Les lèvres serrées, Berger n'a pas grand-chose à dire. Tout comme Alesi, qui ne sait à quel saint se vouer. Chez Renault, Patrick Faure et Christian Contzen révèlent : « Briatore nous avait annoncé des difficultés pour la Hongrie. » Mais peut-être pas à ce point de non-retour.

Trulli, enfin, tombe de haut. Entre le vendredi et le samedi, il n'a plus reconnu

sa JS45. Victime d'une machine rétive, le jeune Italien n'est pas assez expérimenté pour corriger les défauts de sa machine. Déçu, Prost ne se trahit pas. Un peu plus tard, il avoue : « Il y a peut-être un bon coup à jouer en course avec les ravitaillements. » Il n'est pas le seul à ruminer ainsi.

Le soleil se lève, le dimanche, sur des tribunes bondées à craquer. A 9 h 45, la fatalité tombe chez Ferrari. Schumacher abîme sa F 310B sur un vibreur. En empruntant le mulet, Schumacher révise sa tactique, sans en souffler mot. Un plan d'urgence est élaboré autour de Todt. Michael Schumacher réconforte, ensuite, son frère Ralf qui traîne les mêmes tracas pour une cause identique (sortie de piste). Ce tête-à-tête fraternel se déroule chez Ferrari.

Lors du briefing des pilotes, après les recommandations d'usage et le rappel du règlement, Charlie Whitting, le directeur de course, annonce d'une voix ferme : « Le

premier tour se déroulera impérativement sous drapeau jaune. » Ce qui oblige les pilotes à respecter le classement établi au premier virage, au bout de la ligne droite. Dans le silence, seul Michael Schumacher élève la voix. Pour protester. Il n'est pas suivi. Quoi qu'il en soit, Whitting avait reçu mission de Max Mosley et de Bernie Ecclestone de se montrer inflexible. L'Allemand n'insiste pas.

Dans chaque écurie, on s'efforce de garder le secret sur le nombre de ravitaillements prévus : entre deux et quatre selon les pilotes et les manufacturiers. Villeneuve opte pour des Goodyear tendres alors que Frentzen choisit des pneus durs. Sur la grille de départ, les uns et les autres s'espionnent âprement. Schumacher fait nettoyer la portion de bitume devant sa machine. Tout comme Villeneuve.

Quand il se glisse dans le cockpit de son Arrows n° 1, Damon Hill se contrôle parfaitement. Aucun sentiment particulier n'éclaire son visage. Il adopte une sérénité maximale qui, au fond, correspond à sa nature de champion. C'est sa meilleure position de départ, depuis le 13 octobre 1996 à Suzuka, pour la course de son sacre mondial. Head et Hill ont échangé quelques mots, en apparence amicaux. Tom Walkinshaw, évidemment, n'était pas loin. Pour la circonstance, d'ailleurs, Walkinshaw s'installe aux commandes de l'écurie. Il ajuste méthodiquement ses écouteurs et son micro, en bordure de piste, sans lâcher une seconde Hill du regard. Aucun détail insolite de dernière minute ne lui échapperait.

Inutile de se frotter les yeux : derrière Michael Schumacher, c'est bel et bien Damon Hill qui, très habilement, a bondi sur la deuxième place avant le fatidique premier virage. L'Anglais, qui a devancé Irvine, Hakkinen, Villeneuve et Frentzen, est relevé, au premier passage devant les stands, à 0"27 de la Ferrari de Schumacher. Pendant les 8 premiers tours, cet écart se stabilise toujours à 0"27. Mais

Damon Hill dans le sillage de Michael Schumacher : inattendu.

Damon Hill en train de doubler Schumacher : encore plus inattendu.

Damon Hill : le plaisir retrouvé d'être au commandement.

l'Arrows suit aisément la cadence et Hill prépare sans doute une offensive spectaculaire.

A 14h 16, au 11e tour, Hill dépasse effectivement Schumacher dans une salve d'applaudissements. La tenue de route de la Ferrari n°5 n'est pas parfaite. Hill, qui avait analysé cette lacune, creuse prestement l'écart sur Schumacher : en trois tours, il possède 8"63 d'avance sur son rival, également débordé par Villeneuve qui, très incisif, remonte à 3" de son ancien équipier Williams-Renault.

Cette résurrection de Damon Hill n'était prévue ni chez Williams, ni chez Ferrari, ni ailleurs et encore moins chez Goodyear. L'amalgame Hill-Arrows-Yamaha-Bridgestone fait merveille. Autour de Walkinshaw, ses ingénieurs, Vincent Gaillardot en tête, sont plus tendus que

d'habitude. Hill cavale en tête comme à ses plus beaux jours. La tension monte chez Arrows. A côté, personne n'ironise.

Les abandons qui ont allégé le peloton (Magnussen, Morbidelli, Hakkinen, Barrichello, Frentzen, entre autres) laissent le champion du monde sous la menace de Villeneuve, à 12" dans un premier temps puis, incroyablement, à 23" et à 33", à deux tours de la fin. Hill n'a effectué que deux ravitaillements et, chaque fois, il a conservé le commandement. Ses Bridgestone lui confèrent une appréciable marge de sécurité. Villeneuve, quant à lui, cravache furieusement en n'ayant que le seul Herbert dans ses rétroviseurs.

Dans le 75e tour, Hill ralentit brusquement. Son avance fond aussi irrésistiblement que Villeneuve se rapproche. Dans le dernier tour, Villeneuve, à 3" de l'An-

glais, le double au prix d'une manœuvre audacieuse – avec les quatre roues dans l'herbe ! – pour l'emporter avec 9" à son avantage sous le drapeau à damier.

Villeneuve attend Hill dans le parc fermé. Les deux hommes se donnent une accolade émouvante. « J'avais le cœur serré pour Damon », avouera plus tard le Québécois, qui hérite d'une précieuse victoire. Aux yeux de la foule, Hill est le vrai héros du jour. Avant de rejoindre Villeneuve sur le podium, Hill se présente sur le devant de l'estrade. Comme pour partager, spontanément, la folle allégresse de tous ses amis qui, Vincent Gaillardot et Dominique Sappia en tête, sont à ses pieds, les yeux humides d'une émotion trop longtemps contenue. Une panne hydraulique a stupidement privé Hill de son vingt-deuxième succès en Formule 1.

Damon Hill-Villeneuve : accolade sincère.

En arrière-plan, dans le paddock, Frank Williams s'est fait conduire auprès de Walkinshaw, pour être le premier à le féliciter. De même, Gaillardot s'est retrouvé serré, à en étouffer, dans les bras de Bernard Dudot, Jean-François Robin et Denis Chevrier, ses anciens collègues de Renault-Sport, toujours restés ses amis.

Villeneuve se hâte pour se changer. Un hélicoptère doit le transporter à Ferihegy, avec Craig Pollock. Ce soir, les deux hommes deviseront tranquillement à Villars-sur-Ollon, en Suisse. Hill, lui, a reconquis sa stature de star. Il goûte, avec une satisfaction intense, le parfum d'une gloire qu'il croyait peut-être enfuie. Walkinshaw déambule au milieu des siens avec un visage faussement morose. « Hier, je me serais contenté de la deuxième place pour Damon. Mais avec ce qu'il a accompli, c'est impossible », soupire-t-il.

Ce même dimanche soir, Hill se plonge dans l'ambiance familiale à Valbonne, qu'il aime par-dessus tout. Georgie, sa femme, l'attend avec impatience sur le petit aéroport de Cannes-Mandelieu. Avant de se séparer, Hill et Walkinshaw sont convenus d'une conversation téléphonique le lundi matin. Walkinshaw, qui rentre avec son épouse, Martine, vers l'Angleterre, a prévu une escale à Saint-Gatien, l'aéroport de Deauville, pour y prendre ses enfants. En les embarquant, Martine Walkinshaw leur recommande de ne pas trop parler de la course de Damon Hill à Budapest. Pendant tout le trajet aérien, l'Écossais n'a pas décoléré de cette occasion perdue.

En plus, Martine lui avait appris, toujours en vol, que le XV de Gloucester, le club de rugby qu'il préside, s'était incliné le samedi soir face à Biarritz (19-35). Et Walkinshaw avait grommelé encore plus.

Hill-Villeneuve-Herbert : à chacun son bonheur du jour.

GRAND PRIX DE BELGIQUE
12e MANCHE DU CHAMPIONNAT DU MONDE DES CONDUCTEURS 1997

DATE : 24 août 1997.
CIRCUIT : Spa-Francorchamps.
DISTANCE : 44 tours de 6,968 km, soit 306,577 km.
MÉTÉO : orage avant le départ, piste allant en s'asséchant.
ENGAGÉS : 22. QUALIFIÉS : 22. ARRIVÉS : 13. CLASSÉS : 15.
VAINQUEUR : **Michael Schumacher** (Ferrari) en 1 h 33'46''717 à 196,149 km/h.
MOYENNE RECORD : **Damon Hill** (Williams-Renault) en 1993 à 217,795 km/h.
MEILLEUR TOUR : **Jacques Villeneuve** (Williams-Renault) : 1'52''692 à 222,596 km/h.
RECORD DU TOUR : **Alain Prost** (Williams-Renault) en 1993 : 1'51''095 à 225,990 km/h.

GRILLE DE DÉPART

Alesi (Benetton-Renault/G)	1'49''759	**VILLENEUVE (Williams-Renault/G)** à 229,189 km/h	1'49''450
Fisichella (Jordan-Peugeot/G)	1'50''470	**M. Schumacher** (Ferrari/G)	1'50''293
R. Schumacher (Jordan-Peugeot/G)❷	1'50''520	**Hakkinen** (McLaren-Mercedes/G)	1'50''503
Diniz (TWR Arrows-Yamaha/B)	1'50''853	**Frentzen** (Williams-Renault/G)	1'50''656
Coulthard (McLaren-Mercedes/G)	1'51''410	**Hill** (TWR Arrows-Yamaha/B)	1'50''970
Barrichello (Stewart-Ford/B)	1'51''916	**Herbert** (Sauber-Petronas/G)	1'51''725
Trulli (Prost-Mugen-Honda/B)❷	1'52''274	**Morbidelli** (Sauber-Petronas/G)	1'52''094
Nakano (Prost-Mugen-Honda/B)	1'52''749	**Berger** (Benetton-Renault/G)	1'52''391
Magnussen (Stewart-Ford/B)	1'52''886	**Irvine** (Ferrari/G)	1'52''793
Katayama (Minardi-Hart/B)	1'53''544	**Salo** (Tyrrell-Ford/G)❷	1'52''897
Marques (Minardi-Hart/B)	1'54''505	**Verstappen** (Tyrrell-Ford/G)	1'53''725

CLASSEMENT

1. **Michael Schumacher** (Ferrari 310B)	en 1 h 33'46''717 à 196,149 km/h
2. **Giancarlo Fisichella** (Jordan-Peugeot 197)	à 26''753
Mika Hakkinen (McLaren-Mercedes MP4/12)❶	à 30''856
3. **Heinz-Harald Frentzen** (Williams-Renault FW19)	à 32''147
4. **Johnny Herbert** (Sauber-Petronas C16)	à 39''025
5. **Jacques Villeneuve** (Williams-Renault FW19)	à 42''103
6. **Gerhard Berger** (Benetton-Renault B197)	à 1'03''741
7. **Pedro Diniz** (TWR Arrows-Yamaha A18)	à 1'25''931
8. **Jean Alesi** (Benetton-Renault B197)	à 1'42''008
9. **Gianni Morbidelli** (Sauber-Petronas C16)	à 1'42''582
10. **Eddie Irvine** (Ferrari 310B)	à 1 tour (abandon)
11. **Mika Salo** (Tyrrell-Ford 025)❷	à 1 tour
12. **Jan Magnussen** (Stewart-Ford SF-1)	à 1 tour
13. **Damon Hill** (TWR Arrows-Yamaha A18)	à 2 tours (abandon)
14. **Ukyo Katayama** (Minardi-Hart M197)	à 2 tours (abandon)
15. **Jarno Trulli** (Prost-Mugen-Honda JS45)❷	à 2 tours

ABANDONS

Shinji Nakano (Prost-Mugen-Honda JS45) : sortie sur problème électronique, accélérateur coincé (5 tours), alors 16e / **Rubens Barrichello** (Stewart-Ford SF-1) : bras de suspension suite touchette avec Frentzen (8 tours), alors 11e / **Tazio Marques** (Minardi-Hart M197) : tête-à-queue (18 tours), alors 17e / **David Coulthard** (McLaren-Mercedes MP4/12) : tête-à-queue (19 tours), alors 7e / **Ralf Schumacher** (Jordan-Peugeot 197)❷ : sortie (21 tours), alors 15e / **Jos Verstappen** (Tyrrell-Ford 025) : sortie (25 tours), alors 9e / **Ukyo Katayama** (Minardi-Hart M197) : problème électronique moteur (42 tours), alors 14e, classé 14e / **Damon Hill** (TWR Arrows-Yamaha A18) : perte d'un écrou de roue (42 tours), alors 12e, classé 13e / **Eddie Irvine** (Ferrari 310B) : accrochage avec Diniz (44 tours), alors 8e, classé 10e.

EN TÊTE

Villeneuve : les 4 premiers tours, soit 28 km.
Schumacher : les 40 derniers tours, soit 279 km.

A NOTER

Départ aux ordres de la voiture de sécurité devant les 22 voitures en formation serrée durant trois tours. **Hakkinen** et **Diniz**, sanctionnés d'une course de suspension avec sursis et mise à l'épreuve durant deux courses pour avoir effectué un dépassement alors que la voiture de sécurité était sur la piste.

❶ Exclusion pour carburant non conforme en essais qualificatifs.

❷ Parti avec le mulet : **Salo**, avec la coque de secours transformée en mulet ; **R. Schumacher**, sorti dans le tour de formation, part des stands ; **Trulli**, panne électronique sur la grille, part des stands avec un tour de retard.

Schumacher : poker génial

Panis bien sur ses jambes.

Cette (longue) minute, Olivier Panis s'y est préparé depuis plusieurs semaines. Maintenant qu'elle est imminente, il ose enfin s'en réjouir. Le jeudi 21 août, il va réapparaître dans le cadre d'un circuit, à Spa, selon un programme coordonné entre Prost (à Paris), Anne Panis (à Grenoble) et le tandem Chamagne-Gressot (à Tréboul-Douarnenez).

En fin de matinée, Lionel Ramos, le cuisinier de l'écurie, ne tient pas en place. Il s'affaire devant ses fourneaux en ayant la tête ailleurs. Pour un rien, il couvre quelques pas dans le paddock, en regardant toujours dans la même direction, vers les portes d'accès. « J'ai mes informations : Olive (son surnom) devrait être là avant midi », a-t-il glissé, comme un secret d'État, à quelques initiés.

Peu à peu, les techniciens de Prost GP s'installent, en ordre dispersé, à table. C'est l'heure du déjeuner. Didier Perrin survient, un attaché-case à la main, accompagné d'une jeune femme blonde. « Voici Rachel, notre nouvelle hôtesse », annonce-t-il. Melissa, qui tenait cet emploi, devient désormais l'assistante de Sophie Sicot. Mais toujours pas de Panis dans les parages.

Un soleil de plomb écrase le paddock. A 12 h 17, chemise sombre, blue-jean, Olivier Panis se dirige – démarche ralentie, alourdie et automatisée – vers son motor-home. Anne est à ses côtés. Il a abandonné

ses béquilles que transporte, derrière lui, Patrick Chamagne. Ses traits se contractent imperceptiblement, en des éclairs vite effacés. Sur cette bonne centaine de mètres, Panis souffre, mais il met un point d'honneur à ne rien extérioriser.

Ce même matin, Panis s'est embarqué à Quimper à destination d'Orly, où il a retrouvé Anne. Les Panis et Chamagne ont emprunté au Bourget le King Air de l'écurie à destination de Spa. De là, une Renault Safrane les a conduits jusqu'au point de contrôle du paddock.

Depuis son réveil, Panis a eu le temps de revoir, sur son écran intérieur, au ralenti, son film personnel depuis son accident de Montréal, le 15 juin. Maintenant, en se replongeant dans le présent, il s'accroche à une cadence de vie normale.

Quand sa silhouette se découpe, à contre-jour, sous l'auvent du motor-home, tous ses techniciens se lèvent, spontanément et le regard brillant, pour le saluer. Ému et contracté, Panis semble embarrassé de sa personne. Il serre toutes les mains. Ces retrouvailles sont un moment très fort dans l'histoire (en train de s'écrire) de Prost GP. « Alors, les gars, ça va ? » interroge Panis.

De sa cuisine, en haut, Ramos ne perd rien de cette scène. « Pour moi, c'était long », a répondu Panis à sa propre question. « J'en avais assez », ajoute-t-il, dans un petit sourire. Il va de table en table, comme pour se prouver qu'il a récupéré toute sa mobilité. Ce qui n'est pas encore le cas. Anne lui conseille de s'asseoir un peu. Olivier se laisse convaincre sans réticence.

Et puis il raconte, pêle-mêle, tout ce qu'il a vécu depuis le 15 juin, en schématisant, en se libérant comme un copain qui renoue avec d'autres copains. « J'ai même joué au tennis », rigole-t-il. En aparté, Chamagne complète : « Nous avons disputé un tournoi de double à Douarnenez

DOUARNENEZ TENNIS BAIE   05 29 0139

Licence N°   **PANIS OLIVIER**
0482233 R   SEN M CI : NC (D : NC)

Panis licencié F.F. Tennis.

109

et nous avons été éliminés au premier tour. » Pour l'occasion, Panis a néanmoins grossi d'une unité la cohorte des licenciés de la Fédération française de tennis. « Ce que j'ai retenu de ce match, c'est que j'ai encore beaucoup de progrès à faire », ironise-t-il.

Cette allusion à lui-même l'interpelle. Soudain, son regard s'assombrit de frustration : « Je suis, au fond, un type qui revient chez les siens sans pouvoir travailler, c'est-à-dire piloter. » Il a perçu, comme ça, la distance qui le séparait de son vrai retour au volant de sa monoplace. Ce coup de blues est un rappel de vérité.

Un peu plus tard, le décor d'une réunion de presse s'installe. A 15 h 20, la veste sur les épaules, Jean-Dominique Comolli, le président de la SEITA, survient avec Henri Leberre, son représentant auprès de l'écurie. Alain Prost est déjà là. Une demi-heure plus tard, tout est dit : Prost GP reste fidèle à Gauloises Blondes pour une durée de trois ans (à une hauteur financière jamais atteinte : 120 millions de francs par an) et Panis a renouvelé avec son écurie de toujours (en fait, depuis 1994) pour deux ans (1998, 1999). Il a signé son contrat peu avant dans le motor-home. Anne, qui suit de très près les affaires de son mari, a révélé : « La situation d'Olivier est très améliorée. » Ce n'est que justice pour un pilote qui, le 15 juin, était le troisième mondial.

A 17 h 30, les deux Panis et Chamagne s'éclipsent. Leur King Air les attend pour les déposer dans la soirée à Grenoble. Même fatigué, Panis est soulagé : il s'est immergé, sans appréhension, dans son milieu.

En arrière-plan de cette agitation, Jarno Trulli s'est senti gêné. Il a cordialement serré la main de Panis. Il a, aussi, mesuré l'intensité de l'affectivité qui entourait Panis. Il s'est réfugié auprès de son compatriote Cesare Fiorio, qui l'avait sincèrement félicité pour son récent record du Mugello en essais privés : avec 1'23"410,

Trulli a détrôné Michel Schumacher en personne, 1'25"252. « Tu verras, Jarno. Spa ressemble beaucoup au Mugello », a indiqué Fiorio avec aplomb. Juste pour ramener un soupçon de sérénité en Trulli.

Jean Alesi, qui a chaleureusement conversé avec Panis, marche d'un pas rapide vers le studio spécial de Canal +, dressé à l'écart du paddock. Depuis le mois de mars, Alesi refusait de passer devant les caméras de Canal +. Dominique Mignon, le rédacteur en chef de Canal +, a fait son siège avec patience. Alesi s'est avoué vaincu dans un sourire. Son long entretien avec Mignon est une élégante revanche sur les Guignols de l'Info qui, d'ailleurs, ont renoncé à le brocarder. Et pour cause : il a relayé Panis comme troisième du classement mondial.

Sous un ciel pluvieux par intermittence, Alesi n'a pas à se plaindre des premiers essais : il est deuxième, 2'7"371, derrière son partenaire Gerhard Berger, 2'6"802. Ces deux Goodyear sont suivis par deux Bridgestone, Barrichello, 2'8"238, et Damon Hill, 2'8"372, puis par un troisième Goodyear, Michael Schumacher, 2'9"272. Ces

performances sont très relatives. Villeneuve est très loin, 2'11"706. Le Québécois n'a travaillé qu'en vue des essais officiels.

De fait, à l'heure des qualifications, épargnées par les orages, une autre hiérarchie se dégage. Chacun met les bouchées doubles pour compenser le handicap de la veille. 13 h 10 : Frentzen attaque, 1'51"275. 13 h 12 : Fisichella riposte, 1'51"219. 13 h 13 : Michel Schumacher s'impose, 1'51"075. Mais, à 13 h 20, Villeneuve monte à l'assaut, 1'50"171.

Sur l'océan des ambitions, la pole position n'est qu'une coque de noix. 13 h 32 : Alesi frappe fort, 1'49"973. 13 h 34 : Villeneuve revient, 1'49"457. Le Français, déchaîné, réagit à 13 h 45 : 1'49"759. Pour rien. A 13 h 52, Villeneuve brûle ses dernières cartouches : 1'49"450. L'empoignade Alesi-Villeneuve a donné la fièvre à ces essais. Tous deux sont épanouis. Trulli, 1'52"274, n'y comprend rien. Laffite réconforte le jeune Transalpin : « C'est une piste où il faut restreindre ses attaques au profit d'une conduite propre, car ça glisse énormément. » En plus, Trulli a écopé d'une amende de 5 000 dollars pour avoir abandonné sa machine après un tête-à-queue. « Ce n'était pas son jour », commente Prost, laconiquement.

Dans tous les motor-homes, on se penche sur les prévisions météo du dimanche : elles sont mitigées. En vitesse de pointe, Fisichella, 318,5 km/h, a le maillot jaune, devant Ralf Schumacher et Alesi, 316,7 km/h, Villeneuve et Hill, 315,7 km/h. Michael Schumacher, 291,1 km/h, est avant-dernier, devant Marques, 273,1 km/h. « C'est la première fois que je me sens aussi bien cette année », révèle Alesi, très confiant. Villeneuve n'est pas moins satisfait : « Ma voiture et mes pneus sont au point. » Chez Ferrari, à l'instar de Michael Schumacher, on pressent un sombre dimanche. « La pluie m'aiderait à me rapprocher de Villeneuve », soupire l'Allemand.

Grosse frayeur pour Hakkinen qui se tire intact de cet accident.

Pour l'heure, le double champion du monde fait les honneurs de son stand à Carl Lewis, le multichampion olympique (sprint, longueur, relais), flanqué de son ami Leroy-Burrell, autre grande figure du sprint américain. Carl Lewis (36 ans) annonce sa retraite à Schumacher en des termes qui déconcertent l'Allemand : «J'ai trois Ferrari dans mon garage, une Testarossa, une Mondial et une F 355. Maintenant, je vais en profiter.»

Ce dimanche dans les Ardennes est décidément bien incertain. Le ciel, très dégagé le matin, s'assombrit peu à peu. Jusqu'à l'ultime moment, chez Goodyear et Bridgestone, on espère une piste sèche. Les voitures se rangent méthodiquement en grille, toutes avec des pneus lisses. Michael Schumacher et Villeneuve quittent, à peu près simultanément, leurs stands à

Carl Lewis, c'est le plus souriant des quatre.

Départ lancé ou trempé ?... Villeneuve et Alesi sont à l'affût.

Villeneuve et Alesi tentent l'échappée.

13 h 35. Mais, à vingt minutes exactement de la fin de la procédure de départ, Spa est noyé subitement dans un violent déluge. En un ballet de toutes les couleurs, les mécaniciens montent prestement des pneus à rainures car, sans tarder, les écuries ont appris que le départ serait donné derrière une voiture de sécurité, une Mercedes CLK conduite par Olivier Gavin, un espoir anglais de Formule 3.

Tout comme à Monaco le 11 mai, Michael Schumacher a anticipé : son mulet est muni de pneus mixtes. Il abandonne donc sa machine de course, à la fin du tour de chauffe. Chez Williams, tout comme à Monaco (bis), on n'a rien compris : Villeneuve est toujours en gommes de pluie. Après une procession de trois tours, au départ lancé, Villeneuve s'enfuit avec Alesi, à 0"731, et Fisichella. Mais la Ferrari de Schumacher revient, comme un obus rouge, sur le duo Villeneuve-Alesi.

La Ferrari de Schumacher devant Fisichella : l'Italie exulte.

Au cinquième tour, survolté, Michael Schumacher dépasse, dans la foulée, Alesi puis Villeneuve et se construit un avantage de 5" qui n'est qu'un capital de départ. En quelques minutes, la Ferrari n° 5 possède 22" puis 34" d'avance sur Fisichella. Quant à Villeneuve, il navigue à 63". La course tourne au cauchemar pour lui. Au gré des événements, la pluie ayant cessé et tous les pilotes étant à égalité de pneus lisses, après une cascade d'arrêts-ravitaillements, Schumacher culmine à 67" d'avance sur Alesi, provisoirement venu à bout de Fisichella. Pour le Français, trahi par un accident de suspension, c'est le chant du cygne.

Dès lors, Schumacher fonce vers son quatrième succès ardennais (après ceux de 1992, 1995, 1996). Derrière Fisichella, Hakkinen, Frentzen, Herbert et Villeneuve entrent dans les points, sans avoir rien pu tenter pour menacer le quadruple roi du GP de Belgique. Pourtant, Hakkinen est sous le coup d'une autre menace. Pour une obscure histoire de carburant non conforme, il a été déclassé aux essais. Un appel intenté aussitôt par McLaren lui a permis de défendre, normalement, ses chances. Son podium ne tient qu'à un fil. «Nous n'osons pas croire que notre bonne foi puisse être suspectée », affirme, sans sourire, Ron Dennis, sous le regard inquiet de Norbert Haug.

Dans la joie, Schumacher paraît, quand même, réservé. Lui qui ne se prend pas pour un magicien de la pluie observe : «J'ai besoin d'une voiture encore plus rapide. » Il s'en va vers Kerpen, sa bourgade natale, à 80 km, avec une douzaine de points de plus que Villeneuve, mécontent de la stratégie de son écurie. Pollock s'en entretient, sans nuance, avec Frank Williams. Quant à Jean Todt, il rappelle : «Avec quatre victoires, nous avons atteint

Todt-Schumacher, les yeux dans les yeux.

notre objectif 1997. » Il songe, comme toute la Scuderia, à un autre objectif. Mais il s'interdit de l'évoquer. Autour de lui, d'autres s'en chargent.

Au comble de la joie, Fisichella révèle : «Je dédie mon podium à mon neveu, tout récemment opéré du cœur. » Le prochain, Fisichella le savourera pour lui. «A Monza, je l'espère ! » dit-il dans un grand éclat de rire.

GRAND PRIX D'ITALIE
13e MANCHE DU CHAMPIONNAT DU MONDE DES CONDUCTEURS 1997

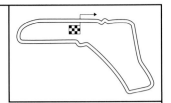

DATE : 7 septembre 1997.
CIRCUIT : Monza.
DISTANCE : 53 tours de 5,770 km, soit 305,810 km.
MÉTÉO : beau et chaud.
ENGAGÉS : 22. QUALIFIÉS : 22. ARRIVÉS : 14. CLASSÉS : 14.
VAINQUEUR : **David Coulthard** (McLaren-Mercedes) en 1 h 17'04''609 à 238,036 km/h (nouveau record).
RECORD DU TOUR : **Mika Hakkinen** (McLaren-Mercedes) : 1'24''808 à 244,929 km/h.

GRILLE DE DÉPART

ALESI (Benetton-Renault/G) à 250,295 km/h 1'22''990		**Frentzen** (Williams-Renault/G)	1'23''042
Fisichella (Jordan-Peugeot/G)	1'23''066	**Villeneuve** (Williams-Renault/G)	1'23''231
Hakkinen (McLaren-Mercedes/G)	1'23''340	**Coulthard** (McLaren-Mercedes/G)	1'23''347
Berger (Benetton-Renault/G)	1'23''443	**R. Schumacher** (Jordan-Peugeot/G)	1'23''603
M. Schumacher (Ferrari/G)	1'23''624	**Irvine** (Ferrari/G)	1'23''891
Barrichello (Stewart-Ford/B)	1'24''177	**Herbert** (Sauber-Petronas/G)	1'24''242
Magnussen (Stewart-Ford/B)❶	1'24''394	**Hill** (TWR Arrows-Yamaha/B)	1'24''482
Nakano (Prost-Mugen-Honda/B)	1'24''553	**Trulli** (Prost-Mugen-Honda/B)	1'24''567
Diniz (TWR Arrows-Yamaha/B)	1'24''639	**Morbidelli** (Sauber-Petronas/G)	1'24''735
Salo (Tyrrell-Ford/G)	1'25''693	**Verstappen** (Tyrrell-Ford/G)	1'25''845
Katayama (Minardi-Hart/B)	1'26''655	**Marques** (Minardi-Hart/B)	1'27''677

CLASSEMENT

1. **David Coulthard** (McLaren-Mercedes MP4/12) .... en 1 h 17'04''609 à 238,036 km/h
2. **Jean Alesi** (Benetton-Renault B197) .... à 1''937
3. **Heinz-Harald Frentzen** (Williams-Renault FW19) .... à 4''343
4. **Giancarlo Fisichella** (Jordan-Peugeot 197) .... à 5''871
5. **Jacques Villeneuve** (Williams-Renault FW19) .... à 6''416
6. **Michael Schumacher** (Ferrari 310B) .... à 11''481
7. **Gerhard Berger** (Benetton-Renault B197) .... à 12''471
8. **Eddie Irvine** (Ferrari 310B) .... à 17''639
9. **Mika Hakkinen** (McLaren-Mercedes MP4/12) .... à 49''373
10. **Jarno Trulli** (Prost-Mugen-Honda JS45) .... à 1'02''706
11. **Shinji Nakano** (Prost-Mugen-Honda JS45) .... à 1'03''327
12. **Gianni Morbidelli** (Sauber-Petronas C16) .... à 1 tour
13. **Rubens Barrichello** (Stewart-Ford SF-1) .... à 1 tour
14. **Tazio Marques** (Minardi-Hart M197) .... à 3 tours

ABANDONS

Pedro Diniz (TWR Arrows-Yamaha A18) : suspension arrière suite à une sortie (4 tours), alors 19e / **Ukyo Katayama** (Minardi-Hart M197) : tête-à-queue et sortie (8 tours), alors 21e / **Jos Verstappen** (Tyrrell-Ford 025) : boîte bloquée (12 tours), alors 19e / **Jan Magnussen** (Stewart-Ford SF-1) : transmission (31 tours), alors 16e / **Mika Salo** (Tyrrell-Ford 025) : moteur explosé (33 tours), alors 15e / **Johnny Herbert** (Sauber-Petronas C16) : accrochage avec R. Schumacher (38 tours), alors 9e / **Ralf Schumacher** (Jordan-Peugeot 197) : suspension arrière gauche suite accrochage avec Herbert (39 tours), alors 10e / **Damon Hill** (TWR Arrows-Yamaha A18) : moteur explosé (46 tours), alors 9e.

EN TÊTE

Alesi : les 31 premiers tours, soit 179 km.
Hakkinen : les 32e et 33e tours, soit 11 km.
M. Schumacher : le 34e tour, soit 6 km.
Coulthard : les 19 derniers tours, soit 110 km.

A NOTER

Villeneuve : sanctionné de suspension avec sursis et mise à l'épreuve sur neuf courses pour avoir signé son meilleur temps du warm-up sous les drapeaux jaunes suite à une sortie d'Alesi.

❶ Parti sur le mulet.

Coulthard : le trouble-fête

Même en ayant consolidé son avance sur Jacques Villeneuve (66 points contre 55), Michael Schumacher ne se considère pas en posture inexpugnable. A l'approche du GP d'Italie, la Scuderia est en état de fièvre. Tout comme Williams-Renault, pour d'autres raisons et d'une autre manière. «Nous n'avons pas digéré Spa», avoue Frank Williams, laconiquement.

Trois jours après le GP de Belgique, des essais privés ont lieu à Monza. Giovanni Agnelli, le patriarche de Fiat, y fait une de ses visites éclairs coutumières. Il dialogue avec le staff technique, échange des propos soutenus avec Michael Schumacher et moindres avec Eddie Irvine. Luca Di Montezemolo, à ses côtés, parle avec réalisme : «D'après ma vision du championnat, l'écart final entre Michael et Jacques Villeneuve sera infime. Nous possédons le meilleur pilote du monde, mais la F 310 B demeure notre priorité de progression. C'est sur elle que nous devons travailler.»

Apercevant Giancarlo Fisichella et Jarno Trulli, le premier en combinaison jaune, le second en bleu, le président de Ferrari va vers eux, familièrement. Les deux jeunes Transalpins sont fascinés. Ensuite, Luca Di Montezemolo confie : «Pour le moment, Giancarlo et Jarno ne nous intéressent pas comme coureurs potentiels. D'expérience, je sais combien est difficile la vie chez Ferrari pour un Italien. Eux et

Coulthard et Alesi : grands sourires.

nous, il nous faut éviter ce type de soucis.»

Le mercredi 27 août, Ralf Schumacher réalise une performance exceptionnelle, 1'23''885. Satisfait, il se replie dans le motor-home Jordan-Peugeot. Frentzen, son suivant immédiat, s'est contenté de 1'24''751. Et Fisichella est à 1'24''866. Le jeune Allemand estime sa mission terminée. Les ingénieurs de Peugeot le prient de rester encore un peu. Ralf Schumacher est sourd. Il repart immédiatement à destination de Nice. Il a envie de profiter du soleil de Monaco.

C'est donc Fisichella qui poursuit, seul, le réglage de la Jordan-Peugeot 197. Le vendredi 29 août, en 1'23''365, il éclipse Ralf Schumacher, sans aucun remords ni scrupule. Dans les instants qui suivent, l'Allemand appelle aussitôt ses techniciens : «J'arrive. Je serai là dans deux heures.» Il se heurte à un refus poli : l'écurie plie bagage. Schumacher a beau tempêter : on n'a plus besoin de lui. Il avait quitté les essais sur un caprice et il voulait les reprendre sur un deuxième caprice.

Ralf Schumacher, qui se croyait indispensable, n'est d'ailleurs même plus, toutes écuries confondues, le meilleur des Schumacher, car Michael a réussi, in extremis, 1'23''558. Pour l'occasion, les langues des ingénieurs français se délient. «Avec lui, ce n'est pas triste de travailler», ricanent certains. Et d'autres exemples remontent à la lumière.

En s'installant, en début de semaine, à l'hôtel *La Frégate*, à une dizaine de kilomètres du Beausset, Olivier Panis aborde sa phase finale de rééducation : il va essayer une Formule 3 sur le Paul-Ricard avant une Formule 1 le 9 septembre, une semaine plus tard à Magny-Cours. «C'est l'étape la plus délicate, estiment d'une même voix François Gressot et Patrick Chamagne. Il faut réhabituer Olivier à des sensations de fatigue musculaire, normales mais peut-être troublantes pour lui.» Toutes les informations recueillies au sujet de Panis remontent directement à Prost.

Le jeudi matin 4 septembre, dans l'aéroport de Linate, Dominique Sappia, au milieu de son équipe Arrows, le portable à l'oreille, est en liaison privilégiée avec Gressot : «Tout s'est passé au mieux. Oli-

Giancarlo Fisichella rêvait d'un podium « à domicile »…

vier récupère tellement bien qu'il peut prolonger ses essais ici. » Le plan de retour de Panis en compétition, le 28 septembre au Nürburgring, ne subira aucun retard.

Dans le paddock, Trulli se résigne : il n'a plus que deux GP (Italie, Autriche) à couvrir sur la JS 45. Il promène sa morosité sans la dissimuler. « Nous ne lui avons rien caché. Jarno n'a pas encore donné son maximum », explique Cesare Fiorio, qui s'est attaché à son jeune compatriote. Pour son premier GP d'Italie, Trulli cherche des invitations un peu partout. « Je ne croyais pas avoir tant d'amis », sourit-il avec mélancolie.

La mélancolie, Giancarlo Fisichella s'en moque. Son podium de Spa l'a valorisé aux yeux des Italiens. Il se gare dans le parking de Monza au volant d'un coupé Peugeot 406, immatriculé 888 MBG 75. Il est assailli par des tifosi. Sa réussite a alourdi son programme. Il se libère volontiers : « J'ai été engagé comme mannequin par le couturier québécois Jacques Victor. Je viens de signer un contrat personnel avec TAG et on m'a demandé de présenter une montre bientôt à Beyrouth. Des Anglais m'ont contacté pour lancer une ligne de vêtements de sport au titre du pilote le plus sexy du peloton. Et puis Campari, le sponsor officiel de ce GP d'Italie, m'a fait une offre très intéressante en échange d'un quart d'heure de présence par jour dans leur stand avec leurs invités. »

Radieux, Fisichella ajoute : « Maintenant, je dois trouver le temps de courir. » Eddie Jordan, qui rôdait précisément par là, l'entraîne d'une main ferme vers son motor-home.

Ce même jeudi, Ron Dennis, aussi imperméable que d'habitude, s'enferme, peu avant 17 heures, dans son motor-home. Il apprend, en priorité, le déclassement de Mika Hakkinen à Spa (le Finlandais était troisième) et le montant de l'amende que lui a infligée la FIA (50 000 dollars) pour carburant non conforme. Cette double sanction est sévère. Dennis garde ses commentaires pour son entourage.

Norbert Haug, lui, est amer : « Ce verdict est lourd, car nous visons la troisième place du championnat des constructeurs. » A quelques jours du Salon de Francfort, Mercedes est anxieux. Didier Cotton et Keke Rosberg, les managers de Hakkinen, atténuent la punition : « Pour le grand public, Mika a bien fini troisième à Spa. » Coulthard est pensif.

Flavio Briatore évolue dans le paddock, majestueux et décontracté. Il entretient un mystère qui n'en est plus un : son « divorce à l'italienne » avec Benetton. Ce vendredi, Alessandro Benetton, président de l'écurie, s'avance, d'un air nonchalant, sur le seuil de son motor-home. Il s'entretient, sur un ton anodin, avec quelques médias italiens. En une seconde, il est submergé. Faussement indifférent, pas du tout détaché, Briatore s'éloigne. Pas trop loin. Il s'amuse, à quelques mètres, avec un scooter, et lance des regards en coin vers Alessandro Benetton.

Ce dernier prononce un discours rassurant sur le présent et le futur de l'écurie : « La famille Benetton est résolue à rester en Formule 1. » Un autre Benetton, Rocco (27 ans), le jeune frère d'Alessandro, dirigera la gestion. L'organigramme sera complété avec la désignation de Dave Richards comme directeur sportif. C'est fini. Une page est tournée. Manifestement, Briatore a obtenu le sursis du GP d'Italie comme un hommage de Benetton à l'ensemble de son œuvre, depuis 1989.

Le soir, à une table chez Benetton-Renault, Pat Symonds, le directeur technique, se retourne sur le passé : « En 1984, chez Toleman, qui fut l'ossature de Benetton, nous n'étions qu'une vingtaine. Aujourd'hui, la structure Benetton représente 285 personnes. » Symonds, très élogieux, au passage, sur Alesi, observe : « Flavio a bien œuvré pour l'avenir en attirant Fisichella. Nous sommes quelques-uns à penser qu'il a l'étoffe d'un deuxième Schumacher. »

Avant les premiers essais, le regard d'Alesi se porte, de l'autre côté de la piste, sur une énorme banderole : « Alesi, il leone d'Avignon » (le lion d'Avignon). Alesi, qui a justement des raisons personnelles (Max Welti, le bras droit de Peter Sauber, lui a murmuré trois mots à l'oreille) d'être de bonne humeur, s'en amuse franchement. Il aime ces témoignages anonymes. « On ne m'oublie pas, c'est important pour mon moral », dit-il, en une phrase à double sens. Même si Frentzen, 1'23''991, et Villeneuve, 1'24''837, monopolisent la première ligne (provisoire), le Français est très proche,

Recueillement autour d'Herbert, Hill et Diniz.

1'24''847. Tous trois ont bien enchaîné sur les essais privés.

David Coulthard, 1'25''050, est frustré. Son V10 Mercedes a explosé à un mauvais moment. L'Écossais se dit néanmoins confiant. Plus assurément que le duo Ferrari, Irvine, 1'25''340, et Michael Schumacher, 1'26''224. « Nous préparons la course », a indiqué l'Allemand, en réponse aux inquiétudes nées chez les tifosi. Sur la fin des essais, Damon Hill a discrètement dialogué avec Johnny Herbert et David Coulthard.

En début de soirée, Hill transmet un communiqué de grand style. Il invite ses compatriotes anglais (et les autres) à honorer la mémoire de la princesse de Galles, Lady Diana, morte quelques jours plus tôt dans un accident à Paris. Hill a averti Bernie Ecclestone et les officiels de son intention. Il souhaite que Monza respecte une minute de silence, le samedi, à 12 heures, en concordance avec le début des obsèques à Londres.

Ce silence de Monza, une heure avant les essais officiels, est majestueux. Tous les

FERRARI-TAMBAY : L'IMPROMPTU D'ÉPERNAY

En cette année du cinquantenaire Ferrari (1947-1997), la célèbre Ferrari GTO (construite à 36 exemplaires seulement entre 1962 et 1964) célébrait son trente-cinquième anniversaire en sillonnant les routes de France.

Au gré d'une halte à Épernay, dans les caves Moët & Chandon, Piero Ferrari, le fils du Commendatore, rencontra Patrick Tambay, dernier double champion du monde des constructeurs Ferrari, en 1982 et 1983, avec René Arnoux.

Quelques jours après Monza, Piero Ferrari n'avait qu'une question à la bouche : « Combien de chances avons-nous de gagner le championnat du monde 1997 ? » Tambay s'efforça de rassurer son interlocuteur.

Piero Ferrari-Tambay : de vieux amis.

Pour Jean Alesi, la pole position du brio.

temps de souffler. 13 h 33 : Frentzen arrache la pole à Fisichella, en 1'23"042.

Curieusement, ni Villeneuve, 1'23"231, ni surtout Michael Schumacher, 1'23"624, ne paraissent en forme optimale. La pole de Frentzen semble solide. Erreur : à 13 h 37, Alesi boucle un tour d'anthologie en 1'22"990. Il est le seul à franchir le seuil de 1'23". « C'est fantastique ! » s'écrie Briatore en gesticulant sur le bord de piste. Le commando Benetton réserve une fête chaleureuse (et improvisée) à Alesi, à son retour. Pour lui, c'est sa deuxième pole après celle du 10 septembre 1994 ici même sur Ferrari. « Jean, tu es meilleur que jamais », lui assure Briatore.

Michael Schumacher, qui a tourné alternativement sur sa machine de course et sur le mulet, ne lâche qu'un aveu : « Je vais surveiller Villeneuve. » Le même Villeneuve, peu prolixe, a obtenu de Williams l'accord de Frentzen pour, éventuellement, le doubler en cas de besoin. Cette

Anglais de la Formule 1, sur la piste et dans les motor-homes, se recueillent avec dignité. Certains pleurent. L'initiative de Damon Hill était exemplaire.

Aux essais de qualification, Trulli s'élance parmi les premiers : 1'26"061. A 13 h 08, Magnussen réussit 1'24"759. Il y a encore de la marge. 13 h 10 : Fisichella le démontre, 1'23"565. Tout s'accélère : 13 h 18, 1'23"380 avec Frentzen, 13 h 20, 1'23"340 avec Hakkinen, 13 h 25, 1'23"066 avec Fisichella. On n'a pas le

A la chicane, Alesi s'est déjà bien détaché.

entente est censée demeurer confidentielle. Williams a renoncé à son sacro-saint principe de liberté totale en course de ses pilotes.

Au départ, Coulthard se distingue en se faufilant derrière Alesi et Frentzen, en tête dans cet ordre. Une fois cet ordre stabilisé, Alesi, Frentzen, Coulthard, Fisichella, Villeneuve, Hakkinen, Michael Schumacher..., il ne se passe plus grand-chose. Ce GP d'Italie s'enlise dans une morne procession à 300 km/h. Les écarts n'évoluent pas. Alesi mène avec 3'' d'avance sur Frentzen et Coulthard. Le sort de la course est réglé au 32ᵉ tour : Alesi ravitaille, devant Coulthard. Dans l'opération, le Français perd 21''42 en tout et l'Écossais 19''39 seulement. C'est terminé : la McLaren-Mercedes a ravi le commandement à la Benetton-Renault. Il en restera ainsi jusqu'au podium. Ralf Schumacher se signale en « balançant » Herbert à 340 km/h.

Coulthard reconnaît : « En étant troisième à la chicane, j'ai compris que c'était jouable. » Alesi se désole : « Monza devient maudit pour moi. » Villeneuve hausse les épaules, furieux de ne pas avoir pu doubler. Jean Todt affirme : « Le point gagné par Michael vaut de l'or. » Le malaise est général.

Le lendemain, Michael Schumacher avoue : « Je suis stressé et très fatigué. » Il décline une manifestation Ferrari au Salon de Francfort avec Sergio Pininfarina et Paul Cayard, pour le lancement d'une 550 Maranello à son nom. Antonio Ghini, le directeur de la communication de Ferrari, déploiera des trésors de diplomatie pour excuser l'absence du double champion du monde. Il est vrai que les visiteurs allemands du Salon de Francfort se consolent en contemplant David Coulthard et Mika Hakkinen, tous deux en strict costume de ville, devant la machine victorieuse de Monza. « Pour nous, battre Ferrari à Monza nous console de tous nos déboires », s'exclame Norbert Haug.

Frentzen résiste de son mieux à Coulthard.

Deuxième succès 1997 pour Coulthard et Mercedes.

GRAND PRIX D'AUTRICHE

14ᵉ MANCHE DU CHAMPIONNAT DU MONDE DES CONDUCTEURS 1997

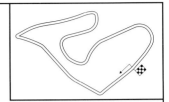

DATE : 21 septembre 1997.
CIRCUIT : A1-Ring de Spielberg (ex-Zeltweg).
DISTANCE : 71 tours de 4,323 km, soit 306,933 km.
MÉTÉO : beau.
ENGAGÉS : 22. QUALIFIÉS : 21. ARRIVÉS : 12. CLASSÉS : 14.
VAINQUEUR : **Jacques Villeneuve** (Williams-Renault) en 1 h 27'35''999 à 210,228 km/h (record car nouveau circuit).
RECORD DU TOUR : **Jacques Villeneuve** (Williams-Renault) : 1'11''814 à 216,709 km/h.

GRILLE DE DÉPART

VILLENEUVE (Williams-Renault/G) ..... à 221,364 km/h 1'10''304		**Hakkinen** (McLaren-Mercedes/G)	1'10''398
Trulli (Prost-Mugen-Honda/B)	1'10''511	**Frentzen** (Williams-Renault/G)	1'10''670
Barrichello (Stewart-Ford/B)	1'10''700	**Magnussen** (Stewart-Ford/B)	1'10''893
Hill (TWR Arrows-Yamaha/B)	1'11''025	**Irvine** (Ferrari/G)	1'11''051
M. Schumacher (Ferrari/G) ❷	1'11''056	**Coulthard** (McLaren-Mercedes/G)	1'11''076
R. Schumacher (Jordan-Peugeot/G)	1'11''186	**Herbert** (Sauber-Petronas/G)	1'11''210
Morbidelli (Sauber-Petronas/G)	1'11''261	**Fisichella** (Jordan-Peugeot/G)	1'11''299
Alesi (Benetton-Renault/G)	1'11''382	**Nakano** (Prost-Mugen-Honda/B)	1'11''596
Diniz (TWR Arrows-Yamaha/B)	1'11''615	**Berger** (Benetton-Renault/G) ❶	1'11''620
Katayama (Minardi-Hart/B)	1'12''036	**Verstappen** (Tyrrell-Ford/G)	1'12''230
Salo (Tyrrell-Ford/G)	1'14''246		

Exclu du GP : **Tazio Marques** (Minardi-Hart M197) ..... 1'12''304 pour poids non conforme en essais qualificatifs.

CLASSEMENT

1. **Jacques Villeneuve** (Williams-Renault FW19) ..... en 1 h 27'35''999 à 210,228 km/h
2. **David Coulthard** (McLaren-Mercedes MP4/12) ..... à 2''909
3. **Heinz-Harald Frentzen** (Williams-Renault FW19) ..... à 3''962
4. **Giancarlo Fisichella** (Jordan-Peugeot 197) ..... à 12''127
5. **Ralf Schumacher** (Jordan-Peugeot 197) ..... à 31''859
6. **Michael Schumacher** (Ferrari 310B) ❷ ..... à 33''410
7. **Damon Hill** (TWR Arrows-Yamaha A18) ..... à 37''207
8. **Johnny Herbert** (Sauber-Petronas C16) ..... à 49''057
9. **Gianni Morbidelli** (Sauber-Petronas C16) ..... à 1'06''455
10. **Gerhard Berger** (Benetton-Renault B197) ..... à 1 tour
11. **Ukyo Katayama** (Minardi-Hart M197) ..... à 2 tours
12. **Jos Verstappen** (Tyrrell-Ford 025) ..... à 2 tours
13. **Pedro Diniz** (TWR Arrows-Yamaha A18) ..... à 4 tours (abandon)
14. **Rubens Barrichello** (Stewart-Ford SF-1) ..... à 7 tours (abandon)

ABANDONS

Mika Hakkinen (McLaren-Mercedes MP4/12) : moteur explosé (1 tour), alors en tête / **Jean Alesi** (Benetton-Renault B197) : accroché par Irvine (37 tours), alors 12ᵉ / **Eddie Irvine** (Ferrari 310B) : suites de l'accrochage avec Alesi (38 tours), alors 13ᵉ / **Mika Salo** (Tyrrell-Ford 025) : sélection de boîte de vitesses (48 tours), alors 16ᵉ / **Shinji Nakano** (Prost-Mugen-Honda JS45) : moteur cassé (57 tours), alors 14ᵉ / **Jarno Trulli** (Prost-Mugen-Honda JS45) : casse moteur (58 tours), alors 2ᵉ / **Jan Magnussen** (Stewart-Ford SF-1) : casse moteur (58 tours), alors 10ᵉ / **Rubens Barrichello** (Stewart-Ford SF-1) : poussé à la faute par M. Schumacher (64 tours), alors 7ᵉ, classé 14ᵉ / **Pedro Diniz** (TWR Arrows-Yamaha A18) : amortisseurs cassés (67 tours), alors 11ᵉ, classé 13ᵉ.

EN TÊTE

Hakkinen : les 4 premiers km.
Trulli : les 37 premiers tours, soit 156 km.
Villeneuve : du 38ᵉ au 40ᵉ tour et les 28 derniers tours, soit 134 km.
M. Schumacher : les 41ᵉ et 42ᵉ tours, soit 9 km.
Coulthard : le 43ᵉ tour, soit 4 km.

A NOTER

❶ Parti des stands où il était rentré à l'issue du tour de formation en raison d'un témoin d'alerte anormalement allumé sur son tableau de bord.
❷ Parti avec le mulet, pénalité de 10'' au stand pour avoir dépassé Frentzen alors qu'un drapeau jaune était brandi suite à l'incident Irvine-Alesi ; de 3ᵉ lors de son arrêt, il repart 9ᵉ.

Villeneuve, carton plein

Pour Jacques Villeneuve, le retour au calendrier du GP d'Autriche est à la fois une première et une réalité encourageante. En 1996, lors d'essais privés, il avait établi le record, 1'13"100, du nouveau tracé de l'A1-Ring. Cette année, il arrive, en solitaire, dans la maison qu'il a retenue, à Spielberg, avec Craig Pollock, lequel n'est attendu, pour cause d'un long périple international depuis Monza, que le vendredi, en fin de matinée. Le jeudi 18 septembre, Villeneuve déjeune paisiblement avec Heinz-Harald Frentzen et son manager, Ortwin Podlech, dans le motor-home Renault, à la table traditionnellement réservée pour Pollock. Son temps de 1996, Villeneuve le tient pour quantité négligeable.

Dans un paddock en effervescence, en raison du passage de Damon Hill chez Jordan, le motor-home Williams ne symbolise pas un havre de paix. Une tension latente existe entre Villeneuve et le duo directorial Frank Williams-Patrick Head, toujours à propos des réglages personnels exigés par le Québécois. Averti, dès qu'il est là, Pollock commence par s'entretenir en tête à tête avec Williams. « Une fois de plus », observe-t-il sur un ton désabusé. « Une fois de trop », pense-t-il, en réalité.

L'hypothèse d'une rupture Villeneuve-Williams, au milieu du jeu des chaises musicales des transferts, alimente des rumeurs que, de son côté, Christian Contzen s'em-

Pollock, un frère pour Villeneuve.

ploie à dédramatiser. Après tout, Villeneuve a bien confié : « Je ne me sens pas au mieux dans une écurie qui ne songe qu'au titre mondial des constructeurs. » A sa façon, Villeneuve apaise Renault alors que Williams se dédouane constamment vis-à-vis du même Renault. Contzen saisit bien les nuances de ses interlocuteurs.

A côté, chez Ferrari, l'ambiance est tout aussi tendue, mais en interne. Michael Schumacher, qui réside au *Schloss Gabel Hotel* à Fohnsdorf, s'amuse d'être accueilli par un chef cuisinier, Dario, qui lui prépare des spécialités italiennes. Depuis Monza, l'Allemand a continué à travailler dur, en testant notamment à Fiorano la Sauber-Petronas C-16 : il recherche des informations, encore et toujours, sur le V10 Ferrari. Le double champion du

monde est sous les feux croisés de ses compatriotes (émoustillés par l'annonce du retour de BMW en Formule 1) et de ce qu'il nomme l' «euphorie Ferrari», dont il se méfie comme d'un facteur de démobilisation de la Scuderia. Todt, qui veille au grain, le rassure.

Néanmoins, Schumacher a lâché une curieuse confidence : « A Monza, j'étais fatigué. Je ne suis après tout qu'un homme. » Cet accès de faiblesse ne lui ressemble pas. Selon certains relevés (extérieurs à l'écurie), les deux pilotes Ferrari auraient couvert 27 000 km d'essais privés depuis le début de l'année. En plus des GP.

Indifférent aux installations flambant neuves de l'A1-Ring, Alain Prost a repris ses habitudes d'antan. Il s'est installé à Odbach, au *Groggerhof Hotel*, qu'il connaît depuis son premier GP d'Autriche, le 17 août 1980. Il n'est pas homme à se laisser contaminer par la nostalgie : il vit à fond dans son présent de patron d'écurie, en passant d'ailleurs beaucoup de temps dans le motor-home Peugeot avec Pierre-Michel Fauconnier. Depuis qu'il a pris la spectaculaire initiative de divorcer (avant mariage) avec Damon Hill, Prost est plutôt soulagé. « Ce qui m'intéresse, c'est de réaliser une bonne performance ici », assure-t-il, avec le sourire.

Sa casquette bleue toujours bien ajustée sur le crâne, Shinji Nakano affiche une sérénité à toute épreuve. Jarno Trulli, lui, se déplace en silence, flanqué de son manager Lucio Cavuto. Trulli ne sait que dire : il sera jugé sur le terrain. Quant à Cavuto, il dialogue beaucoup, ici et là, avec des interlocuteurs de passage, même et y compris avec Giancarlo Minardi. La silhouette d'Olivier Panis, qui se prépare à des tours de roulage à Magny-Cours avant de rejoindre le Nürburgring, flotte, subtilement, dans l'ambiance de l'écurie française.

Dès les essais de familiarisation, le jeudi, une vérité se dégage : le bon rendement des Bridgestone sur cette surface délicate, concrétisé par un tiercé gagnant, Hill, 1'12"553, Barrichello, 1'12"589, Magnussen, 1'12"823. Bridgestone a manqué le quarté car Alesi, 1'12"956, a précédé Trulli, 1'13"025. Villeneuve, 1'13"524, et Michael Schumacher, 1'13"827, sont en retrait. Même si ces temps sont (très) provisoires, ils annoncent une contre-attaque des Goodyear.

Hill, d'ailleurs, ne craint pas d'en rajouter : «Mon écurie a très bien travaillé et les Bridgestone ont fait le reste.» Une déclaration à la Mansell. Chez Ferrari, on a multiplié les précautions en apportant trois machines et deux châssis allégés en supplément. Pour adopter, à l'usage, la meilleure combinaison possible. Schumacher lance un avertissement : «Nos pneus ont besoin de s'adapter à la piste.» Il rafraîchit l'enthousiasme des tifosi accourus ici en masse. Une guerre des nerfs sur fond de stratégie de gommes se dessine. Dans l'ensemble, les pilotes déplorent l'étroitesse de la piste.

Gerhard Berger, lui, s'exprime volontiers : «D'accord, je suis l'unique rescapé du dernier GP d'Autriche, en 1987. Mais je me souviens surtout avoir débuté ici le 19 août 1984 sur une ATS-BMW turbo. C'était le bon temps.» L'Autrichien, qui en 1984 n'avait pas encore 25 ans, se préoccupe désormais de son avenir. Il déambule dans le paddock avec une nonchalance feinte, en serrant beaucoup de mains.

BONJOUR, L'A1-RING

Signe des temps : le célèbre tracé de l'Osterreichring, sur le territoire de la commune de Zeltweg (qui abrita 19 GP entre 1964 et 1987), appartient au passé. La renaissance d'un GP d'Autriche a demandé la reconstruction (partielle) d'un nouveau circuit désormais baptisé A1-Ring et basé sur la surface communale de Spielberg.

Cette opération de longue haleine – un investissement de 129 millions de francs – a été financée par un sponsor d'envergure, Austrian Mobil Telekom, en liaison avec les autorités de la province de Styrie et de Spielberg, qui récupère une identité usurpée, paraît-il, par Zeltweg.

Garanti par contrat jusqu'en 2002, le GP d'Autriche est le fleuron de la communication d'Austrian Mobil Telekom. Quelques semaines plus tôt, l'Allemand Jan Ullrich, vainqueur du Tour de France, à la tête d'une équipe Deutsche Telekom, avait sérieusement stimulé la privatisation de Deutsche Telekom.

En Allemagne et en Autriche, les Telekom savent se montrer et, aussi, être écoutés. Curiosité : c'est la première fois qu'un stade automobile reçoit le nom d'un sponsor. Certains (nostalgiques) s'en plaignent. D'autres, en majorité, comprennent les nécessités de l'époque.

Flavio Briatore, très détaché de tout, lui a indiqué que l'officialisation de l'entrée d'Alexander Wurz chez Benetton en 1998 serait consommée le vendredi matin. Berger n'a rien répondu : il y était préparé. Il ne peut s'empêcher de glisser en petit comité : «J'ai 20 % de chances de courir en 1998 chez Williams.» Ce qui lui ouvre, sait-on jamais ? une piste inespérée. En cette période de totale intox, tous les bruits sont bons à colporter et à enregistrer.

En tout cas, Berger rappelle volontiers que, dimanche soir, il aura disputé 207 GP (depuis 1984), ce qui le situe devant les 203 courus par Nelson Piquet. Ce dernier est revenu en Formule 1, l'espace d'une soirée, le 8 septembre, au Salon de Francfort, en trônant sur le capot de la Brabham-BMW turbo avec laquelle il avait conquis son deuxième titre mondial le 15 octobre 1983 à Kyalami. Piquet posait pour les photographes avec Karlheinz Kalbell, l'homme qui assurera le retour de BMW

---

en Formule 1 (en 2000), et qui a, déjà, eu un premier contact avec Berger.

*

* *

Après deux jours de mise en train, non sans des performances inattendues (Diniz), la vraie bataille des essais du samedi s'annonce palpitante, en raison du retour (le vendredi) des Goodyear avec l'émergence (prévue) des Williams-Renault de Frentzen, 1'11"527, et Villeneuve, 1'11"638. Schumacher, 1'12"265, s'est entraîné sur la Ferrari au châssis allégé.

Ces essais officiels débutent par une longue attente devant un circuit désert. Pour tous les pilotes, uniformément équipés de gommes dures et qui ont besoin, au moins, de quatre tours pour monter leurs pneus en température, il est urgent de patienter. A 13 h 22, le jeune Brésilien Tazio Marques inaugure la piste, pour un simple hors-d'œuvre, 1'13"112. Morbidelli lui règle son compte à 13 h 29 : 1'11"539. Au même instant, le V10 Mugen-Honda de Trulli prend feu, en plein effort. 13 h 39 : Barrichello, incisif, s'impose, 1'10"954. Cette fois, ça devient sérieux. Trois minutes plus tard, coïncidence japonaise, le V10 Yamaha de Diniz explose dans un nuage de fumée blanche.

Villeneuve se prépare. Et attaque. 13 h 44 : le Québécois s'installe en tête, 1'10"657. Mika Hakkinen n'attendait qu'une référence. 13 h 45 : 1'10"398 pour le Finlandais de McLaren-Mercedes. Mais Villeneuve ne désarme pas. 13 h 58 : il reconquiert la pole position – sa huitième de la saison – en 1'10"304. Rien n'est terminé. Chez Prost, en effet, Trulli a bondi sur le mulet. Dans son dernier tour, qu'il entame 20" à peine avant la fin des essais, Trulli se faufile parmi les attardés et, coup d'éclat, se hisse en deuxième ligne en 1'10"511, juste derrière Villeneuve et Hakkinen. La stupéfaction et l'admiration tombent sur Trulli et sa Prost-Mugen-Honda n° 14.

Dans le fond du stand Prost, Jean-

Villeneuve devant Trulli (masqué) : ça ne va pas durer.

Charles Roguet, l'ami et l'avocat suisse de Prost, n'a rien perdu de la performance de Trulli. « Alain s'attendait à quelque chose d'important, révèle Roguet. Quand il a vu la panne moteur de Trulli, il était intérieurement furieux. Ensuite, lorsque Jarno est revenu en piste, il avait repris confiance. » Gagneur-né, Prost peste, à retardement, contre le coup du sort de 13 h 29. Il se reprend en se félicitant de la performance de Trulli. Mais, en aparté, il a murmuré, avec une froide rancœur, à l'oreille de Roguet : « Jarno aurait dû avoir la pole. Intrinsèquement, il la méritait. C'est quand même rageant. »

Dès la fin des essais, le massif Norbert Haug, le directeur de Mercedes Motorsport, s'est prestement précipité sur Hakkinen. Autant pour le féliciter de s'être hissé en première ligne que pour le réconforter de ne pas avoir protégé ce qui aurait pu être la première pole position de sa carrière. « Mais tu te battras pour le podium », ajoute l'Allemand.

Derrière de très sérieux commentaires de convenance sur « quelques changements de réglages », Villeneuve savoure une petite revanche interne : ses revendications ont reçu le soutien technique de l'ingénieur James Robinson. Dans le camp Ferrari, où Irvine, 1'11''076, précède Schumacher, 1'11''186, le danger des Bridgestone n'a pas échappé au double champion du monde : « Ils sont quatre, Trulli, Barrichello, Magnussen et Hill, entre Villeneuve et moi. » Et, encore, Diniz aurait pu fort bien faire le cinquième sans son ennui moteur.

A un autre échelon, c'est-à-dire encore plus bas dans la grille, Jean Alesi, 1'11''615, rumine de sombres pensées. « Je n'y comprends rien », avoue-t-il à ses ingénieurs Benetton, aussi embarrassés et consternés que lui. Pour faire bonne mesure, Berger, 1'11''620, est encore plus mal loti qu'Alesi. Pour l'Autrichien, la déception est surtout d'ordre affectif. « Ma fête est gâchée », soupire-t-il. Autour de lui, c'est le monde du silence.

Ciel uniformément bleu, bonne température ambiante, le moral de tous, ce dimanche, monte au beau fixe. Surtout chez

Jarno Trulli, qui oublie sa déception (à venir) de rendre son volant à Panis dans quelques jours derrière l'ambition (immédiate) d'une bonne course. Entre deux bouchées de pâtes, au déjeuner, il a reçu un appel téléphonique enthousiaste de sa mère : « Jarno, mon fils, tu es un champion ! » Confus, le jeune Italien a répondu : « Non, maman, pas encore. » Il se dirige vers sa machine, sur la grille de départ de son treizième GP, le cœur aussi léger que sa démarche.

Patrick Head, qui supervise Villeneuve et Frentzen, ne se cache pas pour examiner la suspension arrière de la JS 45 de Trulli. A côté d'Hakkinen, Ron Dennis, raide, observe également furtivement Trulli. Alain Prost, qui s'aperçoit du manège des deux Anglais, esquisse un léger sourire.

Au départ, Trulli a adroitement pris le sillage de la McLaren-Mercedes d'Hakkinen en surprenant Villeneuve. Mais Hakkinen, moteur cassé, ne termine même pas son premier tour. Et, pour la première fois, une Prost-Mugen-Honda est au com-

mandement d'un GP. Avec 1" d'avance sur Barrichello et près de 2" sur Villeneuve, suivi de Magnussen, Frentzen, Michael Schumacher, Coulthard, Hill, etc. Sur ce tracé où les dépassements s'avèrent délicats, Trulli a une belle carte à jouer. Il ne s'en prive pas.

Pendant que Villeneuve bute sur Barrichello, Trulli s'est donné 9" d'avance sur le Brésilien. Une fois le verrou Barrichello sauté, Villeneuve se situe à 10"76 de Trulli. L'écart Trulli-Villeneuve se rétrécit au fil des tours et, sur le ravitaillement de l'Italien, le Québécois s'installe en tête, selon un schéma prévisible.

Dans le camp Ferrari, Michael Schumacher, très bien parti, se surpasse sur une machine rétive. Au début, Alesi a dépassé Irvine dans une courbe serrée, en le prenant à l'intérieur. Le Français s'était démené comme un beau diable pour compenser son handicap de position sur la grille. Vingt tours plus loin, Irvine se pointe derrière Alesi et l'attaque à l'exté-

Pour Trulli, l'ivresse d'un long commandement.

Irvine à l'extérieur et Alesi dans une belle cabriole.

rieur. La Ferrari et la Benetton s'accrochent dans un double abandon. Un peu plus tard, Alesi, en chemisette blanche, est cinglant : « Ne me demandez pas ce que je pense d'Irvine. Si je le disais, j'écoperais d'une amende de 10 000 dollars. » Quant à l'Irlandais, c'est le sixième GP consécutif où il ne marque pas le moindre point pour la Scuderia.

Villeneuve poursuit sa ronde sans forcer son talent, en ayant successivement Frentzen puis Michael Schumacher dans son rétroviseur. A la faveur des ravitaillements, le même Schumacher est un leader éphémère. Trulli, bien revenu dans la bataille, est à 4" du Québécois. Soudain, à 15 h 02, le double champion du monde est frappé d'une pénalité de 10" pour avoir doublé Coulthard sous un drapeau jaune, lors de l'incident Irvine-Alesi. Cette pénalité coûte en réalité 28"9 à l'Allemand qui, relégué en neuvième position, se réfugie dans un baroud d'honneur qui ne lui rapportera qu'un (petit) point en ayant doublé, in extremis, Barrichello et Hill.

Double coup de théâtre rapproché : en l'espace de 60", à 15 h 14 et 15 h 15, les V10 Mugen-Honda de Nakano puis de Trulli rendent l'âme en pleine piste. Amer, Prost récapitule laconiquement : « Avec les essais, nous avons cassé quatre moteurs en trois jours. » Le reste de ses commentaires, il les consacre à Trulli : « Jarno est aussi bon que je le pensais : il a libéré son potentiel dans des conditions prometteuses. » Trulli, radieux, quitte l'écurie avec panache, une lueur de mélancolie dans ses yeux.

Retenu en France pour une bénigne intervention chirurgicale, Bernard Dudot n'a rien perdu de la démonstration de Villeneuve. Du motor-home Renault, Jean-François Robin, son bras droit, lui téléphone : « Rien à signaler, tu en sais autant que moi. » La performance de Villeneuve a rendu le sourire à l'équipe. Frank Williams, qui n'a pas pu attendre le Québécois, a chargé diplomatiquement Head

L'instant où Michael Schumacher double sous drapeau jaune.

de le féliciter. Une large chemise bleue flottant au vent, son sac sur l'épaule, Villeneuve se hâte vers l'aéroport militaire de Zeltweg, avec la satisfaction du devoir accompli. Un embouteillage énorme cerne l'A1-Ring. Cette fois, Villeneuve s'en moque : il s'est ménagé quarante-huit heures de calme à Monaco.

En se regardant, Villeneuve se découvre satisfait.

GRAND PRIX DU LUXEMBOURG

15ᵉ MANCHE DU CHAMPIONNAT DU MONDE DES CONDUCTEURS 1997

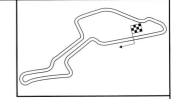

DATE : 28 septembre 1997.

CIRCUIT : Nürburgring (Allemagne).

DISTANCE : 67 tours de 4,556 km, soit 305,235 km.

MÉTÉO : beau.

ENGAGÉS : 22. QUALIFIÉS : 22. ARRIVÉS : 10. CLASSÉS : 10.

VAINQUEUR : **Jacques Villeneuve** (Williams-Renault) en 1h31'27''843 à 200,232 km/h (nouveau record).

RECORD DU TOUR : **Heinz-Harald Frentzen** (Williams-Renault) : 1'18''805 à 208,128 km/h.

GRILLE DE DÉPART

HAKKINEN (McLaren-Mercedes/G) à 214,114 km/h 1'16''602		**Villeneuve** (Williams-Renault/G)	1'16''691
Frentzen (Williams-Renault/G)	1'16''741	**Fisichella** (Jordan-Peugeot/G)	1'17''289
M. Schumacher (Ferrari/G)	1'17''385	**Coulthard** (McLaren-Mercedes/G)	1'17''387
Berger (Benetton-Renault/G)	1'17''587	**R. Schumacher** (Jordan-Peugeot/G)	1'17''595
Barrichello (Stewart-Ford/B)❷	1'17''614	**Alesi** (Benetton-Renault/G)	1'17''620
Panis (Prost-Mugen-Honda/B)❶	1'17''650	**Magnussen** (Stewart-Ford/B)	1'17''722
Hill (TWR Arrows-Yamaha/B)	1'17''795	**Irvine** (Ferrari/G)	1'17''855
Diniz (TWR Arrows-Yamaha/B)	1'18''128	**Herbert** (Sauber-Petronas/G)	1'18''303
Nakano (Prost-Mugen-Honda/B)	1'18''699	**Marques** (Minardi-Hart/B)	1'19''347
Morbidelli (Sauber-Petronas/G)	1'19''490	**Salo** (Tyrrell-Ford/G)	1'19''526
Verstappen (Tyrrell-Ford/G)❷	1'19''531	**Katayama** (Minardi-Hart/B)	1'20''615

CLASSEMENT

1. **Jacques Villeneuve** (Williams-Renault FW19) .... en 1h31'27''843 à 200,232 km/h
2. **Jean Alesi** (Benetton-Renault B197) .... à 11''770
3. **Heinz-Harald Frentzen** (Williams-Renault FW19) .... à 13''480
4. **Gerhard Berger** (Benetton-Renault B197) .... à 16''416
5. **Pedro Diniz** (TWR Arrows-Yamaha A18) .... à 43''147
6. **Olivier Panis** (Prost-Mugen-Honda JS45)❶ .... à 43''750
7. **Johnny Herbert** (Sauber-Petronas C16) .... à 44''354
8. **Damon Hill** (TWR Arrows-Yamaha A18) .... à 44''777
9. **Gianni Morbidelli** (Sauber-Petronas C16) .... à 1 tour
10. **Mika Salo** (Tyrrell-Ford 025) .... à 1 tour

ABANDONS

Giancarlo Fisichella (Jordan-Peugeot 197) : accrochage au premier virage avec l'autre Jordan (0 tour) / **Ralf Schumacher** (Jordan-Peugeot 197) : accrochage au premier virage avec Fisichella et Schumacher (0 tour) / **Ukyo Katayama** (Minardi-Hart M197) : suites de l'accrochage au départ (1 tour) / **Tazio Marques** (Minardi-Hart M197) : moteur cassé (1 tour), alors 14ᵉ / **Michael Schumacher** (Ferrari 310B) : suspension avant droite suite à l'accrochage au départ (2 tours) / **Shinji Nakano** (Prost-Mugen-Honda JS45) : moteur cassé (16 tours), alors 14ᵉ / **Eddie Irvine** (Ferrari 310B) : problème moteur (22 tours), alors 10ᵉ / **Jan Magnussen** (Stewart-Ford SF-1) : demi-arbre de roue (40 tours), alors 5ᵉ / **David Coulthard** (McLaren-Mercedes MP4/12) : moteur cassé (42 tours), alors 2ᵉ / **Mika Hakkinen** (McLaren-Mercedes MP4/12) : moteur cassé (43 tours), alors en tête / **Rubens Barrichello** (Stewart-Ford SF-1) : pression hydraulique de boîte (43 tours), alors 3ᵉ / **Jos Verstappen** (Tyrrell-Ford 025) : casse moteur (50 tours), alors 11ᵉ.

EN TÊTE

Hakkinen : les 28 premiers tours et du 32ᵉ au 43ᵉ tour, soit 182 km.

Coulthard : du 29ᵉ au 31ᵉ tour, soit 14 km.

Villeneuve : les 24 derniers tours, soit 109 km.

A NOTER

❶ Retour de Panis chez Prost après 7 GP d'absence.

❷ Parti sur le mulet : **Barrichello** (coque de secours montée en mulet), **Verstappen** (suite à sortie lors des essais qualificatifs).

Villeneuve et Renault : la totale : 1 + 3 = 4

Richards-Briatore : transition.

T ous deux sont attendus ici avec curiosité. Rien ne les rapproche. Le premier, c'est Flavio Briatore (47 ans), l'homme qui découvrit la Formule 1 en 1989 (à Adélaïde) et qui, prestement bombardé à la direction de Benetton, amena l'écurie italienne (avec Ford, puis avec Renault depuis 1995) à la consécration, après avoir engagé en un tour de passe-passe (fin août 1991) un jeune Allemand de 22 ans, Michael Schumacher, après son premier GP (à Spa) sur une Jordan-Ford. En ce week-end germano-luxembourgeois, dans le cadre légendaire du Nürburgring, Briatore achève son cycle personnel à la tête de Benetton. A défaut d'être aussi flamboyant que dans un récent passé, sa silhouette focalise un surcroît d'attention.

Le second, c'est David Richards (45 ans), un inconnu dans la maison de la Formule 1, mais une figure marquante du sport auto. Ancien navigateur du Finlandais Ari Vatanen (champion du monde des rallyes en 1981), il s'est lancé à son compte dans les rallyes comme fondateur de la société Prodrive (créée en 1986), et il y a récolté d'autres titres mondiaux. Sa carte de visite est double : David Richards est à la fois président de Prodrive et directeur exécutif de Benetton Formula Limited.

Autant Briatore est un Italien poussé jusqu'à la caricature, autant Richards est un Anglais type. En ce paddock ensoleillé, ils se côtoient sans animosité. Briatore est désœuvré, Richards, affairé, s'imprègne de ses nouvelles fonctions. La passation de pouvoirs est, selon une volonté partagée, dépourvue de toute ambiguïté relationnelle.

Non sans une solennité appuyée, Briatore a présenté lui-même Richards à toute sa collectivité. «C'est mon dernier jour de classe avant les vacances. Pour Dave, c'est son premier jour d'école», a énoncé Briatore sur un ton professoral qui masque mal une réelle émotion. De son côté, Richards ne se répand guère en confidences; il préfère un discours institutionnel. «La famille Benetton et moi-même, nous étions en pourparlers depuis plusieurs mois. Mais l'accord définitif n'a été signé que dernièrement», confie-t-il.

Son programme de Formule 1, Richards le résume en une triple comparaison : «Il nous faut la passion qui anime Ferrari, la qualité technologique de Williams et le marketing adroit de McLaren. J'ai le mandat de restaurer Benetton, qui bénéficie d'une image très forte.» Rocco Benetton, le frère d'Alessandro, disposera d'un bureau fixe à Enstone. Sous l'auvent du motor-home Benetton, Richards, en tenue Benetton, s'entretient longtemps avec Juan Villadelprat et Pat Symonds, collaborateurs de longue date de l'écurie, et, au gré du paddock, il dialogue aussi avec Ross Brawn, croisé fortuitement.

A divers indices, entrevus à la dérobée, on devine les techniciens de Benetton un peu désorientés, voire troublés. Richards

Panis-Trulli : franche poignée de main.

Prost-Panis, les échanges retrouvés.

doit certainement s'en rendre compte. Le style de management de Briatore a laissé des traces. Mais Richards agit comme si cette gêne n'était que passagère. Manifestement, il a envie d'entrer au plus vite dans le vif de son sujet. Et l'imminence du GP du Luxembourg est le meilleur antidote contre toute forme d'introspection. D'ailleurs, le jeudi après-midi, Richards passe de longs moments dans le stand de piste : il observe, il parle avec les uns et les autres. En un mot, il est présent sur le front de la course.

Pour la deuxième fois depuis son accident de Montréal, le 15 juin, Olivier Panis réapparaît dans un paddock. «C'est la bonne aujourd'hui», plaisante-t-il allégrement. Le King Air de Prost GP l'a débarqué en fin de matinée à Cologne, avec Didier Perrin, Patrick Chamagne et quelques autres de l'écurie. Cheveux courts, alerte, Panis est rayonnant. Il va spontanément vers Jarno Trulli, invité de l'équipe, qui trimballe son oisiveté forcée comme un fardeau de mélancolie. Le jeune Italien ne reste pas en place : il frappe à quelques portes de motor-homes, suivi par Lucio Cavuto, son manager personnel, aussi sombre que lui.

Un Autrichien athlétique se présente dans le motor-home Prost GP. C'est le commissaire international Jo Bauer qui, en application du règlement, demande à Panis d'effectuer des tests physiques d'adaptation à son cockpit. Panis se sent redevenir pilote intégral. L'examen se passe dans le stand. Panis se glisse dans son habitacle et s'en extrait, à plusieurs reprises, en moins de 5". Ce soir, à l'hôtel *Nürbur*, dans la chambre 110, il va dormir du sommeil du juste. Comme un enfant.

Au passage, il rappelle : «Cet été, j'ai vraiment ennuyé mes médecins, à Montréal et à Douarnenez. Tous les jours, je leur demandais des indications précises sur la date de mon retour en course. Ils me rassuraient de leur mieux, mais ils étaient quand même un peu évasifs. Ils compre-

UNE VICTOIRE AMÉRICAINE POUR PROST

Même si la Formule 1 n'est pas implantée aux États-Unis, elle captive épisodiquement les médias américains – les périodiques économiques principalement –, en raison de son succès financier universel.

Aussi bien, quand l'hebdomadaire *Business Week* (800 000 exemplaires) sort, le 22 septembre, sous une couverture intitulée FAST MONEY (l'argent rapide), illustrée par la JS 45 Prost-Mugen-Honda, c'est une victoire de premier ordre pour la Formule 1 et l'ensemble de ses composantes. Surtout en coïncidence avec un voyage d'affaires express d'Alain Prost à New York, entre deux GP, pour des entretiens avec un (éventuel) gros sponsor.

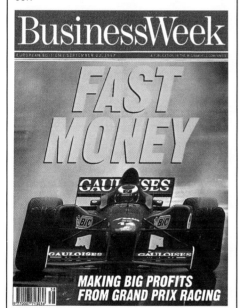

Autre heureuse coïncidence : le lendemain de cette parution, Bic USA et Bic International tiennent une convention à l'hôtel *Sonesta*, à Key Biscayne, près de Miami. Bruno Bich, le président de Bic, y recevait 250 de ses collaborateurs d'Amérique du Nord. Et *Business Week* circule entre toutes les mains...

Sur la photo, prise à Monaco, deux sponsors de Prost GP, Gauloises et Bic, se distinguent avec une visibilité maximale. Une autre victoire.

naient mon impatience, mais ils ne pouvaient pas l'apaiser. En vérité, mon horizon s'est éclairé le 5 août. Ce jour-là, ils m'ont montré les radios de mes jambes. J'ai immédiatement saisi qu'ils étaient contents de moi. J'étais rétabli. Mais il me restait encore du chemin à parcourir jusqu'à aujourd'hui... » En définitive, avant les 67 tours du GP du Luxembourg,

Panis a calculé en avoir, approximativement couvert 180 en essais libres, au Paul-Ricard et à Magny-Cours, avant cette échéance du dernier dimanche de septembre. « Peut-être même plus », corrige-t-il.

Le lendemain, vendredi, Panis rejoint le motor-home assez tôt. Cette matinée lui paraît très longue. François Gressot et Patrick Chamagne l'observent du coin de l'œil. A 10 h 35, en pénétrant dans le stand de piste, Panis découvre un commando de photographes, appareils en batterie. Il ne se laisse pas désarçonner. Il reprend ses habitudes : il ajuste méthodiquement sa cagoule, après avoir mis ses boules anti-bruit, il enfile ses gants, il s'approche de sa machine. Cette séquence au ralenti, sous le regard d'Anne, est partagée par toute l'équipe Prost. Le patron, quant à lui, affiche une sérénité à toute épreuve : aucune trace d'anxiété n'altère son visage. A 11 h 02, le pilote Panis reprend, officiellement, du service.

De leur côté, Michael Schumacher et Jacques Villeneuve ont rallié le Nürburgring, chacun à sa manière. L'Allemand s'est plongé, le jeudi, dans un bain de foule, en pleine ville de Luxembourg, au volant d'une antique Ferrari 166, rescapée des Mille Miles des années 50. Parti de Monaco, le Québécois a fait un détour par Silverstone pour des essais de départs ultra-privés. Ils n'ont qu'un mot à la bouche : « Il faut gagner. » On s'en serait douté. Résidents tous deux au *Dorint Hotel* (chambre 331 pour Schumacher et 221 pour Villeneuve), ils s'évitent soigneusement.

Dans ces premiers essais du vendredi, ils ne cultivent pas la performance et cachent délibérément leur jeu. Mika Hakkinen, lui, ne dissimule pas le sien : en 1'17''998, il devance nettement la meute, emmenée par Barrichello, 1'18''339, Berger, 1'18''434, Ralf Schumacher, 1'18''713, et Alesi, 1'18''794. Panis, onzième en 1'19''412, est en décalage par rapport à ses objectifs.

Hakkinen-Didier Cotton, joyeuse fraternité.

Ecclestone-Schumacher : rigolade au chocolat.

Prost le rassure. Le soir, au *Sankt Peter Hotel* à Bad-Neuenar, Hakkinen est intarissable sur son V10 Mercedes. Chez Williams et Ferrari, on s'interroge, en termes sévères, sur l'efficacité des McLaren. La méfiance envahit les esprits.

Conséquence : aux essais officiels du lendemain, Hakkinen est en point de mire. 13 h 19 : Frentzen domine le lot en 1'17''491. 13 h 24 : Fisichella tourne en 1'17''289. 13 h 26 : Hakkinen réussit 1'17''151. 13 h 33 : Frentzen est le meilleur en 1'17''005. Coup de tonnerre à 13 h 41 : Hakkinen culmine en 1'16''602. Villeneuve enchaîne plusieurs tours rapides : son meilleur, à 13 h 42, se bloque en 1'16''887. « Tant pis, je suis satisfait de me trouver en première ligne sur ce tracé », se résigne le Québécois, pas mécontent, au fond, de s'en tirer aussi honorablement.

Cette pole position de Mika Hakkinen – sa première en 93 GP depuis 1991 – est environnée d'un parfum d'Histoire. C'est en effet la première d'une McLaren depuis celle d'Ayrton Senna le 7 novembre 1993 à Adélaïde, en Australie. Mais c'est aussi un formidable pont – jeté sur un intervalle de 42 ans – avec la dernière d'un moteur Mercedes, le 11 septembre 1955 à Monza avec Juan Manuel Fangio. L'allégresse communicative des Anglais et des Allemands entraîne Hakkinen dans un tourbillon délirant.

En plus, Hakkinen va fêter son 29e anniversaire le lendemain, le 28 septembre. Ron Dennis, Jurgen Hubbert et Norbert Haug balayent leur pragmatisme pour ne voir dans cette pole qu'un formidable présage. Mario Ilien, le motoriste attitré du V10 allemand, se contente d'expliquer : « Depuis l'Autriche, nous avons trouvé une demi-douzaine de chevaux de plus. » Pour sa part, il préconise une tactique de sagesse pour la course elle-même. L'euphorie ambiante ne lui dit rien qui vaille.

En troisième ligne, Michael Schumacher pense amèrement : « J'ai tenté le maximum, mais ça n'a pas suffi. Je suis, à mon goût, un peu trop loin de Villeneuve

et ça me déplaît. » Pour son 100e GP, qu'il a célébré en écrasant un gâteau au chocolat sur le visage de Bernie Ecclestone (mais oui !), le double champion du monde, 1'17''385, regrette ouvertement de ne pas avoir pu se mêler à l'affrontement pour la pole position. Il déplore surtout d'avoir échoué de peu sur Fisichella, 1'17''289. « Il était à ma portée », soupire-t-il, en homme avide de gommer son fiasco de Spielberg. Jean Todt, lui, a noté que les deux Williams-Renault peuvent adopter une tactique d'équipe pour contrecarrer son leader.

L'inquiétude règne partout. L'irruption de Mika Hakkinen en tête de grille trouble Craig Pollock : « Après tout, Hakkinen a l'occasion de se comporter en allié potentiel de Schumacher. C'est une hypothèse vraisemblable. » Frank Williams et Patrick Head l'ont écouté en silence. Williams, pourtant, s'est fait transporter, dès la fin des essais, auprès de Dennis et Haug pour les féliciter. « Je n'oublie pas, a-t-il notamment dit, que nous sommes ici en plein fief Mercedes. » Sans doute Williams songeait-il, en anticipation, à cet autre constructeur allemand qui reviendra en Formule 1 en 2000.

D'un soir sur l'autre au *Sankt Peter Hotel*, Hakkinen se nourrit d'optimisme. De connivence avec Erja Honkanen, la fiancée de Mika, Didier Cotton persuade Hakkinen de prolonger d'un jour son séjour ici pour « passer une soirée tranquille ». En vérité, Erja et Didier réservent une surprise à Mika pour son anniversaire. Avec l'espoir au cœur d'un immense exploit. Un peu réticent au début, Hakkinen se laisse convaincre. Son entourage de Mercedes n'aura pas la même patience : à son arrivée dans son stand, le dimanche matin, Mika recevra un « kolossal » gâteau.

A l'instant du départ, Anne Panis, blême mais impassible, suivra Olivier d'un long regard insistant. En fait, en 5'' tout est joué. Mieux parti que Villeneuve, Hakkinen est flanqué de Coulthard qui a bondi

Les deux Schumacher et Fisichella évanouis dans une mer de sable.

de sa troisième ligne. Un cataclysme tombe sur le peloton : Fisichella est débordé par Ralf Schumacher, son prétendu partenaire Jordan-Peugeot, qui, sans ménagement ni élémentaire réflexion, éperonne son frère, le tout dans un immense nuage de poussière. Les Jordan-Peugeot et la Ferrari n° 5 sont hors de combat. Dans la cohue, Panis, qui a judicieusement ralenti, a perdu quatre places mais sauvé sa course.

Devant, Hakkinen et Coulthard mènent un train d'enfer, que Villeneuve analyse à distance. Les deux Mercedes donnent un festival. Quand le classement se stabilise,

Barrichello, Alesi et Berger surviennent derrière. Mais le show Mercedes s'évanouit en deux tours : Coulthard puis Hakkinen abandonnent, de concert, sur explosion de leurs V10. A plus de vingt tours de l'arrivée, la route est dégagée pour Villeneuve, fer de lance d'une grandiose performance des moteurs Renault qui rajeunissent de quatorze mois (depuis le GP de France 1996) pour monopoliser les quatre premières places avec, pour l'histoire, Alesi, Frentzen et Berger comme compagnons de réussite de Villeneuve.

La culpabilité aveuglante de Ralf Schu-

macher est (mal) tempérée par la magnanimité de Michael. « Quel malheur d'avoir un frère ! » ironise-t-on, ici et là. En réintégrant son stand, avec 1 point à son crédit, Panis est soulagé. « C'est bien, mon grand », entend-il, une bonne vingtaine de fois, avec le même plaisir. Il s'éclipse avec Anne, enfin rassérénée. Jock Clear, l'ingénieur attitré de Villeneuve, commente : « Jacques a gardé son rythme, sans tomber dans le piège des Mercedes. » Ce dimanche soir, Hakkinen souffle ses vingt-neuf bougies avec Erja Honkanen et Didier Cotton. Le dîner a un goût de cendres. Le cœur n'y est vraiment pas.

GRAND PRIX DU JAPON
16ᵉ MANCHE DU CHAMPIONNAT DU MONDE DES CONDUCTEURS 1997

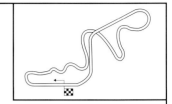

DATE : 12 octobre 1997.
CIRCUIT : Suzuka.
DISTANCE : 53 tours de 5,864 km, soit 310,596 km.
MÉTÉO : beau et frais avec vent.
ENGAGÉS : 22. QUALIFIÉS : 21. ARRIVÉS : 13. CLASSÉS : 13.
VAINQUEUR : **Michael Schumacher** (Ferrari) en 1 h 29'48''446 à 207,507 km/h (nouveau record).
RECORD DU TOUR : **Heinz-Harald Frentzen** (Williams-Renault) : 1'38''942 à 213,361 km/h.

GRILLE DE DÉPART

VILLENEUVE (Williams-Renault/G)❶ à 219,737 km/h 1'36''071	**M. Schumacher** (Ferrari/G)❸ 1'36''133
Irvine (Ferrari/G) 1'36''466	**Hakkinen** (McLaren-Mercedes/G) 1'36''469
Berger (Benetton-Renault/G)❹ 1'36''561	**Frentzen** (Williams-Renault/G)❷ 1'36''628
Alesi (Benetton-Renault/G) 1'36''682	**Herbert** (Sauber-Petronas/G)❸ 1'36''906
Fisichella (Jordan-Peugeot/G) 1'36''917	**Panis** (Prost-Mugen-Honda/B) 1'37''073
Coulthard (McLaren-Mercedes/G) 1'37''095	**Barrichello** (Stewart-Ford/B)❸❹ 1'37''343
R. Schumacher (Jordan-Peugeot/G) 1'37''443	**Magnussen** (Stewart-Ford/B) 1'37''480
Nakano (Prost-Mugen-Honda/B) 1'37''588	**Diniz** (TWR Arrows-Yamaha/B) 1'37''853
Hill (TWR Arrows-Yamaha/B)❹ 1''38''022	**Katayama** (Minardi-Hart/B)❸ 1'38''983
Marques (Minardi-Hart/B) 1'39''678	**Verstappen** (Tyrrell-Ford/G) 1'40''259
Salo (Tyrrell-Ford/G) 1'40''529	FORFAIT : **Gianni Morbidelli** (Sauber-Petronas C16/G)❺1'38''556

CLASSEMENT

1. **Michael Schumacher** (Ferrari 310B) ... en 1 h 29'48''446 à 207,508 km/h
2. **Heinz-Harald Frentzen** (Williams-Renault FW19) ... à 1''378
3. **Eddie Irvine** (Ferrari 310B) ... à 26''384
4. **Mika Hakkinen** (McLaren-Mercedes MP4/12) ... à 27''129
   Jacques Villeneuve (Williams-Renault FW19)❶ ... à 39''776
5. **Jean Alesi** (Benetton-Renault B197) ... à 40''403
6. **Johnny Herbert** (Sauber-Petronas C16) ... à 41''630
7. **Giancarlo Fisichella** (Jordan-Peugeot 197) ... à 56''825
8. **Gerhard Berger** (Benetton-Renault B197) ... à 1'00''429
9. **Ralf Schumacher** (Jordan-Peugeot 197) ... à 1'22''036
10. **David Coulthard** (McLaren-Mercedes MP4/12) ... à 1 tour (abandon)
11. **Damon Hill** (TWR Arrows-Yamaha A18) ... à 1 tour
12. **Pedro Diniz** (TWR Arrows-Yamaha A18) ... à 1 tour
13. **Jos Verstappen** (Tyrrell-Ford 025) ... à 1 tour

ABANDONS

Jan Magnussen (Stewart-Ford SF-1) : tête-à-queue (3 tours), alors 11ᵉ / **Rubens Barrichello** (Stewart-Ford SF-1) : tête-à-queue (6 tours), alors 11ᵉ / **Ukyo Katayama** (Minardi-Hart M197) : moteur explosé et tête-à-queue (8 tours), alors 19ᵉ / **Shinji Nakano** (Prost-Mugen-Honda JS45) : sortie dans bac à sable suite bris roulement de roue (22 tours), alors 14ᵉ / **Olivier Panis** (Prost-Mugen-Honda JS45) : moteur (36 tours), alors 13ᵉ / **Mika Salo** (Tyrrell-Ford 025) : moteur cassé (46 tours), alors 15ᵉ / **Tazio Marques** (Minardi-Hart M197) : transmission (46 tours), alors 14ᵉ / **David Coulthard** (McLaren-Mercedes MP4/12) : sortie sur problème moteur (52 tours), alors 10ᵉ, classé 11ᵉ puis 10ᵉ après l'exclusion de Villeneuve.

EN TÊTE

Villeneuve : les deux premiers tours et du 17ᵉ au 20ᵉ tour, soit 35 km.
Irvine : du 3ᵉ au 16ᵉ tour, et du 22ᵉ au 24ᵉ tour, soit 100 km.
M. Schumacher : du 25ᵉ au 33ᵉ tour et les 16 derniers tours, soit 147 km.
Frentzen : le 21ᵉ tour et du 34ᵉ au 37ᵉ tour, soit 29 km.

A NOTER

❶ Exclu du GP pour récidive de non-respect du drapeau jaune (lors de la panne de Verstappen) en essais libres ; prend pourtant le départ suite à l'appel de l'écurie Williams-Renault, dont elle se désiste quelques jours plus tard.

❷ Sanctionné d'une course de suspension avec sursis et mise à l'épreuve lors des 5 prochains GP pour non-respect du drapeau jaune.

❸ Sanctionné d'une course de suspension avec sursis et mise à l'épreuve lors du GP d'Europe pour non-respect du drapeau jaune.

❹ Parti sur le mulet : **Hill** suite à un problème de refroidissement, **Berger**, avec la coque de secours montée en mulet, et **Barrichelo**.

❺ Non autorisé à prendre le départ suite à sa lourde sortie en fin de séance qualificative (douleur au bras gauche).

Schumacher en maître

'un, Michael Schumacher, se sait le dos au mur. Il a perdu le droit à l'erreur. L'autre, Jacques Villeneuve, n'a besoin que d'un seul point pour toucher au but suprême. Pour ce rendez-vous de Suzuka, ils sont sur la même longueur d'ondes d'une détermination maximale.

Le vendredi 3 octobre, Villeneuve et Craig Pollock s'embarquent, à Heathrow, dans un jet British Airways direct Londres-Tokyo. Le Québécois a toujours éprouvé un faible pour la capitale japonaise, qui abrita une partie de sa jeunesse vagabonde à un moment où il n'était que le fils de Gilles Villeneuve. Tous deux descendent à l'*Hôtel Okura*. Pendant que Villeneuve se détendra, la crinière au vent dans l'agréable été indien de Tokyo, avec de vieux copains, Pollock nouera plusieurs fructueux contacts locaux.

Quant à Michael Schumacher, qui s'est envolé de Francfort le samedi 4 octobre, il voyage en famille. Il s'est déchargé d'une opération de relations publiques Ferrari sur Eddie Irvine, Luca Di Montezemolo (en personne !) et Andrea Antonicola, le directeur commercial Ferrari pour l'Asie. C'est ainsi qu'Irvine couvre des dizaines de tours au mont Fuji au volant d'une F355, avec des médias japonais, avant d'être transporté à Suzuka en hélicoptère.

Accompagné de son épouse Corinna, de son père Rolf et de son frère Ralf, Michael Schumacher monte, à Tokyo, dans le

Villeneuve-Michael Schumacher : sourires crispés.

Shinkanson, un luxueux train rapide, à destination de Nagoya.

Tout comme au Nürburgring, Michael Schumacher et Villeneuve cohabitent sous le même toit. Cette fois, ils n'ont pas besoin de s'éviter. Le complexe du *Suzuka Circuit Hotel*, dispersé en une multitude de bâtiments distincts, épargne les rencontres qui ne seraient pas programmées : l'Allemand réside dans l'appartement J 2740 et le Québécois est au L 2944. « Je suis assez détendu, commente Schumacher, peut-être plus que Jacques. » Lequel Villeneuve rétorque : « Je sais ce que j'ai à faire. » Cette guerre des nerfs à fleurets mouchetés n'est pas niable.

Sur le site de Suzuka, des casemates en dur remplacent les motor-homes habituels. La Formule 1 y perd son allure

d'énorme caravane errante au profit d'une promiscuité insolite. Peu importe que les pièces Williams et Ferrari soient, pratiquement, contiguës, Schumacher, Villeneuve et leurs écuries sont aux antipodes les uns des autres.

Au fur et à mesure qu'a progressé le championnat, cet énième duel Schumacher-Villeneuve a vitaminé l'intérêt du public japonais. Takashi Matsuda, le président du GP, et Massaru Unno, le plus francophile de tous les organisateurs de Suzuka, le confirment sans ambages : « En dépit d'une date prématurée, par rapport au calendrier habituel, la courbe à la désaffection est stoppée. Nous avons constaté un regain de location pour le dimanche, ce qui nous garantit 130 000 personnes pour la course, soit un total de 320 000 spectateurs sur trois jours. »

Un homme pressé est soudainement freiné. A peine a-t-il effectué son enregistrement à la réception du *Suzuka Circuit Hotel* qu'Alain Prost se rend vers le bâtiment L. Mais il est instantanément l'otage d'une nuée de jeunes fanatiques japonais dont il ne se dégage qu'à grand-peine. Pendant les trois jours du GP, chaque apparition de Prost déclenchera une vague d'enthousiasme. Pour y échapper, il n'a d'autre issue que de monter, casqué, sur un petit scooter et de s'enfuir en zigzaguant à travers ses inconditionnels.

Au dîner officiel du GP, le jeudi, dans le Ball Room, Prost, accompagné de Didier

Perrin et Cesare Fiorio, cherche dans la foule Hirotoshi Honda, le président de Mugen, avec une seule idée en tête : l'autoriser à substituer Jarno Trulli à Shinji Nakano pour le GP d'Europe à Jerez, en clôture du championnat.

La marge de négociation de Prost est étroite. De principe, il se refuse à tout marchandage. Cette fin de contrat Prost-Mugen vire à l'aigre. L'avalanche de pannes moteur à Spielberg et au Nürburgring ne facilite guère le dialogue. De son côté, Hirotoshi Honda se consacre volontiers à Eddie Jordan, son prochain partenaire. Le sort de Nakano étant en ballottage très défavorable, Jordan a persuadé Hirotoshi Honda de lancer le projet d'une « filière » de jeunes espoirs japonais. Le financement n'est pas précisé.

Olivier Panis, installé à Suzuka depuis mercredi, s'est intensément préparé. Alors que Villeneuve perfectionne ses trajectoires au bowling, Panis, lui, soigne son registre de tennisman. Le jeudi matin, en se heurtant à porte close au Fur Garden, le gymnase du *Suzuka Circuit Hotel*, Panis est déconfit. Devant cette scène, sans rien dire, Shinji Nakano s'interpose immédiatement auprès de la direction. Satisfaction lui est accordée : Nakano monte une opération « porte ouverte » pour son partenaire.

Depuis quelques jours, un amusant spot publicitaire PlayStation (un des sponsors de Prost GP) inonde les écrans de plusieurs chaînes japonaises. Jean Alesi en est la vedette, avec Kumiko. « Ils ont proposé ça à Mario Myakawa, mon agent, et ça s'est réalisé séance tenante », expose Alesi, jovial. Tout comme Flavio Briatore, absent, Jean Alesi aborde sa dernière ligne droite chez Benetton. Il partage avec Gerhard Berger un minuscule espace dans la casemate Benetton (occupée aussi par les gens de Renault). « Quand Gerhard et moi, nous devons nous changer, nous nous frôlons », sourit Alesi, d'excellente humeur.

La cote d'Alesi sur le marché japonais, pour s'exprimer en termes commerciaux, est à son zénith. Au fait, alors que se précise la retraite de Gerhard Berger (208 GP depuis 1985), Alesi se dispose à se glisser dans la combinaison du plus ancien pilote en activité (en 1998) avec 133 GP (depuis 1989) à son compteur. « Je m'en accommode bien », promet Alesi, d'une indéfectible bonne humeur.

C'est d'ailleurs, en partie, pour exploiter la notoriété d'Alesi, spécialement au Japon, que Mild Seven (sponsor officiel de Benetton-Renault) a obtenu, sur un accord ponctuel, l'utilisation, pendant le GP, des emplacements exclusifs appartenant à Marlboro. Dans l'immédiat, Alesi dévoile son programme : « Après Jerez, je reviens au Japon pour m'immerger, pendant un mois, dans la famille de Kumiko. J'ai un

défi à relever : parler en japonais aussi bien qu'elle en français. » Ce n'est pas Osamu Goto, son futur ingénieur chez Sauber-Petronas, qui se plaindra d'avoir un interlocuteur averti des subtilités de sa langue natale...

*
* *

A l'amorce des essais du vendredi, Michael Schumacher et Villeneuve rivalisent d'indifférence maîtrisée à la fièvre ambiante. La bataille s'est déplacée sur un autre terrain. Jean Todt a dénoncé l'accélérateur anti-patinage des McLaren-Mercedes, en certifiant son interdiction en 1998 par le pouvoir sportif. Ron Dennis a riposté en protestant de son respect des règlements. Les Williams ont retouché leurs suspensions avant. Les Ferrari ont adopté un aileron avant flexible, qui suscite des remarques aigres-douces de Patrick Head. Une guerre de l'ombre, sur fond de technologie, bat son plein.

Installé en tête, en 1'38"903, Eddie Irvine cause la sensation du jour et réveille l'étonnement dubitatif de Head. Deuxième, en 1'38"911, Ralf Schumacher se dédouane en hâte : « Je cours pour Jordan, pas pour Michael. » Panis talonne, en 1'38"941, l'Allemand de Jordan-Peugeot. La hiérarchie paraît encore brouillée. Entre Michael Schumacher, 1'40"460, et Villeneuve, 1'40"616, l'écart est infime : 156 millièmes de seconde. La performance d'Irvine intrigue moins le Québécois que ses ingénieurs. Suavement, Todt ajoute : « Avec une bonne voiture, Eddie est très fort. » En apprenant ce propos, Head sourit dubitativement.

Après toutes ces escarmouches verbales, l'important se situe dans le test de vérité des qualifications du samedi. Premier en piste, après une anodine sortie de route le matin, Jos Verstappen attaque ces essais en 1'48"965, avant de se classer finalement vingt et unième en 1'40"259. A 13h 04, Hakkinen se déchaîne, 1'36"469. A 13h 17, Villeneuve arrache sa douzième

Villeneuve, toutes les audaces pour arracher la pole.

pole position (de carrière) en 1'36"071. Il laisse ses rivaux s'entre-déchirer.

A 13 h 22, Irvine se rapproche, 1'36"466. Puis, à 13 h 24, Michael Schumacher se rapproche encore plus près du Québécois, 1'36"133. La situation en haut de grille est figée. Berger, 1'36"561, et Alesi, 1'36"682, sont séparés par Frentzen, 1'36"628. De son côté, Michael Schumacher n'a pas insisté. Une certaine déception tombe dans le camp Renault. Denis Chevrier reconnaît : « Jacques n'a pas creusé la différence avec les Ferrari. La piste ne s'améliore pas. »

Insidieuse, tenace et persistante, une rumeur naît soudain dans le paddock. Pendant l'accident de Verstappen, le matin, plusieurs pilotes n'auraient pas ralenti en dépit des drapeaux jaunes. Cette séance matinale a été effectivement stoppée huit minutes après la panne de Verstappen, qui s'est garé sur le bas-côté, à proximité du poste 22.

L'absence d'informations autorise toutes les spéculations. L'identité des pilotes en cause est dévoilée lorsque leurs écuries reçoivent la notification des commissaires internationaux : Stewart (Barrichello) à 17 h 35, Ferrari (Schumacher) à 17 h 36, Williams (Frentzen et Villeneuve) à 17 h 50 et 17 h 51, Minardi (Katayama) à 17 h 55 et Saubert (Herbert) à 17 h 56. Cinq coureurs sont suspendus avec sursis, le sixième, Villeneuve, est exclu du GP en exécution d'une sanction prononcée à Monza (voir page 7).

La foudre tombe sur Suzuka. La casemate Williams se transforme en camp retranché. Frank Williams, Patrick Head, Dick Stanford, Jock Clear, Craig Pollock et Villeneuve sont assiégés. La question de l'appel se pose immédiatement dans une alternative spectaculaire : déterminer la recevabilité (éventuelle) de l'appel et, ensuite, son acceptation. Villeneuve et les siens jouent avec le feu.

Les minutes s'égrènent, lourdes d'une polémique de plus en plus véhémente. A 19 heures, l'appel de Williams est enregistré. A 19 h 10, Villeneuve émerge, les traits blanchis par l'émotion, de sa casemate. Face à une meute de médias, il s'exprime en mots simples. Sa sincérité est son meilleur argument de plaidoirie. La porte de la casemate-prison de Williams se referme sur les mêmes hommes, tous accablés. Les trois commissaires internationaux, le Suisse Paul Gutjahr, le Français Francis Murac et le Japonais Shintaro Taki restent repliés dans leur bureau.

Ce n'est que bien plus tard que Villeneuve et Pollock regagnent le *Suzuka Circuit Hotel*, la tête bourdonnante d'un cauchemar en direct. Pollock s'interdit tout commentaire supplémentaire. Villeneuve aussi. Ils dînent en tête à tête, dans la chambre du Québécois. Tous deux aspirent à un repos réparateur qui les basculerait dans l'oubli du présent. De Londres,

Samedi soir : la fièvre autour de Villeneuve.

Julian Jakobi a apaisé Pollock : « J'ai connu ça avec Ayrton Senna. Gardez votre calme. Évitez tout excès que vous pourriez regretter par la suite. » Pollock soupire : « Le réveil sera terrible. »

Pour Villeneuve, c'est tout le dimanche qui sera terrible. La stratégie de Williams est fondée sur une offensive à deux têtes, Villeneuve en pointe, Frentzen en soutien rapproché. Pour contrer les Ferrari. Mais Frentzen, trop éloigné, ne respectera pas, du moins au début du GP, cet objectif.

D'abord, Villeneuve s'empare du commandement dès l'extinction des feux. Michael Schumacher le suit, avec Hakkinen, Irvine, Frentzen, Berger, Alesi, Herbert, etc. Ce n'est qu'une fulgurance pour le Québécois doublé, dès le 3ᵉ tour, par Irvine, envoyé aux avant-postes comme un patrouilleur intrépide.

Quand Villeneuve s'en va, sous le nez de Michael Schumacher...

Irvine devant Villeneuve : le Québécois n'y voit que du rouge.

L'Irlandais de Ferrari se construit un écart de plus en plus conséquent sur Villeneuve, distancé de 12'' et occupé à contenir Michael Schumacher. Le Québécois attend, en vain, le renfort programmé de Frentzen, en bataille avec Hakkinen. La démonstration tactique des Ferrari est limpide : Villeneuve est coincé dans l'étau rouge.

Quand commence le ballet des ravitaillements, Villeneuve respire un peu mieux. Il se retrouve même en tête devant Frentzen, enfin revenu. Ce n'est qu'un répit avant l'hallali. Au 22ᵉ tour, Irvine reprend le commandement avec Michael Schumacher à 11''. Sur une opération passe-passe, Irvine cède son poste à son équipier et s'emploie à « bouchonner » Villeneuve. C'est terminé : la Scuderia a fait main basse sur le GP du Japon.

Pour aggraver son infortune, Villeneuve est handicapé par un trop long (37''076) deuxième ravitaillement. A 35'' du double champion du monde, il n'a plus qu'à sauver son honneur de pilote. Tout le reste passe au second plan, y compris l'offensive de Frentzen qui, au moins, a contenu Irvine à défaut de dépasser Michael Schumacher. Avec la conquête de la deuxième place, Frentzen met Williams-Renault hors de portée de Ferrari au championnat

des constructeurs. Le champagne ne coulera pas, pour autant, après le podium chez Williams (neuvième consécration du genre) comme chez Renault (sixième titre mondial).

Sur la fin, Villeneuve ferraille avec Alesi, encore une fois très régulier et nettement le meilleur des Benetton-Renault. Panis, lui, n'a pas échappé à l'étrange fragilisation des V10 Mugen depuis Spielberg. Pendant que Prost s'entretient, en tête à tête, avec Hirotoshi Honda, sur la réserve, Cesare Fiorio coupe : « Depuis l'Autriche, c'est le même refrain avec nos ingénieurs japonais. Ils ne savent que répéter : sorry, sorry. Leur courtoisie n'est qu'un alibi. » Alain Prost se précipite vers la sortie. Il a hâte de quitter Suzuka. Il s'engouffre dans une Honda Shuttle pour y retrouver Jean Todt, évidemment épanoui, et David Richards, qui a pleinement dirigé Benetton pour la première fois.

Soudainement ragaillardi à la fois par son succès et par la menace qui plane sur Villeneuve, Michael Schumacher s'attarde indéfiniment sur le trajet du retour vers sa casemate, transformée en basilique italienne. Corinna, affamée par l'émotion, a trouvé refuge chez Benetton pour y avaler allégrement une assiette de pâtes. Eddie Irvine plane sur un nuage. Lui qui n'avait

pas marqué le moindre point depuis le GP de France est désormais réhabilité. « Je suis le meilleur équipier du monde », s'esclaffe-t-il avec une outrance que lui pardonnent ceux qui, voici quatre jours, le vouaient aux gémonies.

Très digne, Villeneuve s'est muré dans le silence. « Si Jacques a couru pour rien, ce serait franchement dommage pour l'idée que l'on peut se faire du sport », s'insurge Pollock. En ce dimanche d'un certain malaise, Villeneuve dîne avec son ami Mika Salo au *Campanella*, le restaurant italien du circuit. Il a besoin d'un peu de recul, sur les événements et sur lui-même, pour y voir plus clair. Il est assez perturbé mais n'en montre rien.

A 19 h 45, exactement, deux hommes traversent en silence la salle de presse, encore bourdonnante d'activité. Personne ne reconnaît Francis Murac et Paul Gutjahr, les bras séculiers de la justice de la FIA. Dans la soirée, à l'heure du « Golden Time », tout l'archipel du Japon découvre, en différé habituel, la course de la mi-journée. En une heure et demie, le clip de Jean Alesi et de Kumiko repasse (au moins) à quatre reprises. Derrière Michael Schumacher, c'est (peut-être) lui, le Français d'Avignon, l'autre vainqueur du jour.

GRAND PRIX D'EUROPE

17ᵉ MANCHE DU CHAMPIONNAT DU MONDE DES CONDUCTEURS 1997

DATE : 26 octobre 1997.

CIRCUIT : Jerez de la Frontera (Espagne).

DISTANCE : 69 tours de 4,428 km, soit 305,532 km.

MÉTÉO : clément.

ENGAGÉS : 22. QUALIFIÉS : 22. ARRIVÉS : 17. CLASSÉS : 17.

VAINQUEUR : **Mika Hakkinen** (McLaren-Mercedes) en 1h38'57''771 à 185,240 km/h (nouveau record).

RECORD DU TOUR : **Heinz-Harald Frentzen** (Williams-Renault) : 1'23''135 à 191,745 km/h.

GRILLE DE DÉPART

VILLENEUVE (Williams-Renault/G) à 196,625 km/h 1'21''072		**M. Schumacher** (Ferrari/G)	1'21''072
Frentzen (Williams-Renault/G)	1'21''072	**Hill** (TWR Arrows-Yamaha/B)	1'21''130
Hakkinen (McLaren-Mercedes/G)	1'21''369	**Coulthard** (McLaren-Mercedes/G)	1'21''476
Irvine (Ferrari/G)	1'21''610	**Berger** (Benetton-Renault/G)	1'21''656
Panis (Prost-Mugen-Honda/B)	1'21''735	**Alesi** (Benetton-Renault/G) ❶	1'22''011
Magnussen (Stewart-Ford/B)	1'22''167	**Barrichello** (Stewart-Ford/B)	1'22''222
Diniz (TWR Arrows-Yamaha/B)	1'22''234	**Herbert** (Sauber-Petronas/G)	1'22''263
Nakano (Prost-Mugen-Honda/B)	1'22''351	**R. Schumacher** (Jordan-Peugeot/G)	1'22''740
Fisichella (Jordan-Peugeot/G)	1'22''804	**Fontana** (Sauber-Petronas/G) ❷	1'23''281
Katayama (Minardi-Hart/B)	1'23''409	**Marques** (Minardi-Hart/B)	1'23''854
Salo (Tyrrell-Ford/G)	1'24''222	**Verstappen** (Tyrrell-Ford/G)	1'24''301

CLASSEMENT

1. **Mika Hakkinen** (McLaren-Mercedes MP4/12) .... en 1h38'57''771 à 185,240 km/h
2. **David Coulthard** (McLaren-Mercedes MP4/12) .... à 1''654
3. **Jacques Villeneuve** (Williams-Renault FW19) .... à 1''803
4. **Gerhard Berger** (Benetton-Renault B197) .... à 1''919
5. **Eddie Irvine** (Ferrari 310B) .... à 3''789
6. **Heinz-Harald Frentzen** (Williams-Renault FW19) .... à 4''537
7. **Olivier Panis** (Prost-Mugen-Honda JS45) .... à 1'07''145
8. **Johnny Herbert** (Sauber-Petronas C16) .... à 1'12''961
9. **Jan Magnussen** (Stewart-Ford SF-1) .... à 1'17''487
10. **Shinji Nakano** (Prost-Mugen-Honda JS45) .... à 1'18''215
11. **Giancarlo Fisichella** (Jordan-Peugeot 197) .... à 1 tour
12. **Mika Salo** (Tyrrell-Ford 025) .... à 1 tour
13. **Jean Alesi** (Benetton-Renault B197) .... à 1 tour
14. **Norberto Fontana** (Sauber-Petronas C16) .... à 1 tour
15. **Tazio Marques** (Minardi-Hart M197) .... à 1 tour
16. **Jan Verstappen** (Tyrell-Ford 025) .... à 1 tour
17. **Ukyo Katayama** (Minardi-Hart M197) .... à 1 tour

ABANDONS

Pedro Diniz (TWR Arrows-Yamaha A18) : tête-à-queue (11 tours), alors 13ᵉ / **Rubens Barrichello** (Stewart-Ford SF-1) : problème de boîte de vitesses (30 tours), alors 12ᵉ / **Ralf Schumacher** (Jordan-Peugeot 197) : fuite d'eau (44 tours), alors 16ᵉ / **Damon Hill** (TWR Arrows-Yamaha A18) : boîte de vitesses (47 tours), alors 8ᵉ / **Michael Schumacher** (Ferrari 310B) : accrochage avec Villeneuve (47 tours), alors en tête.

EN TÊTE

M. Schumacher : les 21 premiers tours, du 28ᵉ au 42ᵉ et du 45ᵉ au 47ᵉ tour, soit 173 km.

Villeneuve : le 22ᵉ tour, les 43ᵉ et 44ᵉ tours ainsi que du 48ᵉ au 68ᵉ tour, soit 106 km.

Frentzen : du 23ᵉ au 27ᵉ tour, soit 22 km.

Hakkinen : le 69ᵉ et dernier tour, soit 4 km.

A NOTER

❶ Parti sur le mulet.

❷ Fontana remplace à nouveau Morbidelli, toujours blessé par ses sorties en essais privés avant les GP de France et du Japon.

Hakkinen et Coulthard sous une bonne étoile

Quelques jours plus tôt, le 17 octobre, Gerhard Berger annonçait sa retraite dans un salon de l'*Hôtel Imperial* à Vienne. Ce jeudi 23 octobre, à l'*Hôtel Montecastillo*, il retire sa clé, la 007, la dernière de sa trajectoire en Formule 1. L'Autrichien se sent, de son aveu, oppressé. A peine surgit-il dans le paddock que Gérard Brayle, un ami de Philippe Streiff, l'espionne en lui brandissant un appareil portable : «Philippe Streiff veut vous parler.» De Paris, ce dernier insiste auprès de Berger pour qu'il participe au Masters Elf Kart de Bercy, fin novembre. «Mais, Philippe, je ne vais plus courir», balbutie l'Autrichien, sensible à cette sollicitation.

A son tour, dans le même *Hôtel Montecastillo*, Michael Schumacher, accompagné de Corinna et de la petite Gina Maria – qui recevra ainsi son baptême de la course –, s'enregistre dans la suite 236. Avec, même, un coussin spécial pour Bonny, l'une des chiennes de la famille. Jacques Villeneuve, installé à la chambre 133, l'a précédé de quelques minutes. Tous deux sont attendus à une conférence de presse en forme de duo qui ne tournera pas au duel.

Bleu, blanc, blond.

Ils interprètent des rôles de façade. Schumacher, en tee-shirt noir, est relativement réservé. Villeneuve, en léger polo blanc, est déterminé. L'Allemand proclame sa résolution de «livrer une bataille loyale dans les règles». Le Québécois réplique avec une pointe d'ironie : «Nous ne sommes que des hommes, pas des robots.» La psychose de la collision rôde dans le paddock. A tel point que Bernie Ecclestone a recommandé : «Il nous faut une course propre.» La communication consensuelle de Schumacher et Villeneuve ne livre aucun secret.

Le double champion du monde s'enferme dans un camion Ferrari avec Paolo Martinelli, le chef motoriste, et Ross Brawn, le directeur technique. Villeneuve, lui, est nettement moins occupé. Pour un peu, il paraîtrait même désinvolte. L'armée rouge de Maranello et le commando bleu de Grove-Wantage sont à égalité de matériel avec, l'une et l'autre, quatre monoplaces. Ferrari a transporté 12 moteurs contre 13 chez Williams-Renault. Dans le climat de corrida qui monte, une petite phrase de Max Welti, le bras droit de Peter Sauber, ne passe pas inaperçue : «Nos rapports avec Maranello sont excellents. Nous pourrions aider Ferrari dans la légalité absolue. Rien de plus.» Innocent ou pas, ce propos est soigneusement noté chez Williams-Renault.

Côté français, jamais la différence n'a été aussi tranchée entre Renault et Peugeot. Celui qui se retire de la compétition (du moins sous son nom) joue très gros. Celui qui va poursuivre en 1998 avec Prost GP célèbre sa séparation avec Eddie Jordan. Ce jeudi soir, Peugeot-Sport a convié à dîner Eddie Jordan et les siens au restaurant *El Bosque*, au centre de Jerez. Ils sont une soixantaine à table. Peugeot offre des cadeaux : des maquettes de monoplaces pour Jordan, Fisichella et Ralf Schumacher, des bouteilles de Mouton-Cadet pour les autres.

Au dessert, Jordan se lève pour remercier Peugeot avec sa verve habituelle. Pierre-Michel Fauconnier se dresse à son tour. Il clôture son allocution par une remarque aigre-douce : « Peugeot n'a pas apprécié de voir son stand de Suzuka occupé par des responsables de Mugen-Honda venus vérifier la disponibilité d'espace sur vos voitures pour leur graphisme en 1998. » Après trois ans de partenariat gratuit, Eddie Jordan avait oublié un minimum de correction relationnelle.

Planté dans un décor de western-spaghetti, le circuit de Jerez est au bout du monde. Son infrastructure ne correspond pas à l'intensité d'un *mano a mano* mondial final. Les installations de presse sont indigentes. Tous les contrôles rivalisent de maladresse et de rigueur inopportunes.

Dès les premiers essais, le vendredi, Villeneuve, 1'22''922, et Schumacher, 1'23''532, jouent à cache-cache. « Ne vous tracassez pas pour moi », coupe le Québécois. « Tout va au mieux. Je suis très à l'aise », rétorque l'Allemand. Frank Williams, sur ses gardes, précise : « L'aileron des Ferrari est à la limite de la régularité. Mais nous ne porterons pas réclamation. » En fait, Panis, 1'22''735, et Damon Hill, 1'22''898, sont les rois de ce vendredi. Alain Prost s'en félicite le premier : « Au milieu du duel, nous prouvons que nous existons. » Depuis dix jours, le quadruple champion du monde a été harcelé : « Chacun voulait savoir vers qui allaient mes préférences. A mes yeux, Villeneuve et Schumacher se trouvent à égalité de chances. »

Silhouette à peine épaissie par les années, Jody Scheckter (47 ans), dernier champion du monde Ferrari (1979), relie le passé de la Scuderia à son présent. Scheckter redécouvre la Formule 1 avec sérénité. Il se réjouit surtout de retrouver,

derrière les fourneaux de Benetton, Luigi « Pasticino », son cuisinier chez Ferrari en 1979, aujourd'hui en instance de transfert pour 1998 chez Prost GP. Prudent, Scheckter se garde de tout pronostic. Mais il regarde Jacques Villeneuve avec ses yeux d'ancien compagnon de gloire de son père Gilles (en 1979-1980) : « Il a un terrible tempérament. »

En vérité, c'est le samedi que tout se précipite. A 9 h 45, en pleins essais libres, Villeneuve bondit de son cockpit et, rapide comme l'éclair, va interpeller Eddie Irvine. On croit le Québécois en colère. Erreur. Villeneuve a dit, très calmement, à Irvine de ne pas le gêner. Chez Ferrari, on interprète, à tort, cette initiative de Villeneuve comme un indice d'énervement. Craig Pollock explique : « Jacques a voulu montrer aux médias qu'il ne se laisserait pas manœuvrer. »

Tout évolue avec les essais officiels. 13 h 04 : Panis ouvre le feu, 1'22''191. 13 h 10 : Frentzen éclipse le Français, 1'22''022. Simple hors-d'œuvre. 13 h 14 : Villeneuve s'échappe, à son troisième tour, en 1'21''072. Il est en pole. 13 h 28 : Schumacher le rejoint, à son sixième tour, en 1'21''072. Cette égalité, rarissime, est à l'avantage de Villeneuve. Mais rien n'est fini. 13 h 50 : Frentzen se positionne aussi en 1'21''072. Ce triplé historique – sans précédent dans les annales – enjolive singulièrement la bataille. 13 h 52 : Hill se rapproche en 1'21''130. Pendant que les trois intéressés affichent leur satisfaction, Hill, au calme dans son motor-home Arrows, verse de l'huile sur le feu : « Villeneuve a été gêné dans son tour rapide. La Williams-Renault est plus rapide que la Ferrari. » Panis qui n'a pas beaucoup progressé, 1'21''735, partage la cinquième ligne avec Jean Alesi, 1'22''011, mécontent de sa machine et mal à l'aise dans son environnement.

Ce même soir, Renault organise une grande célébration, à Medina Sidonia, dans la Finca *Los Alburejos*, pour son dé-

part de la Formule 1, autour de ses quatre champions du monde, Nigel Mansell (1992), Alain Prost (1993), Michael Schumacher (1995), Damon Hill (1996). Alain Dubois-Dumée, le directeur de la communication de Renault, a personnellement appelé Jean Todt pour obtenir la présence de Schumacher. Un pont aérien par hélicoptère est monté entre le circuit et *Los Alburejos*.

Peu avant 19 heures, Schumacher se décommande brutalement. Son absence est révélatrice : l'Allemand refuse de parader dans un univers 100 % Renault, à la veille du GP, notamment aux côtés de Jacques Villeneuve. Qu'à cela ne tienne : pendant que Mansell, Prost et Hill catalysent les applaudissements des invités, aux côtés, entre autres, de Louis Schweitzer, Patrick Faure, Bernard Dudot et Christian Contzen, Schumacher se plonge dans un long tête-à-tête avec Ross Brawn, dans le motor-home Ferrari. Il s'agit d'élaborer une stratégie pour la course. Pour le double champion du monde, la parité chronométrée absolue avec Villeneuve et Frentzen représente une source de tracas dont il se serait bien passé.

Dans la soirée de *Los Alburejos*, en tenue décontractée jean et ample chemise, Villeneuve dédramatise l'événement du lendemain : « Si je n'avais pas été moi-même à l'ouvrage sur la piste, je croirais presque que ce scénario est une création de l'esprit. » Il est follement ovationné. Tout aussi réaliste, Frank Williams prédit : « Ce dimanche sera comme toutes les autres journées avec Renault. » Un film émouvant, intitulé « 2 000 jours de course moins un » (le dimanche 26 octobre), retrace l'aventure Renault en Formule 1 : 95 victoires, 104 records du tour, 135 pole positions.

Cette avalanche de statistiques a une âme. Certaines séquences sur Ayrton Senna font perler des larmes aux yeux de Vivianne Senna, la sœur du champion disparu. Quant à Louis Schweitzer, sous le

Schumacher dans les graviers, Villeneuve vers le titre.

regard de Bernie Ecclestone, il révèle d'une voix forte : «Je vous annonce le retour de Renault en Formule 1.» Ecclestone tentera ensuite d'obtenir quelques précisions de calendrier auprès du président de Renault. Peine perdue.

Ce samedi soir, à l'*Hôtel Montecastillo*, Mika Hakkinen dîne tranquillement entre sa fiancée Erja Honkanen et Didier Cotton. «Il serait temps que cela vienne pour Mika», a souhaité Cotton, en fin d'après-midi, avec une conviction pas du tout altérée par l'attente. Hakkinen a amplement consulté la grille : en 1'21"369, il précède son équipier David Coulthard, 1'21"476. Pour le jeune Finlandais, il y a une «bonne opération à tenter» dans l'ombre du duel Schumacher-Villeneuve. C'est ce que l'on pense aussi chez Mercedes. Les Allemands ont obtenu une faveur de la FIA : Jurgen Schrempp, le n° 1 du groupe Daimler-Benz, monterait sur le podium pour remettre le trophée du vainqueur à Hakkinen ou à Coulthard. Cet honneur est confirmé par un communiqué.

A 14h02, ce dimanche, Schumacher installe sa Ferrari d'emblée, au commandement, devant les machines de Frentzen et Villeneuve, prestement distancées de 2" et 3". Au huitième tour, Villeneuve dépasse Frentzen et suit Schumacher à 4"309. La Ferrari contrôle les opérations. Après le

chassé-croisé des ravitaillements, Villeneuve se rapproche de Schumacher, à 0"822. Soudain, dans la circulation, le jeune Argentin Norberto Fontana (22 ans) bloque Villeneuve, sur sa Sauber-Petronas n° 17. Le Québécois est relégué à plus de 3". Une fois Fontana doublé, Villeneuve part, le couteau entre les dents, à l'assaut de Schumacher. En une douzaine de tours, il revient en trombe sur l'Allemand, avec un écart minimal réduit à 0"16.

A 15h10, au quarante-huitième tour, au virage nommé Dry Sack, au bout de la ligne droite, Villeneuve avance, à 295 km/h, le museau de sa monoplace sur l'intérieur de la Ferrari de Schumacher. Les deux machines ont rétrogradé à 95 km/h. L'Allemand, contourné sur sa droite, riposte d'un méchant coup de volant pour neutraliser le Québécois. C'est à la fois trop et trop tard : Villeneuve passe et Schumacher s'enlise dans les graviers de l'extérieur de la piste.

15h12 : Schumacher, déconfit, s'extrait de son cockpit, enlève son casque et revient vers son stand en passager d'infortune sur un scooter. Il a tout perdu d'un seul coup. En cette minute, Villeneuve est champion du monde virtuel, à la condition que sa voiture n'ait pas été touchée dans un organe vital. La télémétrie rassure les ingénieurs de Renault et Williams.

C'est terminé : le Québécois conduit la course à sa guise en laissant le duo Coulthard-Hakkinen, alors à 11", revenir sur lui. Dans le dernier tour, Hakkinen bondit sur le podium suprême qui s'offre à lui. Les McLaren-Mercedes réalisent un doublé inattendu. Troisième, Villeneuve est le maître du monde de la Formule 1. Avant de gagner le parc fermé, dans une cohue d'une rare densité, il reçoit un coup sur le casque : Craig Pollock n'avait pas d'autre moyen pour le féliciter le premier.

La Scuderia Ferrari est pétrifiée : autour de Todt, ils sont tous blêmes. Ils ne récupéreront un semblant de sérénité que plus tard, entre eux, dans le restaurant *El Coto*, à Arcos. Ils contemplent là un poster géant de Schumacher et Irvine, sur un podium. Luca Di Montezemolo, le président de Ferrari, a bondi dans un jet privé, à Bologne, pour venir réconforter les siens. Il les harangue avec un sursaut d'enthousiasme pour les remercier. Un formidable rêve s'est enfui. En habits de lumière de toreros d'un soir, Schumacher et Irvine détendent un peu l'atmosphère. Mais, manifestement, il en faudrait plus. Au même moment, à l'aéroport de Jerez, Jody Scheckter monte anonymement dans un charter de Bristish Midlands à destination de Londres. Son bail de dernier champion du monde Ferrari durera un an de plus.

CHAMPIONNAT DU MONDE DES CONDUCTEURS 1997

	Australie	Brésil	Argentine	Saint-Marin	Monaco	Espagne	Canada	France	Grande-Bretagne	Allemagne	Hongrie	Belgique	Italie	Autriche	Luxembourg	Japon	Europe	TOTAL
1. Villeneuve	–	10	10	–	–	10	–	3	10	–	10	2	2	10	10	–	4	**81**
2. M. Schumacher	6	2	–	6	10	3	10	10	–	6	3	10	1	1	–	10	–	**78**
3. Frentzen	–	–	–	10	–	–	3	6	–	–	–	4	4	4	4	6	1	**42**
4. Coulthard	10	–	–	–	–	1	–	–	3	–	–	–	10	6	–	–	6	**36**
Alesi	–	1	–	2	–	4	6	2	6	1	–	–	6	–	6	2	–	**36**
6. Berger	3	6	1	–	–	–	–	–	–	10	–	1	–	–	3	–	3	**27**
Hakkinen	4	3	2	1	–	–	–	–	–	4	–	–	–	–	–	3	10	**27**
8. Irvine	–	–	6	4	4	–	–	4	–	–	–	–	–	–	–	4	2	**24**
9. Fisichella	–	–	–	3	1	–	4	–	–	–	–	6	3	3	–	–	–	**20**
10. Panis	2	4	–	–	3	6	–	–	–	–	–	–	–	–	1	–	–	**16**
11. Herbert	–	–	3	–	–	2	2	–	–	–	4	3	–	–	–	1	–	**15**
12. R. Schumacher	–	–	4	–	–	–	1	2	2	2	–	–	2	–	–	–	–	**13**
13. Hill	–	–	–	–	–	–	–	1	–	–	6	–	–	–	–	–	–	**7**
14. Barrichello	–	–	–	–	6	–	–	–	–	–	–	–	–	–	–	–	–	**6**
15. Wurz	–	–	–	–	–	–	–	4	–	–	–	–	–	–	–	–	–	**4**
16. Trulli	–	–	–	–	–	–	–	–	3	–	–	–	–	–	–	–	–	**3**
17. Salo	–	–	–	–	2	–	–	–	–	–	–	–	–	–	–	–	–	**2**
Diniz	–	–	–	–	–	–	–	–	–	–	–	–	–	–	2	–	–	**2**
Nakano	–	–	–	–	–	–	1	–	–	–	1	–	–	–	–	–	–	**2**
20. Larini	1	–	–	–	–	–	–	–	–	–	–	–	–	–	–	–	–	**1**

CHAMPIONNAT DU MONDE DES CONSTRUCTEURS 1997

	Australie	Brésil	Argentine	Saint-Marin	Monaco	Espagne	Canada	France	Grande-Bretagne	Allemagne	Hongrie	Belgique	Italie	Autriche	Luxembourg	Japon	Europe	TOTAL
1. Williams-Renault	–	10	10	10	–	10	3	6+3	10	–	10	4+2	4+2	10+4	10+4	6	4+1	**123**
2. Ferrari	6	2	6	6+4	10+4	3	10	10+4	–	6	3	10	1	1	–	10+4	2	**102**
3. Benetton-Renault	3	6+1	1	2	–	4	6	2	6+4	10+1	–	1	6	–	6+3	2	3	**67**
4. McLaren-Mercedes	10+4	3	2	1	–	1	–	–	3	4	–	–	10	6	–	3	10+6	**63**
5. Jordan-Peugeot	–	–	4	3	1	–	4	1	2	2	2	6	3	3+2	–	–	–	**33**
6. Prost-Mugen-Honda	2	4	–	–	3	6	1	–	–	3	1	–	–	–	1	–	–	**21**
7. Sauber-Petronas	1	–	3	–	–	2	2	–	–	–	4	3	–	–	–	1	–	**16**
8. Arrows-Yamaha	–	–	–	–	–	–	–	–	1	–	–	6	–	–	2	–	–	**9**
9. Stewart-Ford	–	–	–	–	6	–	–	–	–	–	–	–	–	–	–	–	–	**6**
10. Tyrrell-Ford	–	–	–	–	2	–	–	–	–	–	–	–	–	–	–	–	–	**2**

STATISTIQUES DES GRANDS PRIX

- Le championnat du monde des conducteurs a été créé en 1950 : sur un total de 614 Grands Prix, 75 pilotes figurent au palmarès.
  - **Grande-Bretagne** (16) : Jackie Stewart, Jim Clark, Stirling Moss, Graham Hill, John Surtees, Tony Brooks, Peter Collins, Mike Hawthorn, Innes Ireland, Peter Gethin, James Hunt, John Watson, Nigel Mansell, Damon Hill, Johnny Herbert, David Coulthard.
  - **Italie** (13) : Alberto Ascari, Giuseppe Farina, Piero Taruffi, Giancarlo Baghetti, Lorenzo Bandini, Ludovico Scarfiotti, Vittorio Brambilla, Luigi Musso, Luigi Fagioli, Riccardo Patrese, Elio De Angelis, Michele Alboreto, Alessandro Nannini.
  - **États-Unis** (5) : Dan Gurney, Phil Hill, Peter Revson, Richie Ginther, Mario Andretti.
  - **Argentine** (3) : Juan Manuel Fangio, Froilan Gonzales, Carlos Reutemann.
  - **France** (12) : Maurice Trintignant, François Cevert, Jean-Pierre Beltoise, Jacques Laffite, Patrick Depailler, Jean-Pierre Jabouille, René Arnoux, Didier Pironi, Alain Prost, Patrick Tambay, Jean Alesi, Olivier Panis.
  - **Nouvelle-Zélande** (2) : Denny Hulme, Bruce McLaren.
  - **Autriche** (3) : Jochen Rindt, Niki Lauda, Gerhard Berger.
  - **Suisse** (2) : Joseph Siffert, Clay Regazzoni.
  - **Suède** (3) : Ronnie Peterson, Joakim Bonnier, Gunnar Nilsson.
  - **Australie** (2) : Jack Brabham, Alan Jones.
  - **Brésil** (4) : Emerson Fittipaldi, Carlos Pace, Nelson Piquet, Ayrton Senna.
  - **Belgique** (2) : Jacky Ickx, Thierry Boutsen.
  - **Allemagne** (3) : Wolfgang von Trips, Jochen Mass, Michael Schumacher.
  - **Mexique** (1) : Pedro Rodriguez.
  - **Finlande** (2) : Keijo Rosberg, Mika Hakkinen.
  - **Afrique du Sud** (1) : Jody Scheckter.
  - **Canada** (2) : Gilles Villeneuve, Jacques Villeneuve.

- Le record des victoires appartient toujours à Alain Prost, 51, devant Ayrton Senna, 41, Jackie Stewart, 27, Jim Clark et Niki Lauda, 25, Nelson Piquet, 23, Nigel Mansell, 31, Michael Schumacher, 27, Damon Hill, 21, Stirling Moss, 16, Graham Hill, Jack Brabham et Emerson Fittipaldi, 14, Alberto Ascari, 13, Mario Andretti, Carlos Reutemann et Alan Jones, 12, Jacques Villeneuve, 11, Ronnie Peterson, James Hunt, Jody Scheckter et Gerhard Berger, 10.

- Voici les champions qui se sont répartis les titres mondiaux :
  - **Juan Manuel Fangio** : 5 fois en 1951, 1954, 1955, 1956 et 1957.
  - **Alain Prost** : 4 fois en 1985, 1986, 1989 et 1993.
  - **Jack Brabham** : 3 fois en 1959, 1960 et 1966.
  - **Jackie Stewart** : 3 fois en 1969, 1971 et 1973.
  - **Niki Lauda** : 3 fois en 1975, 1977 et 1984.
  - **Nelson Piquet** : 3 fois en 1981, 1983 et 1987.
  - **Ayrton Senna** : 3 fois en 1988, 1990 et 1991.
  - **Alberto Ascari** : 2 fois en 1952 et 1953.
  - **Jim Clark** : 2 fois en 1963 et 1965.
  - **Graham Hill** : 2 fois en 1962 et 1968.
  - **Emerson Fittipaldi** : 2 fois en 1972 et 1974.
  - **Michael Schumacher** : 2 fois en 1994 et 1995.
  - **Giuseppe Farina** : 1 fois en 1950.
  - **Mike Hawthorn** : 1 fois en 1958.
  - **Phil Hill** : 1 fois en 1961.
  - **John Surtees** : 1 fois en 1964.
  - **Denny Hulme** : 1 fois en 1967.
  - **Jochen Rindt** : 1 fois en 1970.
  - **James Hunt** : 1 fois en 1976.
  - **Mario Andretti** : 1 fois en 1978.
  - **Jody Scheckter** : 1 fois en 1979.
  - **Alan Jones** : 1 fois en 1980.
  - **Keijo Rosberg** : 1 fois en 1982.
  - **Nigel Mansell** : 1 fois en 1992.
  - **Damon Hill** : 1 fois en 1996.
  - **Jacques Villeneuve** : 1 fois en 1997.

LA MOYENNE DES POINTS DU TITRE MONDIAL

Voici, depuis 1970, la moyenne obtenue par les champions du monde en fonction de leur total de points.

Année	Pilote	Nationalité	Points	G.P.	Moyenne
1970	Jochen Rindt	Autriche	45	13	3,46
1971	Jackie Stewart	Grande-Bretagne	62	11	5,63
1972	Emerson Fittipaldi	Brésil	61	12	5,08
1973	Jackie Stewart	Grande-Bretagne	71	12	4,73
1974	Emerson Fittipaldi	Brésil	55	15	3,66
1975	Niki Lauda	Autriche	64,5	14	4,60
1976	James Hunt	Grande-Bretagne	69	16	4,31
1977	Niki Lauda	Autriche	72	17	4,23
1978	Mario Andretti	USA	64	16	4,00
1979	Jody Scheckter	Afrique du Sud	51	15	4,00 (*)
1980	Alan Jones	Australie	61	14	5,07 (*)
1981	Nelson Piquet	Brésil	50	15	3,33
1982	Keke Rosberg	Finlande	44	16	2,75
1983	Nelson Piquet	Brésil	59	15	3,93
1984	Niki Lauda	Autriche	72	16	4,50
1985	Alain Prost	France	76	16	4,75
1986	Alain Prost	France	72	16	4,50
1987	Nelson Piquet	Brésil	73	16	4,56
1988	Ayrton Senna	Brésil	90	16	5,62
1989	Alain Prost	France	76	16	4,75
1990	Ayrton Senna	Brésil	78	16	4,87
1991	Ayrton Senna	Brésil	96 (**)	16	6,00
1992	Nigel Mansell	Grande-Bretagne	108	16	6,75
1993	Alain Prost	France	99	16	6,18
1994	Michael Schumacher	Allemagne	92	16	5,75
1995	Michael Schumacher	Allemagne	102	17	6,00
1996	Damon Hill	Grande-Bretagne	97	16	6,06
1997	Jacques Villeneuve	Canada	81	17	4,76

(*) Seuls étaient retenus les quatre meilleurs résultats des demi-saisons. Cette moyenne est calculée sur le total réel obtenu par Scheckter (60 points) et Jones (71 points).
(**) Depuis 1991, tous les résultats sont pris en compte, et la victoire est à 10 points.

ORIGINE DES DOCUMENTS PHOTOGRAPHIQUES

Vandystadt/Jean-Marc Loubat, Alain Patrice, Vincent Kalut : pp. 4, 9, 20B, 22B, 23G, 23D, 39, 43H, 48, 52B, 58H, 59, 68B, 71H, 78, 79, 82, 83, 85, 90B, 93, 99, 106, 111B, 112H, 119B, 136B, 139. **Allsport/Vandystadt/Mark Thompson, Michael Cooper, Mike Hewitt, Ben Radford, Clive Mason :** pp. 10D, 11, 24H, 30, 42, 49, 52H, 68H, 71B, 75, 87, 88, 94H, 96H, 97, 98, 101, 107B, 111H, 115, 116, 117H, 119H, 127, 135, 137, couv. HG. **TempSport/Claire Mackintosh/Empics, Steve Etherington/Empics, Franck Seguin, Steve Domenjoz, Jérôme Prevost, John Marsh/Empics, Sandrine Haas, Photo Press Service :** pp. 6B, 24B, 25B, 27, 29, 31H, 31B, 37, 43B, 46, 50, 56, 58B, 60, 65, 69H, 72, 73, 76, 80, 84, 91B, 94B, 96B, 107H, 113, 121, 125B, 133, 141, couv. D. **Dominique Leroy :** pp. 18, 21, 28, 33, 36, 41, 62, 63, 69B, 103, 104. **Pan Images/ Jad Sherif :** pp. 10G, 12, 20H, 22H, 45, 55, 57, 67, 89H, 90H, 91H, 105B, 123, 124, 125H, 129B, 130, 131, 136H. **Bernard Bakalian :** pp. 14, 109, 128. **Gérard Berthoud :** pp. 15, 19, 112B, 118. **Sources privées :** pp. 6H, 17, 34, 35, 40, 51, 53, 70, 81, 89B, 95, 99H, 105H, 117B, 129G. **Studio Falletti :** p. 77. **Normand Jolicœur :** p. 8.

Impression et reliure : Pollina s.a., 85400 Luçon - n° 72505
Dépôt légal : octobre 1997